Anarquistas, graças a Deus

Anarquistas, graças a Deus

MEMÓRIAS

POSFÁCIO
Lilia Moritz Schwarcz

10ª reimpressão

1ª edição, Record, Rio de Janeiro, 1979

Grafia atualizada segundo o Acordo Ortográfico da Língua Portuguesa de 1990, que entrou em vigor no Brasil em 2009.

Projeto gráfico
Rita da Costa Aguiar

Imagens de capa
Xilogravura de Calasans Neto

Imagens do caderno de fotos
Acervo Fundação Casa de Jorge Amado

Preparação
Denise Pessoa

Revisão
Isabel Jorge Cury
Carmen S. da Costa

Dados Internacionais de Catalogação na Publicação (CIP)
(Câmara Brasileira do Livro, SP, Brasil)

Gattai, Zélia, 1916-2008.
Anarquistas, graças a Deus: memórias/ Zélia Gattai.
— 1ª ed. — São Paulo: Companhia das Letras, 2009.

ISBN 978-85-359-1391-0

1. Escritoras brasileiras — Biografia 2. Gattai, Zélia, 1916-2008 I. Título.

09-00074 CDD-928.699

Índice para catálogo sistemático:
1. Escritoras brasileiras : Biografia 928.699

EDITORA SCHWARCZ S.A.
Rua Bandeira Paulista, 702, cj. 32
04532-002 — São Paulo — SP
Telefone: (11) 3707-3500
www.companhiadasletras.com.br
www.blogdacompanhia.com.br
facebook.com/companhiadasletras
instagram.com/companhiadasletras
twitter.com/cialetras

PARA Jorge, minhas memórias de infância, com amor.

PARA dona Angelina e seu Ernesto, meus pais, toda a saudade contida nestas recordações.

PARA meus irmãos, Remo, Wanda, Vera e Tito, que aí estão e não me deixam mentir.

PARA meus filhos, Luiz Carlos, João Jorge e Paloma, algumas histórias de um tempo passado.

PARA Misette Nadreau, Janaína e Luiz Carlos Batista de Figueiredo e Antônio Celestino, que me incentivaram a escrever estas páginas.

Eu nasci assim
Eu cresci assim
Eu sou mesmo assim
Vou ser sempre assim…

DORIVAL CAYMMI
Modinha de Gabriela

O LIVRO DE ZÉLIA

Em 1976, fui com Zélia para uma chácara de propriedade de Dmeval Chaves, nas aforas de Salvador, para começar a escrever o romance *Tieta do Agreste*. A princípio, quando eu ainda buscava os caminhos para a trajetória dos personagens, Zélia, sem muito o que fazer e habituada à trabalheira de nossa casa no Rio Vermelho, resolveu botar no papel divertida história de um disco, acontecida em sua infância. Atendia a pedido insistente dos filhos a quem contara aquele e outros casos mais de uma vez: "Isso dá um conto, mãe", afirmavam João Jorge e Paloma. Redigida a história, pediu-me que a lesse e opinasse.

História ingênua, o conto não me interessou grandemente. Em compensação encontrei, nas quinze ou vinte páginas do original, elementos os mais curiosos sobre a vida de uma família de imigrantes italianos (e anarquistas) em São Paulo, no primeiro quartel do século. Pequenas anotações, detalhes perdidos na tentativa ficcional. Então eu lhe disse: jogue o conto fora e escreva suas memórias de infância e adolescência. Descreva a vida em sua casa, a família, os amigos, os parentes, a rua, o bairro, a vinda dos avós e pais para o Brasil — os do lado paterno, anarquistas florentinos, para a famosa Colônia Cecília; os do lado materno, católicos vênetos, para substituir os escravos nas plantações de café —, as reuniões proletárias, os primeiros automóveis chegados a São Paulo, o Brás, a rua Caetano Pinto, o Bexiga, o conde Fróla, Sacco e Vanzetti, tudo que viveste e de que guardas memória. Farás um livro único, um depoimento singular.

Assim ela fez: durante três anos, nas sobras de tempo de nossa vida atribulada, Zélia foi escrevendo as lembranças de uma infância e uma adolescência ricas de acontecimentos, narrando o cotidiano das famílias dos imigrantes naquela época, em São Paulo. Resultou, ao meu ver, um livro pleno de interesse e de calor humano. Escrito sem pretensão de fazer literatura — pretensão de literatura que quase sempre resulta em literatice — uma narrativa correntia e simples. A vida que decorre, os pequenos incidentes, os grandes eventos, as dificuldades, a luta, os ideais, os sonhos, a indomável coragem de uma gente sofrida. Fica-se sabendo como esses italianos se naturalizaram brasileiros fazendo filhos brasileiros, iguais aos árabes, negros, judeus, eslavos, húngaros, alemães que aqui também aportaram, iguais aos paulistas de antiga tradição. Assim vem sendo forjada a nação brasileira, na contínua e boa mistura de sangue. As moças e os rapazes que vemos meninos nas páginas de *Anarquistas, graças a Deus* casaram-se com nacionais de outros sangues e levaram avante, sem o saber, o sonho dos avós.

Livros como este, um depoimento, uma memória reconstruída, são raros no Brasil, são inúmeros nas línguas inglesa e francesa. Livros importantes para a compreensão do crescimento do país e de sua originalidade cultural. Zélia contando o dia-a-dia, risonha e terna, recria um tempo e uma realidade, mostra a evolução social e a árdua luta de um grupo humano de extraordinária vitalidade, de imbatível firmeza, povo indomável.

A vida explode e se afirma em cada página de *Anarquistas, graças a Deus*. Quem o escreveu — e sou no caso a melhor testemunha — é uma valente, doce, sensível e vivida brasileira a quem as circunstâncias possibilitaram andar o mundo, conhecer as maiores figuras intelectuais de seu tempo, com elas tratar, delas fazer-se amiga, viver intensamente, e que jamais deixou de ser a filha de imigrantes italianos, de trabalhadores, conservando em seu puro coração a flama daquele sonho que cruzou o oceano, a fibra das mulheres — dona Angelina, suas vizinhas e amigas — e dos homens — Ernesto Gattai e seus companheiros — que plantaram em terras do Brasil uma semente de esperança. Resta-me acrescentar que me sinto feliz por ter lido os originais deste livro: ele me deu infância e adolescência, a família e os amigos, as lágrimas e o riso, a têmpera daquela menina que é minha mulher há 35 anos. E que ainda conserva na face bela e no coração ardente a força do sonho imortal de sua gente, bandeiras de vida e liberdade.

JORGE AMADO

ALAMEDA SANTOS NÚMERO 8

Num casarão antigo, situado na alameda Santos número 8, nasci, cresci e passei parte de minha adolescência.

Ernesto Gattai, meu pai, alugara a casa por volta de 1910, casa espaçosa, porém desprovida de conforto. Teve muita sorte de encontrá-la, era exatamente o que procurava: residência ampla para a família em crescimento e, o mais importante, o fundamental, o que sobretudo lhe convinha era o enorme barracão ao lado, uma velha cocheira, ligada à casa, com entrada para duas ruas: alameda Santos e rua da Consolação. Ali instalaria sua primeira oficina mecânica. Impossível melhor localização!

Para quem vem do centro da cidade, a alameda Santos é a primeira rua paralela à avenida Paulista, onde residiam, na época, os ricaços, os graúdos, na maioria novos-ricos.

Da praça Olavo Bilac até o largo do Paraíso, era aquele desparrame de ostentação! Palacetes rodeados de parques e jardins, construídos, em geral, de acordo com a nacionalidade do proprietário: os de estilo mourisco, em sua maioria, pertenciam a árabes, claro! Os de varandas de altas colunas, que imitavam os *palazzos* romanos antigos, denunciavam —

logicamente — moradores italianos. Não era, pois, difícil, pela fachada da casa, identificar a nacionalidade do dono.

O proprietário do imóvel que meu pai alugou era um velho italiano, do sul da Itália, Rocco Andretta, conhecido por seu Roque e ainda, para os mais íntimos, por tzi Ró (tio Roque). Dono de uma frota de carroças e burros para transportes em geral, fora intimado pela prefeitura a retirar seus animais dali; aquele bairro tornava-se elegante, já não comportava cocheiras e moscas. O velho Rocco fizera imposições ao candidato: reforma e limpeza do barracão, pinturas e consertos da casa por conta do inquilino.

Dona Angelina, minha mãe, assustou-se: gastariam muito dinheiro, um verdadeiro absurdo! Onde já se vira uma coisa daquelas? Velho explorador! Por que o marido não comprava um terreno em vez de gastar as magras economias em reformas de casa alheia? E o aluguel? Uma exorbitância! Como arranjar tanto dinheiro todos os meses? Onde? Como? Mas ela sabia que não adiantava discutir com o marido. Considerava-o teimoso e atrevido.

O vocabulário de dona Angelina era reduzido — tanto em português como em italiano, sua língua natal —, não sabia expressar-se corretamente; por isso deixava de empregar, muitas vezes, a palavra justa, adequada para cada situação. Usava o termo "atrevimento" para tudo: coragem, audácia, heroísmo, destemor, obstinação, irresponsabilidade e atrevimento mesmo. Somente conhecendo-a bem se poderia interpretar seu pensamento, saber de sua intenção, se elogiava ou ofendia. No caso da reforma em casa alheia, não havia a menor dúvida, ela queria mesmo desabafar, chamar o marido de irresponsável: "Um atrevido é o que ele é!", disse e repetiu.

O ATREVIDO COMPRA UM CARRO MOTOBLOC

Havia pouco, quando da compra do Motobloc, mamãe não lutara também? Emburrara, discutira. Adiantara alguma coisa? Tinha três filhos para sustentar, como ia comprar um carro amassado? Papai não se abalou com os argumentos da mulher, com seus emburros, não lhe deu atenção, não era louco de perder aquela oportunidade única.

O proprietário do Motobloc em questão andava desacorçoado, às voltas com as complicações do automóvel — comprado num momento de animação e insensatez — que ele não conseguia manejar. Não acertava a virar a manivela e já levara um contragolpe que quase lhe fraturara o braço. De outra feita, ficara encalhado, em plena escuridão da noite, mulher e filhos a tremer de medo e de frio naquele carro aberto, os faróis apagados por falta de carbureto, ele sem saber que rumo dar, quais as providências a tomar, nada entendendo do assunto. Seu desgosto culminou ao bater contra uma árvore. Atrapalhara-se na direção, não conseguira dominar nenhum dos dois travões, duros e emperrados; o choque fora inevitável. Quanto iria pagar pelo estrago? Sentiu-se aliviado quando o mecânico lhe propôs comprar o automóvel rebentado. Nem pensou em discutir preço, queria livrar-se daquele pesadelo. Vendeu-o por alguns vinténs e sentiu-se feliz. Mais feliz ainda ficou o habilidoso comprador, que, num abrir e fechar de olhos, botou o carro tinindo, novo, travões devidamente engraxados, aptos a brecar a máquina em qualquer emergência, as correntes de transmissão das rodas traseiras também deslizando de fazer gosto.

A paixão de seu Ernesto por automóveis começou quando seu pai, de sociedade com alguns amigos, importou da França um Dedion Boutton, o primeiro carro dessa marca a rodar nas ruas de São Paulo. Automóvel de três rodas, motor debaixo do assento. A regulagem da máquina era feita nas ladeiras: se subisse com três pessoas, estava em ordem.

Outros automóveis foram aparecendo, papai sempre a par das novas marcas e dos novos tipos, procurando compreender e dissecar os estranhos motores a explosão, penetrar em seus mistérios.

A ORIGEM DOS TEMORES DE DONA ANGELINA

Os temores de dona Angelina tinham uma explicação: sempre levara uma vida de apertos; casara-se muito jovem, quase uma criança, apenas completara quinze anos e o noivo dezoito. O salário do inexperiente marido, empregado na oficina de seu pai, na rua Barão de Itapetininga (oficina de consertos de bicicletas, armas de fogo, máquinas de costura etc.), não era suficiente para o sustento da casa. Embora contra a vontade ele permitiu que sua mulher, após o casamento, continuasse na fábrica de tecidos, no Brás, onde trabalhava desde a idade de nove anos, ajudando nas despesas do lar paterno. Mesmo assim, com os dois parcos ordenados, levavam vida de sacrifícios.

Com os dois reduzidos salários viviam três pessoas, pois tia Dina, irmã mais nova de papai, passaria a morar com os recém-casados. Órfã de mãe desde pequena, Dina aprendera a ter responsabilidades, esperta como ela só, cozinhando e cuidando da casa. Mamãe não poderia desejar coisa melhor, pois de arrumações não entendia nada e muito menos de cozinha.

Menina de doze anos, tia Dina era tão miúda que, para alcançar as panelas no fogão, necessitava subir num caixote. Em troca exigia da cunhada que lhe contasse histórias: "Ou conta histórias ou não cozinho...". Mamãe se sujeitava com grande prazer à chantagem da cunhadinha. Mil vezes contar, inventar histórias do que se acabar no fogão e no maçante serviço da casa.

Dois anos depois nasceu-lhe Remo, o primeiro filho. Teve que abandonar a fábrica. Os ganhos diminuíram, aumentaram as despesas e as restrições aumentaram mais ainda.

MOTORISTA DIPLOMADO

A essa altura, papai já andava às voltas com automóveis, procurando mudar de vida.

Dirigiu um requerimento ao dr. Rudge Ramos, prefeito do município de São Paulo, solicitando um exame para a obtenção de um alvará de licença a fim de tornar-se um "conductor de carro automóvel".

Sua carta de "conductor" de automóvel lhe foi liberada pela Inspetoria de Viação Municipal, a 4 de abril de 1907. Carta registrada na página número 8 do livro número 1, de São Paulo.

Os jornais anunciavam a chegada de luxuoso carro, importado pela família Prado. Necessitavam de chofer competente.

Documento em punho, o jovem candidato ao cargo dirigiu-se para o elegante bairro de Higienópolis, esse sim, bairro dos ricos autênticos, com tradição e fidalguia. Bateu à porta da mansão dos Martinho Prado.

Passou no teste: devidamente habilitado, boa aparência, educado.

Fardado de branco, perneiras pretas reluzentes de graxa e escova, luvas brancas e boné, trabalhou seu Ernesto durante dois anos para a família Prado. Ocupava com a mulher e o filho um apartamento sobre a garagem, no jardim do palacete.

Todas as manhãs, bem cedo, sua primeira tarefa era lavar o espetacular automóvel preto e pintar de branco as faixas de suas rodas.

Remo era um ano mais novo que Caíto (Caio Prado Júnior, bisneto de dona Veridiana da Silva Prado, a patroa). Caíto, menino desenvolvido e forte, crescia rapidamente, perdendo também rapidamente as finas roupinhas, muitas vezes herdadas pelo filho do chofer.

Durante os anos que moraram em Higienópolis, conseguiram economizar algum dinheiro. Os gastos eram poucos, o ordenado bom.

Mas seu Ernesto não nascera para servir a patrões. Não era homem para andar de luvas, empertigar-se ao abrir portas de carros, permanecer imóvel como estátua enquanto os patrões subissem ou descessem do automóvel, receber ordens. Positivamente não nascera para aquilo, aguentara demais. Deu um basta, deixou o emprego.

Levou alguns anos às voltas com automóveis, atendendo chamados, consertando aqui, quebrando a cabeça ali, às vezes ganhando muito, às vezes levando calote, sem pouso certo. Três filhos já haviam nascido, outros mais viriam. Era necessário estabilizar a vida, procuraria um barracão, abriria uma oficina mecânica.

OS MURAIS DE SEU ROQUE

Assinou o contrato com Rocco Andretta, assumiu todos os compromissos. Tinha o suficiente para começar vida nova. Agora era pôr mãos à obra, tocar o barco sem temor.

Havia ainda duas exigências do proprietário do imóvel: além do encargo da reforma do barracão e da pintura da casa, o inquilino devia conservar no telhado do barracão o cavalinho de alvenaria — escultura de cerca de um metro de altura — sobre um pedestal, peça de estimação do velho, seu orgulho, símbolo da cocheira desde o seu início.

— E se eu o substituir agora por um automóvel? — pilheriou papai.

Rocco Andretta não gostou da brincadeira, que não bulissem no cavalinho, coisa sagrada para ele.

Segunda exigência: manter os murais pintados no terraço lateral da casa, paisagens pintadas, havia tempos, pelo mestre Joaquim (Jaquina, no falar enrolado de seu Roque), mulato acaboclado, de meia-idade, um gigante, bom nos pincéis e nas tintas, dono de uma paciência infinita.

Nesse terraço havia duas portas e duas janelas e, entre cada uma delas, uma paisagem diferente.

Quem assistiu, contou: Rocco, munido de vários cartões-postais, compusera a paisagem dirigindo o artista na homenagem à terra distante — havia quantos anos saíra de Nápoles? Já perdera a conta. Escolheu a parte mais espaçosa da parede, a mais vista da rua, para ali colocar o Vesúvio, fumaça e labaredas evolando-se da cratera, céu azul, grandes pássaros — que, na interpretação nacionalista de Joaquim, viraram coloridos papagaios, araras e tucanos — voando e, embaixo, na base, algumas carrocinhas carregadas de verduras e frutas, outras de tijolos e materiais de construção, puxadas a burros. As carrocinhas e os burros estavam presentes em todas as paisagens. Quem sabe, no fundo, talvez fizessem parte da propaganda de sua "frota" de transportes.

Com a mudança da cocheira para longe, seu Roque, pai de numerosa família, passou a responsabilidade da empresa aos filhos mais velhos, aposentou-se. Residindo na mesma rua, sua preocupação única, daí por diante, foi a de vigiar nossa casa, ou melhor dito, a pintura dos murais, a menina de seus olhos. Estavam descorando? Mãos à obra! Lá vinha o fiel vigilante do *capolavoro* arrastando atrás de si o cansado Joaquim que mal podia carregar a pesada escada de madeira e as latas de tintas.

Empoleirado no alto dos degraus, a postos, Joaquim aguardava as ordens do mestre:

— Carca essa fumaça no Vesúvio, Jaquina! Põe mais vermelho na boca do vurcão. Capricha na vampa! Questo é o mais grande e più belo vurcão du mondo! — ria orgulhoso.

O pintor também sorria. Conhecia demais o velho, havia tantos anos que lhe fazia as vontades, sem esperar grandes recompensas.

— Jaquina é uno artista! — bajulava o matreiro tzi Ró.

Eu adorava assistir aos trabalhos da restauração da obra de arte. Passava horas a fio, divertindo-me.

MAMÃE VENCE A BATALHA

Certa manhã, portão adentro, apareceu Rocco Andretta munido de enorme serrote.

— Quais são as novidades, tzi Ró? — perguntou-lhe mamãe, gentil.

— As novidade? As novidade é que esta árvore vai dar o fora daí.

Retirando o paletó, arregaçando as mangas da camisa, o velho mostrava-se disposto a começar o trabalho.

Mamãe se alarmou:

— Que é isso, seu Roque? Não estou entendendo nada! O senhor está querendo serrar nossa árvore? Como?

A árvore em questão era uma goiabeira, plantada por mamãe ao lado do terraço, crescendo de dar gosto, viçosa, seus primeiros frutos a amadurecer.

— É. É isso mesmo! Questa árvore vai cair fora daqui — repetiu, insolente.

Apanhou o serrote que havia largado no chão, disposto a não dar mais satisfações.

— Me desculpe, seu Roque — gritou-lhe mamãe, com toda a energia —, o senhor não vai serrar a goiabeira coisíssima nenhuma! Que mal esta planta lhe faz? Que mal ela faz à sua casa? Me responda, por favor!

— Como que mal? — respondeu Rocco bufando. — E as paisagem? Questa árvore aí esconde o meu vurcão... daqui a poco ninguém vai vê mais nada da rua! Arranco logo questa porcaria! — Estava apoplético diante da barreira encontrada, da afronta da inquilina a querer lhe embargar os passos; a língua cada vez mais enrolada, misturando napolitano com português.

O bate-boca esquentou: corta, não corta... chegou papai vindo da garagem, atraído pela discussão, limpando as mãos sujas de graxa numa estopa; que berreiro era aquele? De um lado Rocco de serrote em punho querendo serrar, de outro mamãe, encostada ao tronco da goiabeira em atitude heroica de defesa à vítima. Ao inteirar-se do assunto, voz serena e firme, cara fechada, em poucas palavras seu Ernesto liquidou a questão:

— Rocco Andretta — começou, duro —, enquanto eu pagar o aluguel desta casa, faço nela o que quiser e bem entender. Aqui quem manda sou eu, não me venha mais com prepotências, porque aqui o senhor não corta árvore nenhuma. Aqui, não! — Deu as costas, voltou para o seu trabalho.

Numa tentativa de desfazer o clima desagradável, mamãe ainda quis argumentar e, delicadamente, disse:

— Se o senhor tem amor às suas pinturas, tzi Ró, eu tenho amor às minhas plantas, não acha?

Tzi Ró não achava nada. Nem quis ouvir o que ela dizia.

Furioso com a derrota, tornou a vestir o paletó, apanhou o serrote e saiu resmungando frases que ninguém entendeu. Desde então desinteressou-se dos murais. Aos poucos eles foram desaparecendo, nunca mais vimos Jaquina e, um belo dia, papai mandou pintar as paredes de amarelo.

O cavalo de alvenaria permaneceu em seu pedestal até o fim. Esse cavalo foi o orgulho de minha infância. Eu era a única menina na rua a morar numa casa com um cavalinho no topo da cumeeira. Minha esperança era montá-lo um dia, como faziam meu irmão Tito e seus camaradas que, burlando a vigilância dos mais velhos, escalavam o altíssimo telhado, partindo telhas, arriscando a vida.

SÃO PAULO-SANTOS, IDA E VOLTA

A oficina de papai ia de bem a melhor. A clientela crescia, o nome e a reputação do competente especialista em motores de automóveis se espalhavam.

Ficou ele ainda mais conhecido quando, em 1910, pilotando o seu Motobloc realizou um reide sensacional, de ida e volta a Santos.

Não foi difícil conseguir companheiros para a viagem. Com ele seguiram Amadeu Strambi, Miguel Losito e Antônio dos Santos.

Papai teve que ir à polícia obter autorização para a projetada aventura. Ao assinar o termo de compromisso assumindo a responsabilidade por tudo o que pudesse suceder durante a viagem, soube que não seria o primeiro a realizar tal proeza, como imaginara. Havia algum tempo outro ousado já a fizera. Surpreso e decepcionado, procurou saber detalhes sobre o feito anterior. Uma informação mais precisa restituiu-lhe o entusiasmo: o outro realizara apenas a viagem de ida a Santos, não se animara a subir a serra no retorno ainda mais difícil. Pois bem: ele e seus companheiros fariam o reide completo, São Paulo-Santos, ida e volta. Seriam os primeiros a fazê-lo.

Partiram de casa ao alvorecer, pela estrada do Vergueiro. Até o alto da serra, não encontraram dificuldades, o piloto conhecia bem o caminho, lá estivera antes em piqueniques. Do alto da serra em diante começaria a grande incógnita, o desconhecido. Pelo caminho aberto no século passado, transitavam burros de carga e pequenos veículos a tração animal, não existindo condições para a passagem de automóveis.

Com os instrumentos que levavam, facões, machados, pá e picareta, abriram caminhos cortando árvores, removendo pedras, arrancando raízes, e por mais de uma vez tiveram de suspender o automóvel e carregá-lo a fim de transpor barreiras: pedras, grossos troncos caídos, lama formada pelas nascentes e uma infinidade de outros atravancos.

Enfrentaram animais, foram picados por mosquitos venenosos.

Varando a noite, seguiram em frente, pela escuridão da mata densa, iluminados apenas pela precária luz dos faróis a carbureto.

Atingiram seu destino na noite seguinte, exaustos, arranhados, sujos, inchados pelas picadas dos insetos, porém felizes.

A descida fora tão penosa que um dos companheiros chegou a sugerir a interrupção do plano. Já haviam feito muito, voltariam os quatro de trem e embarcariam o carro na gôndola da São Paulo Railway. Mas o chefe da expedição era obstinado (atrevido, diria sua mulher): se haviam descido, poderiam subir. Pioneiros, seriam os primeiros a realizar essa façanha. Quem quisesse desistir, que desistisse. Ele, Ernesto Gattai, voltaria dirigindo seu carro, máquina valente, capaz de escalar qualquer serra, de aguentar qualquer tranco.

Os intrépidos companheiros animaram-se novamente, cumpriram a parte mais difícil da empreitada: a subida da serra de Santos, que exigiu deles mais tempo e maior esforço.

Finalmente chegaram de volta ao ponto de partida, sãos e salvos, o carro enfeitado de ramos de árvores, únicos louros a que tiveram direito. Alguns jornais ocuparam-se do feito, o retrato dos "intrépidos" foi estampado ao lado da notícia do reide. Pela primeira vez o nome e o retrato do automobilista Ernesto Gattai aparecera na imprensa.

PAPAI REGISTRA OS FILHOS

Na casa da alameda Santos número 8, mamãe ainda teve um casal de filhos: Tito e eu. Pouca gente sabe até hoje que o nome de Tito é Mário.

Papai saiu de casa para o cartório, ia registrar o filho. Da cama, de resguardo do parto, mamãe o chamou:

— Não esqueça de passar pela casa de dona Josefina. Seu Amadeu está te esperando.

— Foi bom me lembrar, estava distraído, talvez até esquecesse.

— Espero que, pelo menos, não esqueça o nome da criança — riu mamãe.

Tivera muito trabalho para escolher, entre dezenas de nomes, um que achasse bom para o filho. Por fim, optara pelo mais bonito de todos: Elson.

A família Strambi era íntima lá de casa. Velhos amigos, vizinhos havia muitos anos.

Ao se conhecerem, os Strambi já tinham três filhos, e o nascimento dos que foram surgindo, daí por diante, coincidiu sempre com os de casa: "Até parece que combinam pra ter filhos ao mesmo tempo...", comentavam as comadres. Amadeu Strambi fora um dos companheiros de papai na recente aventura: São Paulo-Santos-São Paulo.

Essa seria a quarta vez que iriam juntos ao cartório registrar filhos. Enquanto aguardavam a vez de serem atendidos, Amadeu quis saber qual o nome que Ernesto daria ao seu filho. Mera curiosidade.

— Elson — disse papai, sem demonstrar nenhum entusiasmo pelo nome —, foi o que Angelina escolheu.

— E isso é nome de homem? — pilheriou Amadeu. — No meu, ponho nome de *maschio*, nome forte: Mário!

O argumento e a ênfase do amigo ao pronunciar a palavra *maschio* impressionaram meu pai. Não é que o Amadeu tinha razão? Angelina que o desculpasse, dessa vez ele daria o nome ao filho. Tinha direito, pelo menos uma vez, não?

— Direito? — Falta de consideração, isso sim! Mudar o nome de meu filho sem me consultar! — Esta foi a resposta de dona Angelina, mais do que aborrecida, chocada, diante da explicação do marido ao entregar-lhe a certidão de nascimento do filho, registrado com nome de "macho".

Desta vez mamãe conseguira, excepcionalmente, empregar o termo exato para traduzir seu pensamento: falta de consideração.

Não a confortaram nem conseguiram atenuar sua mágoa, as palavras, os conselhos e os exemplos dados por dona Josefina, tentando consolá-la nos dias que se seguiram:

— A senhora me desculpe que lhe diga, dona Angelina, a

senhora é italiana — dona Josefina era portuguesa —, eu falo apenas dos homens italianos, marido italiano é assim mesmo. Só faz o que quer, nem lhes interessa saber o que pensam ou desejam as mulheres. A minha Ema, por exemplo, a senhora sabia? Era para chamar-se Guiomar, pois foi esse o nome que escolhi. Quando Amadeu voltou do cartório com a certidão, quase morri de desgosto. Como lhe passou pela cabeça dar um nome de ave à minha filha? O jeito, dona Angelina, é a gente não se aborrecer muito, se conformar.

Se conformar? Não era esse o fraco de dona Angelina. O menino jamais seria chamado de Mário. Ela o apelidou em seguida de Tito e Tito ficou para sempre.

Tito foi o segundo menino do casal; eu, a terceira menina e o último dos cinco filhos. Caçula, fui o primeiro e único dos filhos de meus pais a ter pajem.

MARIA NEGRA

Maria Negra chegou em nossa casa um mês antes de meu nascimento, seria a minha pajem. Veio recomendada por Suzana, empregada antiga da casa de dona Emília Bulcão, parteira conceituada do bairro.

Por que Maria Negra e não Maria da Conceição, se seu nome era este? Não foi certamente por racismo que lhe deram o apelido, isso não! Aquela era uma casa de livres-pensadores, de anarquistas. Inteiramente absurda semelhante hipótese, nem mesmo por brincadeira!

Maria Negra rapidamente dominou a todos com sua simpatia e eficiência. Mocinha, quase menina, logo tomou as rédeas da casa. Era a primeira a sentar-se à mesa com a família — papai não admitia que alguém comesse na cozinha, fosse lá quem fosse —, servia aos meninos, descobrindo logo o gosto de cada um, dona de grande personalidade. Tanto que foi ela a decidir a escolha de meu nome. Na presença da empregada, marido e mulher discutiam como chamar a menina a nascer — dona Angelina tinha seus macetes, adivinhava sempre o sexo do filho que carregava no ventre, por isto procuravam apenas nome para menina; seu Ernesto querendo Pia (heroína de um romance que acabara de ler, *Pia dei Tolomei*), dona Angelina propondo Dora, ironizando da proposta do marido:

— Por que Pia? Não seria interessante Bacia ou Balde?

Maria Negra, que acompanhava atentamente a discussão, meteu-se na disputa:

— Por mim eu botava Zélia. É o nome mais lindo que conheço. A menina que eu cuidava era Zélia.

Falou nessa criança com tanta ternura... Gabou-lhe os encantos a tal ponto, que acabou impressionando a patroa, passando esta também a achar Zélia o nome mais belo do mundo. Eu o carrego até hoje.

O primeiro galanteio dirigido a mim ao nascer foi de Maria Negra. Naquela noite fria, enquanto aguardavam a minha chegada, Maria Negra não pregou olho. Andava para cima e para baixo, tomando providências, coando café, fervendo água, desinfetando a bacia. Enquanto isso, lá dentro, no quarto, dona Emília Bulcão esmerava-se para conseguir trazer ao mundo, sem causar muitos danos à parturiente, a já denominada Zélia, menina grande e gorda. Era mês de julho, inverno rigoroso; Maria Negra, sem ligar para o frio e nem para o sono, via o dia clarear, esperando ansiosa sua nova patroazinha; ela chegaria — tinha fé em Deus — antes da criança da vizinha, mais uma vez no páreo com sua patroa. Até apostara com dona Luiza, irmã de dona Josefina, que a "nossa" chegaria antes.

Ao apresentarem a criança à Maria Negra ela não conseguiu conter-se: "Credo! Parece uma broa saída do forno!", exclamou, rindo feliz, tomando-me cuidadosamente em seus braços.

OS COMPADRES VOLTAM AO CARTÓRIO

Ainda uma vez lá se foram os dois compadres, seu Amadeu e seu Ernesto, para o cartório. As filhas haviam nascido com um dia de diferença. Maria Negra ganhara a aposta.

Até hoje desconheço os motivos, apenas sei que somente um mês após o nascimento das meninas dispuseram os pais a fazer o registro das filhas. Só então ficaram sabendo que, por esse atraso, deveriam pagar substanciosa multa. O preço legal para as inscrições dos nascimentos havia estourado há muito.

Que decisão tomou Amadeu Strambi, eu nunca soube. Ernesto Gattai, simplesmente não pagou a multa. Problema de tão fácil solução! Qual a mulher que não deseja ser mais jovem? Este foi o seu raciocínio.

Pela minha certidão de nascimento, sou nascida a 4 de agosto. Além do mês e dois dias de lambujem ganhos, passei também a ser dona de dois signos do zodíaco: oficialmente, sou de Leão; na realidade, de Câncer. Adotei os dois.

Ainda uma vez dona Josefina foi lograda. Ao chegarem ao cartório nesse dia, antes mesmo de tomar conhecimento da multa, seu Amadeu atrapalhou-se: havia esquecido o nome recomendado pela mulher e sobretudo pelas duas filhas mais velhas. Procurou pelos bolsos todos, nada! Não encontrava! Lembrava-se, no entanto, que lhe haviam entregue, escrito num pedacinho de papel, o nome da menina, para garantir-lhe a grafia certa. Por fim, quando começava a se enervar, encontrou-o em meio a outros papéis. Leu, releu; ali estava o nome escrito em letras bem legíveis, mas... mostrou-o ao amigo. Nenhum dos dois sabia como pronunciá-lo. Foi preciso a intervenção de um terceiro: Haydée era o nome. Papai debochou.

— Como é que você vai se arranjar com uma filha cujo nome nem sabe dizer direito? Coisa mais esquisita. Parecem letras soltas: a-i-d...

Seu Amadeu encabulou. Puxou a carteira de cigarros do bolso, precisava refletir. Fumava cigarro Olga. Na carteira, o nome da marca em letras graúdas. Não pensou duas vezes:

— Ponha Olga — ordenou ao escrivão.

Seu Amadeu ainda voltou uma vez ao cartório. Dessa vez sozinho para registrar Sílvio. Mamãe encerrara sua missão, com o meu nascimento. No ano de 1916.

OS AUTOMÓVEIS INVADEM A CIDADE

Naqueles tempos, a vida em São Paulo era tranquila. Poderia ser ainda mais, não fosse a invasão cada vez maior dos automóveis importados, circulando pelas ruas da cidade; grossos tubos, situados nas laterais externas dos carros, desprendiam, em violentas explosões, gases e fumaça escura. Estridentes fonfons de buzinas, assustando os distraídos, abriam passagem para alguns deslumbrados motoristas que, em suas desabaladas carreiras, infringiam as regras de trânsito, muitas vezes chegando ao abuso de alcançar mais de vinte quilômetros à hora, velocidade permitida somente nas estradas. Fora esse detalhe, o do trânsito, a cidade crescia mansamente. Não havia surgido ainda a febre dos edifícios altos; nem mesmo o Prédio Martinelli — arranha-céu pioneiro de São Paulo, se não me engano do Brasil — fora ainda construído. Não existia rádio, e televisão, nem em sonhos. Não se curtia som em aparelhos de alta-fidelidade. Ouvia-se música em gramofones de tromba e manivela. Havia tempo para tudo, ninguém se afobava, ninguém andava depressa. Não se abreviavam com siglas os nomes completos das pessoas e das coisas em geral. Para que isso? Por que o uso de siglas? Podia-se dizer e ler tranquilamente tudo, por mais longo que fosse o nome, tudo por extenso — sem criar equívocos — e ainda sobrava tempo para ênfase, se necessário fosse.

Os divertimentos, existentes então, acessíveis a uma família de poucos recursos como a nossa, eram poucos. Os valores daqueles idos, comparados aos de hoje, no entanto, eram outros; as mais mínimas coisas, os menores acontecimentos, tomavam corpo, adquiriam enorme importância. Nossa vida simples era rica, alegre e sadia. A imaginação voando solta, transformando tudo em festa, nenhuma barreira a impedir meus sonhos, o riso aberto e franco. Os divertimentos, como já disse, eram poucos, porém suficientes para encher o nosso mundo.

CINEMA MUDO

O cinema representava o ponto alto da nossa programação semanal. Próximo à nossa casa, único do bairro, o Cinema América oferecia todas as quintas-feiras uma "*soirée* das moças", cobrando às senhoras e senhoritas apenas meia-entrada. Era nessas noites que mamãe ia sempre, levando consigo as três filhas: Wanda, Vera e eu, e também Maria Negra, que a bem dizer era quem mais ia, adorando filmes e artistas, não abrindo mão de seu cinema por nada do mundo. Muitas vezes, em noites de chuva, quando a patroa desistia de sair com as crianças, chegava mesmo a ir sozinha. Os meninos não perdiam as matinês aos domingos. Papai não se interessava por cinema, preferia o teatro, as óperas e operetas.

O conjunto musical que acompanhava a exibição dos filmes compunha-se de três figuras: piano, violino e flauta. Ano entra, ano sai, o repertório dos músicos era sempre o mesmo. Os primeiros acordes do piano, do violino ou da flauta anunciavam ao público o gênero da fita a começar. Ninguém se enganava. As sessões eram iniciadas com um documentário ou o "natural", como era chamado por todos, que mostrava os acontecimentos relevantes da semana. Nós, crianças, detestávamos o tal "natural", e quando terminava, gritávamos em coro, numa só voz, num imenso suspiro de alívio: "Graças a Deus!". Em geral, logo em seguida vinha a fita cômica. Morríamos de rir com os pastelões voando à procura do alvo, sempre acertando na cara do desprevenido. Os filmes de Carlitos fascinavam a meninada; torcíamos por ele quando, dono de artimanhas incríveis, derrotava seu rival, o imenso vilão. O frágil homenzinho de chapéu-coco e bengala acabava sempre por levar a melhor, conquistando as graças de sua formosa e a admiração das plateias. Aplaudíamos suas vitórias batendo palmas ensurdecedoras e gritando a plenos pulmões: "Aí, Carlitos!", suspirando de pena ao ver escrita na tela a palavra "Fim" (a primeira palavra, por sinal, que aprendi a ler).

Chico Boia, com toda a sua gordura, fazia misérias, era a glória! Harry Langdon, o meigo cômico, conseguia arrancar gargalhadas da plateia e me transportar em suas asas de ternura.

Carmela Cica, a violinista do conjunto, era nossa vizinha, morava na esquina da Consolação com alameda Santos. Éramos não apenas vizinhos mas muito amigos da família. À Carmela cabia dar os primeiros acordes para o início dos filmes em série. Seu violino gemia na valsa "A rapaziada do

Brás". Valsa melancólica, pungente, dilacerante. Em seguida aparecia na tela o título do filme. A quantos seriados assisti? Nem sei, perdi a conta. Lembro-me de vários, interpretados por Elmo Lincoln, Maciste, Eddie Polo, e outros igualmente famosos. Recordo-me de *Pearl assenta praça*, com a maravilhosa Pearl White (a preferida de mamãe). Por fim, *O braço amarelo* — história de Júlio Baín e do detetive Vu-Fang, interpretado, se não me engano, por Sessue Hayakawa. Quando aparecia o rosto asiático do detetive na tela, olhos quase fechados, o cinema vinha abaixo: gritos histéricos e batidas de pés abafavam o som da valsa.

Vidrada no personagem oriental, Wanda chegou a batizar minha bonequinha de porcelana japonesa com o nome de Júlia Fang. Nome do pai? Vu-Fang, ora! Ambos tinham olhos puxados, não tinham? Então!

Acompanhávamos os seriados durante meses a fio, um pedacinho por semana, parando sempre na hora do maior suspense, é claro. As luzes se acendiam, os comentários no intervalo, enquanto todo mundo se ajeitava e se refazia da emoção sofrida, eram sempre os mesmos: "Vamos ver como vão se safar dessa!...". Eu me levantava para rápida e movimentada escapulida: a torneira da pia quase sempre entupida, do malcheiroso toalete, era nesse momento disputadíssima pelas crianças na ânsia de tomar água. Eu me acotovelava entre elas e, mesmo que não chegasse a matar minha inventada sede, pelo menos molhava o vestido. Dava pontapés e empurrões nas portas das privadas, sempre ocupadas, mesmo não tendo necessidade de lá entrar. Tudo valia como divertimento. Corria para a frente, junto aos músicos, e puxava um dedinho de prosa com Carmela Cica antes de voltar para o meu lugar. Puro exibicionismo. Gostava que todos soubessem da minha intimidade com a violinista.

Refeitos das emoções e suspenses do seriado, partíamos para as fitas de mocinho. Tom Mix, o bonitão, valente como ele só, enfrentando centenas de índios, recuperando tesouros roubados das diligências, seu revólver mágico atirando sem parar até a completa destruição do inimigo. Terminava sempre recebendo um doce beijinho de sua namorada, que o esperava montada de lado num belo cavalo ou sentada na porteira do rancho. O cinema, repleto de crianças, chegava a tremer durante todo o tempo em que o bangue-bangue permanecia na tela.

Eu não era das mais amarradas em fitas de *cowboys*. Ia muito pela opinião de minhas irmãs, pouco entusiastas de Tom Mix. Elas preferiam William S. Hart, o *cowboy* de olhos azuis, herói dos *westerns*, cuja especialidade era enfrentar, numa roda de baralho, o adversário. Revólver sempre à mão, dedo no gatilho, não errava o alvo, boa pontaria. Admirava Maciste, quase o temia (Maciste, o poderoso), o homem mais forte do mundo...

Mesmo à noite, quando a frequência de garotas era menor no cinema, na hora dos *westerns* o barulho tornava-se ensurdecedor. Ninguém ouvia mais nada: nem violino, nem piano, nem flauta. Apenas assobios e gritaria. Eu cheguei a aconselhar à Carmela que parasse de tocar durante os filmes cômicos e nos outros dois da preferência das crianças: bangue-bangue e seriado, pois ninguém ouvia patavina da música. Até mamãe, que costumava ler os letreiros em voz alta para uma pequena audiência que a circundava, fazia uma pausa, economizava a goela. Impossível, nesses momentos, se entender fosse lá o que fosse. Esperava o intervalo para explicar a sequência do enredo às interessadas: dona Ursuriéla e suas filhas Ripalda e Joana (que jamais haviam frequentado uma sala de aula) e a outras nas mesmas condições que as "Ursuriélas" — como eram chamadas pelas costas, por Wanda. Somente assim elas podiam ficar a par das coisas, graças à solicitude da boa dona Angelina. Na verdade, para mamãe, o fato de ler em voz alta no cinema não representava nenhum trabalho, nenhum ato de bondade, apenas sentia prazer nisso. Acostumara-se de tal forma a fazê-lo que muitos anos mais tarde, em plateias mais letradas, era preciso cutucá-la mil vezes para que não incomodasse os vizinhos com suas leituras.

O barulho diminuía sensivelmente, chegando quase ao silêncio, durante o desenrolar dos filmes românticos, dos dramas de amor, o último da sessão, quando, exaustas, as crianças adormeciam. As mulheres ajeitavam-se nas duras e incômodas cadeiras de pau: por fim, era chegada sua hora de chorar.

A sala de projeção ainda clara, eu era transferida para os braços de Maria Negra, sentada algumas carreiras mais à frente, junto à Wanda, que lhe lia os letreiros. Todos os esforços feitos para ensinar Maria Negra a ler haviam sido inúteis até então. Seu orgulho era maior que tudo. E se não aprendesse? Não queria dar parte de burra, dar demonstração de inferioridade.

Eu mal assistia ao começo do drama, meus olhos pesavam, recusando-se a abrir. Mas não perdia muito, pois em casa ouvia mamãe repetir a fita, detalhe por detalhe, às pessoas que não tinham podido ir ao cinema e que a procuravam depois. Isso acontecia sempre.

Muitos dramas de amor fizeram dona Angelina chorar: *Honrarás tua mãe!*, "de arrancar lágrimas das pedras..." — dizia. *O preço do silêncio*, com Lon Chaney e Dorothy Philips; *Altares do desejo*, com Mae Murray; *A pequena Annie Rooney*, com Mary Pickford; *O âmago do romance*, com June Caprice; *Lábios de carmim*, com Viola Dana; *A mulher disputada*, com Norma Talmadge e Gilbert Roland; *Cleópatra*, com Theda

Bara; *A letra escarlate*, com Lilian Gish. Todos esses filmes buliram com a sensibilidade de dona Angelina, principalmente o último, onde Lilian Gish, abrindo a blusa, mostrava no peito, marcado em sangue, um imenso A. "Pode haver coisa mais comovente?"

DONA ANGELINA É DERROTADA

Os filmes italianos faziam sucesso. Francesca Bertini atraía multidões de patrícios — e não patrícios — aos cinemas.

Numa certa quinta-feira mamãe estava excepcionalmente animada. Teria naquela noite a oportunidade de ver o grande ator Ettore Petrolini na tão comentada fita: *O homem que vendeu a sombra ao diabo*. Mamãe sabia tudo sobre o filme, estreado nos grandes cinemas havia muito tempo. O América só exibia filmes velhos, reprises. Era preciso ter paciência e esperar.

Quem trouxe a novidade foi Vera. Chegou apressada da rua, ávida para dar a notícia. Ao transpor o largo portão de entrada, disparou a correr casa adentro, a berrar, ofegante:

— Mãe! Ó mãe! Mãããnhe!

Entre uma pilha de lençóis alvos, passados e dobrados e de um cestão transbordando de roupa ainda amarrotada, lá estava mamãe na sua faina, passando a ferro.

— Que é isso, menina? Que gritaria é essa?

Dirigindo-se para a sala de onde vinha resposta aos seus gritos, Vera postou-se em frente à mãe, excitação estampada no rosto:

— Mãe, sabe da última? Hoje não vai ter soarê das moças.

— Como, não vai ter? Que invenção é essa, menina?

— Invenção, nada, mãe. Eu vi. Tem um baita aviso bem em frente do cinema.

— Um aviso?

— É. Um aviso escrito com letras pretas e vermelhas. Diz assim: "Hoje não haverá soarê das moças. Suspensas todas as entradas de favor. A gerência".

Mamãe interrompeu seu trabalho, levantando o pesado ferro de engomar. Não acreditava no que ouvia.

— Você leu direito?

— Claro que li.

— Mas será possível uma coisa dessas? Justo hoje que convidei a Regina para ir com a gente...

Vera achou fraca a reação da mãe, longe da que esperava. Botou mais lenha na fogueira:

— O Terêncio estava lá, mãe, varrendo e lavando o cinema. Perguntei pra ele se criança também pagava entrada inteira. Aí, ele começou a caçoar de mim: "Cinema hoje é pra quem pode. Quem não pode vai torcer rabo de bode. E quer saber de uma coisa? Criança hoje vai pra cama cedo; são ordens do chefe. Ninguém entra de graça. Entrada inteira até pra criança de colo".

Diante do último detalhe do relato, mamãe subiu a serra! Pousou o pesado ferro quente para melhor gesticular.

Vera adiantou-se; precisava dar conta do recado — não havia ainda contado tudo —, ajudar a mãe a estourar de raiva:

— Terêncio disse que o patrão vai se encher dos cobres. Que ele faz muito bem de cobrar entrada inteira, que todo mundo está doido pra ver o filme.

— *Vigliacchi, maledetti!* — explodiu dona Angelina.

— Velhacos e malditos, mãe? — interrompeu Wanda,

sempre pronta a corrigi-la. — O dono do cinema não é só um?

— *Farabutti, tutti quanti!* — reforçou mamãe. — Todos esses capitalistas, exploradores dos pobres, sanguessugas do povo. Ninguém reclama, ninguém protesta e eles fazendo dos humildes gato e sapato. Aumentam os preços de tudo quando querem, sem o mínimo respeito, sem a mínima consideração. Uns atrevidos soltos nas suas ganâncias. Uns atrevidões!

Recado dado, efeito surtido, tudo em ordem, Vera retirou-se. Precisava informar, com urgência, a outros desavisados.

Maria Negra, que assistia a tudo, teve vontade de dar seu palpite. Dona Angelina não ia ficar mais pobre por uma bobagem daquelas. Preferiu, no entanto, calar-se. Não deixaria de ir ao cinema aquela noite, de jeito nenhum. Seu "Linha", o empregadinho de farmácia da esquina, lá estaria. Tratou de dar o fora antes que de repente, não resistindo, desse um aparte desastroso que pudesse comprometer seus planos. Aquela lengalenga de dona Angelina ainda podia render muito. Não era a primeira vez que assistia a uma explosão daquelas, nem seria a última. Cada louco com sua mania. Essa, de sua patroa, mania mais besta: querer endireitar o mundo. Deus me livre! Interrompeu a oradora no melhor de seu discurso:

— Bem, minha gente — riu irônica —, a conversa está muito boa mas vai render muito e eu não tenho tempo a perder, o serviço está me esperando. Vou tratar da obrigação — disse e foi saindo; o riso contido libertou-se logo adiante.

Como podia suportar tanta malcriação? Mamãe chegava a tremer:

— Moleca mais atrevida! Ignorante. Por isso é que o mundo não vai avante. Aquele outro pobre-diabo do Terêncio também não afronta a sua classe, ficando do lado do patrão?

Infeliz, explorado de todo jeito: durante a manhã limpa o cinema, à tarde distribui programas de casa em casa, à noite é porteiro. Tem ordenado de fome. E ainda fica do lado do patrão — repetia. — Vale a pena a gente querer lutar pelos pobres?

Mamãe não se entregava facilmente.

— Por mim, hoje eu não ia ao cinema. Podia até dar um pulo na casa de dona Ursuriéla, de dona Antonieta e de todo aquele pessoalzinho das quintas-feiras. Fazia um bom movimento. Queria ver a cara daquele ladrão, com seu belo cinema vazio. Era o que ele merecia.

Temendo ver a "revolucionária" pôr em prática suas teorias, com muito jeito, muita diplomacia, Wanda arriscou um conselho:

— Que é isso, mãe? Então a senhora acha que aquelas analfabetas e ignorantes podem entender um problema sério desses? Nem pense nisso! Vão dizer, isso sim, que a senhora não está regulando bem da bola. Ninguém vai lhe ouvir. Todo mundo está doido para ver o filme. Até a senhora está, não está? Eu — sorriu a danada — juro que estou.

A intervenção da filha botou água na fervura, desanimou-a. Desistindo de "fazer o movimento", mamãe apenas lamentou-se suspirando:

— Encontrando resistência até dentro de casa... Sem apoio e sem união, como lutar?

Derrotada, continuou seu trabalho, rosto sério.

HILDA

Acabávamos de almoçar quando apareceu Hilda, a mais velha das meninas de dona Regina. Trazia recado escrito para mamãe. Dona Regina queria saber se podia levar Hilda também, que a menina chorara a manhã toda querendo ir ao cinema...

Dona Regina fora criada por vovó Josefina desde que lhe morrera a mãe, ao chegarem da Itália — eram da mesma região vêneta, companheiros de viagem na dura travessia de navio. Agora, coitada, labutava para criar seis filhos, o marido internado num manicômio. Boa costureira, trabalhava como diarista em casas de famílias ricas. Levava o barco avante a duras penas. Mamãe era seu porto de arrimo.

Apenas alguns meses mais velha do que Vera, Hilda assumira — e que jeito? — o comando da casa. A mãe saía muito cedo para o trabalho, voltava à noite, depois do jantar; filava a boia na casa da cliente, uma boca a menos em casa.

A infância de Hilda não era alegre e sua adolescência não seria mais risonha. Cozinhava para os irmãos, cuidava das irmãs menores. Cumpria a lei dos pobres. Era a mais velha, não?

O cardápio de Hilda não variava: sopa de feijão com macarrão, feita de manhã, requentada à noite, de segunda-feira a sábado. Aos domingos a mãe cozinhava. Comprava um pedaço de carne de segunda para o molho da macarronada, um banquete. Tomei tanto asco da pastosa sopa de Hilda — jamais a provei, só de olhar o caldeirão sentia engulhos — que durante muitos anos não consegui gostar de sopa de feijão.

Mamãe lia o bilhete. Hilda, olhos inchados, fixos em seu rosto, querendo descobrir-lhe as reações. Acompanhou a contagem discreta e sutil em seus dedos. Ela parara no sexto dedo. Começaram os cálculos mentais — mamãe com um olho aberto, perdido no espaço, o outro semicerrado, voltado para dentro, espiando certamente a operação de aritmética que fazia. Os lábios em movimento, silenciosos. Por fim o resultado:

— Nove! É! — suspirou mamãe. — Nove mil-réis é o que vai me custar.

A menina ali plantada, aflita, à espera da demorada resposta.

— Você já almoçou, Hilda?

— Não, dona Angelina. Eu como quando voltar. Nem estou com fome...

— E você deixou o caldeirão no fogo, menina? — preocupou-se mamãe.

— Não, dona Angelina, deixei a minestra pronta; o caldeirão está em cima da pia. A Ena e a Yole já almoçaram. Minha mãe está em casa, voltou cedo hoje. Dona Almerinda Chaves (esposa do político Elói Chaves) viajou para a fazenda, esqueceu de deixar costura para ela. Mamãe bateu com o nariz na porta. Agora ela está aproveitando para acabar umas costurinhas lá em casa.

Por fim, dona Angelina resolveu terminar com a agonia da menina, entrou no assunto tão aguardado. Parecia contente da boa ação que iria praticar.

— Olhe, Hilda, diga pra Regina que esteja aqui com você antes das sete. Temos que chegar cedo. O América vai lotar hoje.

Louca de alegria, Hilda nem se lembrou de agradecer, de dizer até logo. Partiu a toda.

CONFLITO DE SENTIMENTOS

Eu também acompanhara atentamente todos os cálculos de mamãe. Fiz as contas: mamãe, Maria Negra, Vera, dona Regina e Hilda: seis.

— E eu? — perguntei surpresa.

— Você vai na matinê de domingo — disse mamãe encerrando o assunto. — Este filme de hoje é apavorante, não presta pra crianças da tua idade.

Magoada, ofendida, ferida no mais fundo de meu ciúme, saí correndo, não queria que ninguém me visse chorar. Refugiei-me atrás da porta de um cubículo escuro que servia de adega, onde mal cabia a pipa de vinho italiano deitada sobre dois cavaletes. Sentia-me a mais infeliz de todas as crianças. Mamãe tivera pena da filha dos outros e não tivera pena da própria filha. Esse pensamento provocou-me enxurradas de lágrimas. Chorava baixinho, sentida. Ideias de vingança me assaltaram: "Tomara que Hilda sente ao lado de mamãe, encoste a cabeça nela e lhe passe piolhos. Muitos piolhos. Daqueles que ela e as irmãs têm aos milhões, graúdos, pretos". Essa lembrança conseguiu me fazer sorrir. Depois pensei: Que bom se eu fosse filha de tia Margarida. Duas irmãs e tão diferentes. Tia Margarida, tão boa! Nunca ela faria uma coisa dessas com um filho! Ela gostava muito de mim, me agradava sempre. Mas, se tia Margarida fosse minha mãe, papai não seria meu pai. Essa descoberta me esfriou. Tio Gino era muito bom mas nervoso, eu não o queria para meu pai. Tive outra ideia. Ora! Tia Dina também poderia ser minha mãe e seria ótimo. Só que em vez de meu pai, papai seria meu tio. Tia Dina tão querida, a única pessoa que já me dera um presente de aniversário (nunca se festejou em casa aniversário de ninguém. "Que besteira festejar aniversários..."). Tia Dina trouxe o presente porque lhe contei (às escondidas de mamãe) que faria anos no dia seguinte. Ganhei dela chocolates em formato de bichinhos e de cigarrinhos; de mamãe levei um carão sem tamanho:

— Menina mais atrevida! Não tinha nada que falar de aniversário com ninguém! O que é que a tia não vai pensar? Que você está pedindo presentes? Coisa mais feia! Envergonha a gente!

Tia Dina também não podia ser minha mãe, coitada. Ela tinha o oveiro seco. Nunca tivera filhos. Soube disso por uma conversa ouvida entre mamãe e tia Margarida. Mamãe dizia que só podia ser oveiro seco porque tia Dina já estava no segundo marido e... nada! Tia Margarida dizia que podia também muito bem ser matriz virada.

Levei uma boa petelecada de mamãe quando lhe perguntei o que era oveiro seco. Ficou escandalizada. Menina perigosa, sempre de ouvido atento nas conversas dos mais velhos; se eu repetisse na presença de tia Dina, ou qualquer outra pessoa, levaria uma surra daquelas! Concluiu o raspão com um provérbio que gostava de repetir:

— *Ragazzi e polli smerdano la casa.*

Depois de muito pranto, de sofrimento, de ideias de vingança e, sobretudo, de aspirar o cheiro forte do vinho, acabei adormecendo.

Tito despertou-me, ao me descobrir por acaso, no momento em que abria a torneirinha de madeira da pipa de vinho para encher a jarra para o jantar.

PAPAI, O GIGANTE

O grupo saiu de casa, como previsto, muito antes da hora costumeira e eu fiquei entregue aos cuidados de vovô Eugênio, pai de mamãe, que passara a morar conosco desde a morte de vovó Josefina. Chorei baixinho, arrasada, vendo a caravana partir. Não me consolou o olhar penalizado de Maria Negra — a única a se preocupar comigo —, ao contrário, me fez ainda mais infeliz.

Papai havia saído à tarde, não voltara para jantar. Minha esperança era de que ele chegasse logo, queria desabafar minha mágoa. Sabendo que encontraria nele um peito aberto, resolvi esperá-lo no portão da rua. Ali me plantei, encostada às grades de ferro, e depois de longa espera, cansada, resolvi sentar-me na borda da janelinha do porão, à sombra de uma enorme árvore da rua. De repente parou um carro, papai saltou dele. Não perdi tempo, rompi num pranto convulso. Papai aproximou-se: quem chorava ali, daquele jeito?

— É você, minha filha? — perguntou-me alarmado. — Por que é que está chorando aqui na rua?

Os soluços quase me impediam de falar.

— Foram todos para o cinema e me deixaram sozinha em casa... — desabafei.

— E o nono não está?

— Está dormindo...

— Vamos lá pra dentro, você vai me contar tudo direitinho, o que foi que te fizeram.

A par do sucedido, enxugando com um lenço as lágrimas de sua inconsolável caçula, falou-me:

— Vá depressa se arrumar, passe água na cara e vamos dar uma lição naquelas mulheres malvadas.

Não esperei segunda ordem, entrei em meu quarto, ligeira, apanhei um gorro de crochê de lã, verde com listas vermelhas, enterrei-o na cabeça, quase até os olhos, enrolei no pescoço um cachecol preto e verde de papai, e me apresentei:

— Pronto!

Saímos de mãos dadas, papai aquele gigante, eu lá embaixo. Coisa boa ter um pai daqueles!

— Agora nós vamos comprar uma frisa para nós dois. Quero ver a cara delas quando descobrirem a gente lá... — Papai ria divertindo-se com seu plano, contente de sentir a minha emoção, de poder me vingar e, sobretudo, de ter conseguido secar minhas lágrimas, de me restituir o riso.

A sessão começara havia muito. O "natural" já terminara — graças a Deus! — e a fita cômica chegava ao fim. Coisa mais estranha! Não havia o barulho costumeiro que provocavam as comédias, apenas algumas gargalhadas. O maxixe que acompanhava a fita era ouvido perfeitamente, o violino de Carmela fazendo misérias. O cinema estava repleto, sobravam apenas algumas frisas vazias. Bem razão tinha Terêncio ao anunciar à Vera que naquela noite as crianças iriam cedo para a cama. Segundo as teorias de mamãe, "vítimas dos sanguessugas do povo".

Que delícia estar ali naquela frisa acima da plateia, ao lado de meu pai! Puxa! Eu nunca sonhara com tal coisa! Meu interesse pela comédia, naquele momento, deixara de existir. Tudo o que eu desejava era o acender das luzes.

Por fim a sala clareou. A primeira a nos descobrir — não podia ser outra — foi Vera. Deu um grito!

— Olhem só papai com a Zélia numa frisa!

Gritou e veio correndo.

— Aqui ninguém senta — foi anunciando papai, categórico. — Esta frisa é só de nós dois. Pode ir correndo dizer à tua mãe e às outras. Aqui não entra mais ninguém.

Meu coração estourava de contentamento. Pena não estarem presentes as crianças com quem eu disputava sempre. Haviam de morrer de inveja.

O recado de papai deixou mamãe contrafeita. "Homem mais sem juízo!" Fazendo-lhe as vontades desse jeito, acaba estragando a menina. Aliás, já está estragada. Se Ernesto estava pensando que ela desejava sentar em frisa, estava redondamente enganado. Para ela, Angelina, bastava a cadeira comum. A fita era a mesma tanto para os "burgueses" das frisas quanto para os "proletários" das cadeiras.

Esses recados insultuosos — e outros mais — foram transmitidos por Vera, tintim por tintim, num leva e traz de não acabar, até a hora de recomeçar a sessão.

Assisti a todos os lances do diabo e da sombra até o fim. Nessa noite não dormi nem no cinema, nem na cama, mais tarde. Fita mais apavorante! Mamãe tinha razão. O diabo a colocar um candelabro com velas acesas atrás do violinista durante o seu concerto, no palco, para que todos percebessem que o músico já não possuía sombra. Devia ser horrível uma pessoa não ter sombra. Nunca pensara nesse problema antes.

Jamais confessei a ninguém, muito menos à minha mãe, o medo que senti ao ver Petrolini transformado em diabo.

Voltei para casa de mãos dadas com papai. Eu lá embaixo, ele um gigante quase alcançando o céu, me protegendo. Sempre me protegeria — disso estava certa — com sua força e sua bondade, contra todas as injustiças, contra qualquer diabo que quisesse se apoderar de minha sombra.

O CIRCO

Infelizmente raro, o circo era o programa que mais nos enchia de entusiasmo. Íamos apenas aos que erguiam seu toldo uma vez na vida, outra na morte, num terreno baldio em frente ao Cinema América. Por lá passaram alguns circos famosos. Faltou o Sarrazani, grande demais para as dimensões do terreno da Consolação. Desse apenas tive notícias e não passei da vontade de vê-lo. Em compensação, não faltei ao Circo Piolim, ao dos Irmãos Queirolo e a vários outros, estupendos.

Ídolo da garotada, o palhaço Piolim, artista maravilhoso! Também Chicharrão, palhaço cheio de inventivas, tinha vez no coração da criançada.

Intrigava-me o sotaque espanhol dos animadores da função. Por que falavam assim? Nunca soube. Apreciava muito a rapidez e o desembaraço dos mata-cachorros a tirar e a colocar passarelas e tapetes, estrados de madeira, enormes jaulas pesadas, trapézios e fios de aço.

A banda do circo mexia comigo; seus dobrados me davam vontade de sair dançando, participar dos números no picadeiro ao lado dos artistas.

Íamos ao circo apenas uma vez cada temporada mas isso era secundário: durante o tempo em que o pavilhão permanecia ali, o bairro se transformava, criava vida nova, a animação fervia. O melhor de tudo era a propaganda, anunciando os programas do espetáculo.

Lá vinham com a banda de música alegre e contagiante, abrindo alas em festival de cores: o palhaço sobre um jumento todo enfeitado, sentado às avessas, de frente para o rabo, os pés quase tocando o chão; elefantes que levavam, em seus dorsos cobertos de tapetes bordados, gentis trapezistas a distribuir beijinhos nas pontas dos dedos finos, cãezinhos amestrados vestidos de bailarina e até jaulas contendo leões e tigres, colocadas sobre pranchas com rodas, puxadas por empregados do circo — os mata-cachorros.

Ao ouvir a banda, de longe, não havia quem me prendesse em casa. Me tocava atrás da multidão, misturada à molecada da rua, fazendo coro com a criançada, respondendo às perguntas do palhaço:

Hoje tem marmelada?
Tem, sim senhor.
Hoje tem goiabada?
Tem, sim senhor.
E o palhaço o que é?
É ladrão de mulher.

A dois passos de nossa casa, numa bifurcação que separava a Consolação da Rebouças, entre a avenida Paulista e a alameda Santos, havia um enorme bebedouro redondo, de ferro trabalhado, onde os animais de carga saciavam sua sede. A esse bebedouro o pessoal do circo conduzia diariamente os animais de grande porte: elefantes, camelos, zebras e cavalos. Eu não perdia o espetáculo fascinante e gratuito. Adorava assistir aos elefantes enchendo as trombas de água para espirrar sobre a criançada.

Muitas vezes fui procurada e encontrada longe de casa, completamente desligada de tudo, feliz atrás dos palhaços, sem pensar na aflição de mamãe ao notar minha ausência.

PARQUE ANTÁRTICA

Grande programa, o maior, o melhor de todos para mim — a ida ao Parque Antártica, na avenida Água Branca. Ai que frio no estômago, ao subir na roda-gigante! E o carrossel? Era por acaso pouco emocionante montar os coloridos cavalos de pau? Chegava a sentir vertigem naquele sobe-e-desce dos cavalinhos rodando, rodando... Havia um hábito intolerável dos adultos: plantavam-se de pé, cada qual ao lado de sua criança. Eu detestava essa proteção, preferia andar solta, galopar em liberdade. No fundo, no fundo, não seria apenas um pretexto dos sabidos para se divertirem às nossas custas? E os trenzinhos puxados a burro, circulando pelo parque todo? As carrocinhas arrastadas por bodes e carneiros? Os pirulitos de todos os formatos e cores? As bolas de ar, subindo lá no céu, presas por um barbante? O algodão de açúcar? As gasosas e os sanduíches? O parque era divino! Pena não podermos frequentá-lo sempre. Não adiantava pedir que nos levassem, chorar, espernear.

— Parque Antártica? Outra vez? Com essa criançada toda, querendo tudo o que vê? Não, não sou Matarazzo nem Crespi! — desculpava-se papai.

Mamãe reforçava a recusa do marido, aproveitava para nos ensinar um pouco de sua língua:

— *Ho bisogno di un sacco di soldi*, um saco de dinheiro, sim — traduzia.

Magro consolo, ela nos levava ao Jardim da Luz, menos divertido, porém muito mais econômico. Pra dizer a verdade, pouca coisa havia a fazer nesse bendito Jardim da Luz: correr atrás dos bichinhos soltos no parque — qual a graça? —, comer lanche trazido de casa numa cesta, laranjada ou limonada acondicionada em garrafas, também trazidas de casa. Para que nossos pais tivessem lembranças do crescimento dos filhos, de vez em quando tirávamos retrato num dos lambe-lambes estacionados em frente a uma gruta — de alvenaria — no meio do jardim.

A volta era penosa. Cansada de tanto correr, tinha que ficar de pé no bonde, assim não pagaria passagem. Mesmo que houvesse lugar no banco, mamãe me punha sentada em seu colo ou mantinha-me de pé, caso o colo estivesse ocupado com sacolas e embrulhos, o que não era raro. Não queria desperdiçar dinheiro. Assim, até meus sete anos, nunca senti o contato da madeira envernizada dos bancos dos bondes, para não pesar no orçamento dos transportes.

O BONDE

Wanda e Vera liam em voz alta os anúncios de remédios fixados no bonde. Até eu, que não sabia ler (não lia mas podia apontar com o dedo, sem errar, o remédio anunciado), entrava no páreo, repetindo rapidamente os textos decorados de tanto ouvir. Muita gente se admirava ver criança tão pequena ler daquele jeito:

Veja ilústre passageiro
o béllo typo faceiro
que o senhor tem a seu lado.
E no entretanto acredite
quási morreu de bronchite
salvou-o o Rhúm Creosotado!

"Cantando espalharei por toda a parte: Tosse? Bromil!"; quem tomava Bromil era Bruno, meu primo, sempre com bronquite. "Pílulas de vida do dr. Ross", o remédio de tia Clara, mulher de tio Remo, que sofria de prisão de ventre crônica. "Tônico Iracema, conserva os cabelos negros, naturalmente", esse era de tio Augusto, marido de tia Dina. "Fermento Láctico Fontoura, contra azia e má digestão", esse o da mamãe; inventei muitas vezes dor de estômago para ganhar algumas das deliciosas pastilhinhas.

Abaixo drogas cacetes
no mundo dos sabonetes
raiou deslumbrante sol
apareceu o bendito
sabonete de Eucaliptus
denominado Eucalol.

Esse mamãe não comprava; ela gostava de um — não lembro a marca — perfumado a heliotrópio. "Biotônico Fontoura — o mais completo fortificante!" Jamais contei a ninguém o que acontecia comigo sempre que via o rótulo verde-claro desse conhecido remédio, pois eu guardava segredo acerca da associação de ideias, insólita se eu não tivesse uma explicação para ela, que me ligava àquele anúncio. O frasco do Biotônico me fazia lembrar um chapéu de toureiro, todo bordado de miçangas coloridas.

Tia Eugênia, mulher de tio Aurélio, irmão de papai, fora criada desde pequena pela família Baruel, proprietária da mais conceituada drogaria de São Paulo, a Drogaria Baruel. Cria da casa, ou seja, durante muitos anos, empregada doméstica sem salário.

Tia Eugênia era mulata acaboclada, despachadíssima, língua solta, alegre. Contava-nos, com grande orgulho, histórias da família que a criara. Visitava-a periodicamente, voltando sempre da visita carregada de pacotes: roupas usadas para ela e para os filhos que eram muitos. Ganhava de vez em quando frascos de fortificantes para as crianças.

Ao regressar, certa vez, de uma de suas incursões à mansão Baruel, tia Eugênia resolveu dar uma paradinha lá em casa. Queria exibir as maravilhas que acabara de ganhar. Do pacotão desfeito sobre a mesa de jantar, saltaram vistosos trajes de carnavais passados.

Entre as amarfanhadas peças coloridas, destacava-se fascinante fantasia: um toureiro completo, com capa e chapéu bicorne. "Credo!" — exclamei — "que chapéu mais galante!" De veludo negro, todo bordado de miçangas e lantejoulas!

— Os corninhos são de lado, tia? — perguntei preparando-me para enterrá-lo na cabeça.

Um grito agudo de advertência partido de tia Eugênia — escandalosa como ela só — me assustou, fez-me largar o chapéu num gesto rápido.

Como num passe de mágica, a dona da rara prenda agarrou-a e, de seu interior, retirou um vidro de Biotônico Fontoura.

— Salvo por milagre! — resmungou tia Eugênia, brandindo o frasco, fuzilando-me com um olhar de recriminação, enquanto outros vidros foram surgindo, em meio a golas de pierrôs e colombinas.

Chegava a hora do anúncio proibido: A Saúde da Mulher — duas figuras de mulher ilustravam o reclame; a cara triste de uma antes de tomar o remédio, a cara alegre da outra, depois. Por que diabo mamãe proibia as meninas de lerem esse anúncio em voz alta? Coisa mais esquisita! "Não fica bem", era a sua explicação. Assunto encerrado. Eu surpreendi risadinhas e olhares maliciosos trocados entre Wanda e Maria Negra. Não gostava de ficar boiando, de fora; busquei encontrar uma explicação para aquela censura. Busquei e encontrei: A Saúde da Mulher fazia com que eu me lembrasse de dona Ada, moradora da alameda Santos, embora dona Ada fosse uma loira exuberante, ao passo que a mulher do anúncio do remédio era discreta morena. Dona Ada vivia sozinha, servida por duas empregadas. Não visitava ninguém nem era visitada pelos vizinhos. À noite, via-se chegar um carro que estacionava à sombra de copada árvore, na rua, próxima à sua casa. Um cidadão descia do automóvel e sorrateiramente entrava pelo portão apenas encostado da residência da vistosa senhora.

Certa vez ouvi mamãe comentar com dona Regina que o "marchante" de dona Ada devia ser um "*pezzo-grosso*", pois escondia-se, não queria ser reconhecido. Achando que mamãe se referia à maneira do homem andar, dei meu palpite: nunca vira o homem marchando, ele dava, isso sim, uma corridinha... Dona Angelina achou muita graça na ingenuidade da filha: "*L'innocenza!*". Essa foi mais uma das "gracinhas" da filha de dona Angelina a ser contada e repetida.

Mamãe não riu, muito pelo contrário, enfureceu-se,

quando lhe contei que dona Ada me chamara, me oferecera "gianduias" e especulara a nossa vida. Entre outras coisas, mostrara-se interessada em saber se papai e mamãe costumavam brigar.

Furiosa, dona Angelina subiu a serra! "Mulher mais atrevida! Bem que dona Eponina me preveniu", dona Eponina era outra vizinha que vivia debruçada na janela fuçando a vida alheia; fala doce e sibilada, ia atirando verdes para colher maduros, "que aquela sujeita não é boa bisca! Mulher cheia de saúde", daí a minha associação com a Saúde da Mulher, "não trabalha, não faz nada, uma vagabunda que vive na janela e precisa de duas empregadas para servir a baronesa! Um velho de noite e mocinhos de dia... Não chega? Agora ela está querendo o quê? Por que tanta pergunta? E você", dirigia-se a mim, "não me fale mais com aquela *troia*, viu *signorina*?"

Baratinei-me toda com aquela zanga de mamãe e, sobretudo, com a empolgante frase: "...aquela sujeita não é boa bisca!". A bisca que eu conhecia era um dos jogos de baralho, comuns lá em casa: a bisca, a escopa, o truco.

Não havia dúvida, mamãe proibia a leitura do anúncio da Saúde da Mulher, simplesmente por não gostar de dona Ada. Era isso.

Os anúncios de remédios, nos bondes, nos distraíam tanto — a mim pelo menos, com as associações de ideias — que me faziam esquecer a canseira de viajar de pé, encurtava o tempo do trajeto. Quando menos esperava, já estávamos chegando.

MINHA ALAMEDA SANTOS

A alameda Santos, vizinha pobre da Paulista, herdava tudo aquilo que pudesse comprometer o conforto e o status dos habitantes da outra, da vizinha famosa. Os enterros, salvo raras exceções, jamais passavam pela avenida Paulista. Eram desviados para a alameda Santos, nela desfilavam todos os cortejos fúnebres que se dirigiam ao Cemitério do Araçá, não muito distante dali. Rodas de carroças e patas de burros jamais tocaram no bem cuidado calçamento da Paulista. Tudo pela alameda Santos! Nem as carrocinhas da entrega do pão, nem os burros da entrega do leite, com seus enormes latões pendurados em cangalhas, um de cada lado, passando pela manhã muito cedo, tinham permissão de transitar pela avenida.

Nossa rua era, pois, uma das mais movimentadas e estrumadas do bairro, com seu permanente desfile de animais. Em dias de enterros importantes, o adubo aumentava. Imensos cavalos negros, enfeitados de penachos também negros — quanto mais rico o defunto, maior o número de cavalos —, puxando o coche funerário, não faziam a menor cerimônia: no seu passo lento levantavam a cauda e iam fertilizando fartamente os paralelepípedos da rua.

Cada morador tinha direito às porções largadas em frente à sua casa, na minha alameda Santos — quando digo a minha alameda Santos, refiro-me ao trecho entre a rua da Consolação e a Bela Cintra, de casas modestas, onde todo mundo se conhecia e se dava. Munidos de latas e pás, havia sempre meninos dispostos a fazer o serviço de recolhimento e entrega do material, por alguns vinténs.

Nos dias de defuntos poderosos dona Angelina não dormia no ponto: ficava de atalaia à espera de que passasse o último acompanhante do enterro para em seguida providenciar a transferência do estrume — rico alimento de suas plantinhas — do meio da rua para dentro de seu portão. Não era por acaso que seu jardim florescia chamando a atenção dos passantes que se detinham a admirar as flores tão belas, viçosas, espetaculares!, orgulho da dedicada jardineira.

SEU GATTAI LÊ O JORNAL

Todas as manhãs, depois do café, papai lia em primeira mão *O Estado de S. Paulo*, único diário comprado em casa. Fazia-o de pé, o jornal aberto sobre a mesa, as mãos apoiando o corpo, meio debruçado sobre as folhas. Ficava um tempão, mergulhado nos artigos políticos, inteirando-se dos acontecimentos do mundo através dos telegramas do noticiário matutino. Seu Ernesto lia corretamente, porém devagar, palavra por palavra. Escrevia também lentamente, mas sua caligrafia era boa, cheia de personalidade. Tivera apenas alguns meses de escola, o suficiente para aprender o alfabeto e as quatro operações. O resto, tudo o que sabia, resultara de esforço próprio, da vontade de aprender. Para fazer cálculos, seu Gattai não se apertava, era um colosso. Chegava a qualquer solução sem auxílio de lápis e papel. Resolvia tudo na cabeça: "Não preciso de muita gramática para fazer minhas contas", afirmou certa vez, ao dar o resultado de um problema considerado muito difícil.

CORTEJOS E APOSTAS

Mamãe e as meninas esperavam pacientemente que o chefe da família concluísse sua leitura. Atiravam-se em seguida sobre o enorme jornal, iam diretas à coluna dos necrológios, nunca desejando encontrar o nome de um amigo, mas sempre procurando nomes conhecidos. Ficavam a par dos mortos e dos horários de enterros. Faziam cálculos: a tal hora passará em frente à nossa casa. No entanto, nem todos os enterros despertavam igual interesse. Os de morte violenta, atropelamentos, desastres, assassinatos, eram os mais apreciados. As janelas tornavam-se estreitas para tantos curiosos. Os enterros de gente jovem, de donzelas principalmente, nos levavam muitas vezes ao cemitério, queríamos ver-lhes o rosto.

Estávamos sempre em dia com o movimento funerário, podíamos fornecer informações a quem solicitasse:

— Wanda, Vera, dona Angelina! — era Savério, filho mais novo de seu Roque, a gritar do portão. — Minhas irmãs mandaram perguntar se tem algum enterro bom pra hoje!

Marieta, Tereza e Ripalda Andretta, moças bonitas e inteligentes, gostavam, como todos os vizinhos do quarteirão, de assistir à passagem dos enterros, um dos poucos divertimentos a que tinham direito. Criadas em regime de quase escravidão, jamais haviam ido à escola, não saíam de casa a não ser acompanhadas pela mãe.

Lugar de mulher é em casa! Filha nostra tem que aprender a tomar conta do marido e da casa, isso sim! Nada de escola. Escola não serve pra mulher. Mulher precisa saber ler? Pra quê? Pra mandar carta pros namorados? — perguntava e afirmava dona Antonieta, a mãe da família, ela também uma escrava.

A teoria de conservar as filhas no analfabetismo para evitar que tivessem correspondência com namorados não era exclusividade dos Andretta. Muitos outros moradores do bairro, principalmente famílias do sul da Itália — os meridionais, como eram chamados pelos do norte — também a utilizavam a fim de justificar a ausência das filhas à escola.

Quando havia algum bom enterro — no dizer de Savério —, crescia a animação, os vizinhos apostavam: quantos cavalos conduzirão o coche funerário? Quantos automóveis o acompanharão? Quantos carros com coroas? Mais homens ou mais mulheres no cortejo?

No fim da tarde, movimento encerrado, o vencedor da aposta ganhava como recompensa apenas a excitação do jogo e a alegria da vitória. Nada mais. Ao desaparecer na esquina, rumo ao cemitério, o último enterro do dia levava consigo a animação da rua.

AS TRÊS TURCAS

Se os de nossa casa eram bons nas apostas, as três turcas da frente, vizinhas mais ou menos recentes, não ficavam atrás, eram boas nos palpites.

Órfãs de pai pobre, chegaram ao Brasil havia pouco mais de dois anos, pelas mãos de um tio rico que mandara buscá-las na Síria (ou no Líbano?) diretamente para a alameda Santos. Expressavam-se mal em português, mas isso não impedia de nos entendermos. Não foi difícil descobrir que elas também se distraíam com os enterros. O sistema de vida das turcas era bastante parecido com o das napolitanas. A única vantagem das vizinhas da frente sobre as vizinhas do lado era cultural: sabiam ler e, ô-lá-lá!, falavam o francês! O tio as guardava a sete chaves, com o apoio da cunhada, mãe das moças. Estavam à espera de um casamento, rico ou pelo menos remediado. Estivessem elas de acordo ou não em aceitar o marido arranjado à sua revelia, não importava nada. A determinação do tutor deveria ser aceita sem objeções. Muito rico, "titio" habitava palacete próprio, de estilo mourisco, na avenida Paulista, sua palavra era lei.

Debruçadas nas janelas da modesta casa em que moravam, as moças distraíam-se observando tudo o que se passava pela rua e na vizinhança. Adoravam espiar à noite, por detrás das cortinas de rendão das janelas, os casais de namorados em idílio nas ruas, nos portões, em cantos escuros. Um velho binóculo facilitava-lhes a operação e o prazer. Fui eu quem descobriu a esperteza das danadas — o binóculo pendurado a um prego no caixilho da janela —, numa das vezes em que fui chamada para tomar a deliciosa "limonada de laranja" preparada à moda árabe e empanturrar-me de quibes e doces de mel. Em troca das guloseimas que me ofereciam eu as entretinha, cantando, improvisando danças e tagarelando.

Creio que concorri um pouco, com os meus inocentes shows, para atenuar a impaciência da espera em que se consumiam as belas e fogosas turcas.

ENTERROS DE PRIMEIRA CLASSE

Sempre que havia enterro de árabe importante, mamãe mandava logo cedo um aviso às patrícias do falecido. Quem sabe se não eram conhecidos? O recado ia e mamãe, no portão, ficava esperando o resultado. Não demorava, a janela em frente se abria, uma das três moças aparecia; às vezes duas e não era raro aparecerem as três de vez: Marie, Salma e Leone. Batiam um cumprimento de cabeça, um sorriso de agradecimento pela informação. Bem-educadas, as três turcas. Em realidade, como já foi mencionado, não eram turcas — e não gostavam de serem assim chamadas — e sim, sírias ou libanesas. Mas havia o hábito de chamar-se de turco a qualquer pessoa de língua árabe, assim como de russo a todos os judeus.

Os funerais árabes impressionavam pela pompa. Deles participavam os padres maronitas, figuras imponentes.

Inteiramente trajados de negro, barbas cerradas e compridas, vistosos medalhões de pedrarias pendendo sobre seus ventres, longos panos esvoaçantes partindo das altíssimas tubas. Essas tubas faziam com que eles me parecessem homens imensos, amedrontadores — por mais de uma vez perturbaram meu sono.

Alguns enterros de figuras de grande destaque social ou econômico rompiam o tabu, desfilando pela avenida Paulista, a caminho do cemitério dos ricos, o Cemitério da Consolação.

ENTERROS DE ANJINHOS

Vera possuía bom faro, descobria de vez em quando um enterro de anjinho para acompanhar. Ela e suas amigas eram peritas em carregar os pequenos esquifes, sempre prevenidas com um lenço que lhes protegia as mãos do metal fino das alças. As longas e cansativas caminhadas até o cemitério eram recompensadas com punhados de confeitos e rebuçados deliciosos, distribuídos à volta do enterro pelos familiares da criança morta. Curioso hábito da época, garantia numeroso comparecimento de crianças ao funeral, chovesse ou fizesse sol.

O primeiro enterro a me permitirem acompanhar foi o da criança de dona Deolinda e de seu Antônio, donos de uma quitanda na Consolação da qual éramos fregueses.

Foi em 1922, quando da chegada de Gago Coutinho e Sacadura Cabral, de seu longo e espetacular reide aéreo, Portugal-Brasil.

São Paulo, regurgitava de festas: celebrava-se o centenário da Independência do Brasil e a chegada dos intrépidos lusitanos.

O grande desfile comemorativo foi realizado na avenida Paulista. A preparação da espetacular parada começou dias antes. Papai colaborou para a festa cedendo sua garagem que durante alguns dias foi transformada em depósito de material. Lá foram montados, em enormes molduras ovais, retratos dos heróis da Independência: d. Pedro I, José Bonifácio de Andrada e Silva, cônego Januário da Cunha Barbosa, José Clemente Pereira, Joaquim Gonçalves Ledo e outros. Impressionaram-me aquelas imensas figuras coloridas de homens austeros com barbas e suíças, mas o que realmente me encantou foram os pequenos copinhos de vidro grosso, coloridos, circundando as molduras dos retratos, contendo tocos de velas que seriam acesas na hora do desfile. Nossa casa ficou repleta de parentes e amigos que vieram de longe para apreciar os festejos. Movimento mais intenso ainda que no Carnaval ou nos dias de Finados. Preparamos panelões de canjica e arroz-doce, mamãe não queria deixar ninguém em falta.

Dona Deolinda e seu Antônio, bons patriotas portugueses, não desejavam perder a oportunidade de prestar homenagem aos patrícios, aos heróis do ar, que tanto os envaideciam, comparecendo à grande manifestação organizada pelo povo aos irmãos portugueses. Tinham dois filhos, sendo que o mais velho, o pequeno Xisto, nascera deficiente, possuindo enorme cabeça, quase maior que seu débil corpo. Na porta da quitanda, sentadinho num caixote, passava o dia todo, um ar apalermado. A menina nascera normal; forte e muito esperta para os seus seis meses, compensava os pais do desgosto do primogênito.

Naquela noite o problema se apresentara (a menina sempre tão forte fora adoecer exatamente à chegada dos aviadores): com quem deixar a criança? Ela estava com febre e as noites andavam frias. Por fim, na falta de alguém que cuidasse dela, resolveram levá-la, embrulhada num xale; a menina também homenagearia os patrícios, teria o que contar quando crescesse.

Com o mais velho não havia problema, esse dormia a noite toda...

Dias mais tarde vieram nos avisar, pela manhã, que a menina dos quitandeiros havia morrido.

As portas da quitanda semicerradas, lá dentro, ao fundo, na casa, choros e lamentações. Mamãe também chorou ao ver o desespero da pobre mulher que se culpava pela morte da filha. Aliás, era o que mais se comentava naquele dia, o que corria de boca em boca, à voz baixa. Mamãe foi comprar flores para o anjinho. Entregou à Wanda um buquê de angélicas, recomendando-lhe que espalhasse sobre o corpinho da menina. Mandou que os filhos acompanhassem o enterro. Ela não voltaria lá, ficara muito impressionada, não aguentava tanta tristeza.

O caixãozinho já estava repleto de flores quando chegamos com as nossas. Fiquei orgulhosa da tarefa que Wanda me confiou: eu carregaria as angélicas no acompanhamento. Agarrei-me às flores, apertei-as ao peito.

A tampa foi fechada, dona Deolinda arrancando os cabelos, urrando de desespero, seu Antônio fungando um incontrolável muco que lhe saía do nariz, para baixo, para cima. Wanda e Vera tomaram a dianteira do cortejo segurando as alças da frente, conduzindo o caixãozinho branco para fora, passando espremidas entre laranjas e tangerinas empilhadas — ameaçando desabar, montes de abacaxis e cachos de bananas, caixotes de chuchu e de tomates.

Não retornei à quitanda depois do enterro para receber o meu quinhão de "rebuçados de Lisboa". O perfume ativo das flores que eu carregara, grudadas ao nariz, a longa caminhada sob o sol ou, quem sabe, a impressão de ver a menina, que eu conhecia, sumir debaixo da terra, embrulhou-me o estômago; fui levada às pressas para casa, vomitando sem parar.

DOUTORA DE PLANTAS

Todas as manhãs, depois do café, mamãe dava uma volta pelos seus canteiros de flores. Mestra em jardinagem, conhecia o temperamento e as preferências das plantas. Com elas conversava, escorando um talinho caído aqui, levantando um galho curvo mais adiante: "Quem te derrubou, hein?", chegava uma terrinha à base das que necessitavam, amarrava o talo pesado de flores a uma estaca de pau, fincada por ela no chão, dava às amigas toda a assistência necessária. As flores de dona Angelina eram muito apreciadas, parava gente ao portão a contemplá-las.

Certa manhã, vendo mamãe de joelhos a conversar sozinha, aproximei-me. Estava desolada:

— Veja só! De ontem para hoje este pé de amarílis entristeceu, está pra morrer. Mas eu não me engano. Foi o peste do verme que avançou no seu bulbo. Você quer ver?

Com as mãos nuas, sem auxílio de nenhum instrumento, foi cavando cuidadosamente a terra em torno da planta até chegar embaixo.

— Vá correndo buscar uma faca lá dentro — ordenou-me.

Não demorei, faca em punho, ansiosa por assistir à operação verme. Com especial maestria, "para não maltratar demais a pobrezinha da planta", a doutora foi direta ao intruso. Lá estava o bichão, gordo, branco, bem nutrido. Passado um pó de carvão sobre a chaga aberta no bulbo, após a retirada do verme, a jardineira começava a replantá-lo, quando do portão uma voz aguda e adocicada ao mesmo tempo, voz inconfundível, sotaque napolitano, chamou:

— Dona Angiolina!

— Ai, meu Deus do céu! Não aguento essa velha — resmunguei.

DONA VICENZA

Mamãe voltou-se, lá estava dona Vicenza, coque apertado bem ao alto do cocuruto, a barriga empinada coberta pelo eterno e descorado avental preto, verruga no nariz, olhos miúdos e espertos. Mamãe segurou meu braço, advertiu-me em voz baixa, ao mesmo tempo dura e cautelosa:

— Zélia, por favor não me faça malcriação à dona Vicenza!

Ela sabia muito bem que eu não gostava da velha e que seria muito capaz de sair na disparada sem, ao menos, cumprimentar a mulher. Sempre que possível fingia não vê-la. Podia me chamar quanto quisesse e eu a fazer ouvido mouco. Papai também não tolerava as conversas de mamãe com a "comadre" no portão. Dona Vicenza sabia disso e, quando o divisava pelas imediações, passava direta, não se atrevendo a parar.

Naquela manhã a peste me apanhara em flagrante, ao lado de mamãe, e como não estava disposta a levar uns cascudos mais tarde, caso me recusasse a responder às eternas perguntas de dona Vicenza, dei-lhe bom-dia e saí de fino.

Dona Vicenza era curandeira — eliminava maus-olhados ou "maróquios", no seu falar, matava lombrigas em geral. Famosa pela eficiência neste trabalho, seu método era infalível: depois de rezar o paciente durante três ou quatro dias, dava-lhe um bom vermífugo — comprado às escondidas na farmácia e baldeado para frasco sem rótulo — e o resultado era tiro e queda, não falhava nunca. Seu forte, no entanto, residia em interpretar sonhos, especialista em jogo de bicho. Morava na rua Haddock Lobo, lá embaixo, perto da Várzea, em pleno lamaçal. Ganhava uns cobrinhos diariamente, correndo coxia, batendo de porta em porta em busca de cliente para uma eventual cura ou para dar um bom palpite. Ela induzia as mulheres a jogar. Eu a detestava por isso; responsabilizava-a por entusiasmar mamãe a fazer sua fezinha. Era ela quem se encarregava do jogo. Apanhava o dinheiro das freguesas e dirigia-se para o chalé de bicho de seu Dantes (por que chamavam esse homem de Dantes, no plural, nunca soube. Seu nome era Dante), o bicheiro do bairro. O chalé de seu Dantes era composto de uma pequena saleta de frente — porta e janela — onde numa velha escrivaninha ele manejava vários lápis afiadíssimos e blocos próprios para assentar o jogo. Dona Vicenza não jogava do seu, não arriscava dinheiro pessoal. Mas caso uma de suas clientes acertasse no grupo, numa dezena ou numa centena — o milhar era sempre difícil —, ela ganhava comissão.

Mamãe caíra na asneira de lhe contar um fato ocorrido comigo, aos três anos de idade; tendo eu ganho de alguém um tostão, saí porta afora, dobrei a esquina da Consolação, galguei com esforço o alto degrau do chalé de seu Dantes e, com a mão estendida segurando o níquel, lhe disse:

— Quero um tostão de urso.

Seu Dantes achou graça; a menina teria vindo sozinha? Olhou para ver se havia alguém a chegar atrás, constatou que a pequena freguesa estava só. Rindo, rabiscou no talão o número do urso, apanhou o tostão e entregou-lhe o comprovante.

Quando cheguei em casa mamãe ficou assombrada ao receber o talãozinho que eu lhe oferecia:

— Quem foi que te deu isso?

Mais assombrada ainda ficou quando à tarde o resultado da extração premiou o urso. A história correu de boca em boca, motivo de admirações e de risos.

Dona Vicenza fez seu diagnóstico, em rezas de olhos fechados, depois abertos, arrotando o tempo todo, diante de um prato fundo cheio de água, gotas de azeite flutuando sobre a água:

— Madona! — exclamou de repente, olhos fixos no prato. — As gotas de óleo estão se alargando! Estou toda arrupiada!

Entre uma exclamação e outra, um arroto. Pediu concentração para que a água e o azeite se misturassem. Eu não me concentrei — nem sabia o que era concentrar —, olhei para o rosto de mamãe: que estaria pensando daquilo tudo, mamãe que não acreditava em milagres e nem em bruxarias? Achava, certamente, aquela cena sumamente ridícula e cômica. Conteve o riso ao ouvir dona Vicenza declarar que a "*figliola* de dona Angiolina" era vidente nata. Ficou firme, não ia desapontar a pobre velha "tão cheia de boa vontade e de crença...".

Desde esse dia dona Vicenza tomou-se de interesse por mim, passou a olhar-me como promissora fonte de renda. Vivia a me cercar:

— Filhinha! — falava em tom meloso. — Que foi que sonhou hoje, hein? Conta pra titia, bela. Menina tão linda, tão inteligente — me bajulava.

Familiares de Zélia: tia Dina, tio Remo, o avô Francisco Gattai, a mãe, dona Angelina, com a irmã Vera no colo, e os irmãos Wanda (em pé) e Remo (sentado)

Angelina Da Col e Ernesto Gattai, pais de Zélia

Os avós maternos, Josefina e Eugênio Da Col

PREFEITURA DO MUNICIPIO DE S. PAULO

Visto
Secretaria Geral da Prefeitura, 4 de Abril de 1907
O DIRECTOR,

Visto
Rudge Ramos

INSPECTORIA DE VIAÇÃO MUNICIPAL

Carta de Conductor de Automovel

Nº do Automovel 53
Nº de ordem 1

O Snr. Ernesto Gattai

tendo sido devidamente examinado a 3 de Abril de 1907 acha-se habilitado, nos termos do art. 6.º do Reg. de 26 de Fevereiro de 1903, a dirigir carro-automovel

Inspectoria de Viação Municipal de S. Paulo, 4 de Abril de 1907

O INSPECTOR,

Pagou 10$000 de emolumentos, pela expedição desta carta.
Thezouro, 4 de Abril de 1907

Matriculada a fls. 8 do Livro N. 1.

Com a carta de habilitação em mãos, Ernesto Gattai conseguiu o emprego de chofer da família Martinho Prado, no bairro de Higienópolis, em São Paulo

Piquenique no alto da serra do Mar, em janeiro de 1913

Ernesto Gattai e participantes do reide a Santos, 1910

Ernesto Gattai no Motobloc 1910 enfeitado com ramos de árvores para comemorar a volta do reide a Santos

A criada Maria Negra com Zélia no colo. Foi ela quem sugeriu o nome de Zélia

Os irmãos Gattai:
Wanda, Remo, Vera e
os pequenos Tito e Zélia
no Jardim da Luz,
São Paulo, 1919

Zélia, dona Angelina, Alféa e Vera, anos 20

Guilherme Giorgi com os filhos Rogério e Julio e a pequena Zélia, encostada no carro do pai

O restaurante Quáglia era ponto de encontro: Lozico, Federico Puccinelli, Antônio Ambroggi, Guilherme Giorgi, Menozzi e Ernesto Gattai

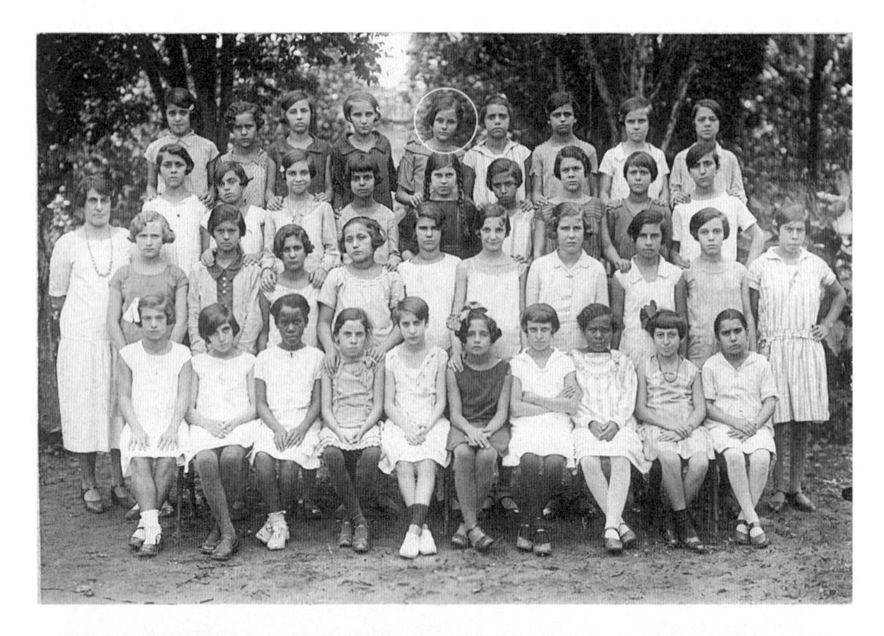

Zélia e o grupo escolar da Consolação: 16 de junho de 1927
e 4 de abril de 1928

ERÇA-FEIRA, 1 DE JANEIRO DE 1929

28

HEVISTA

ução o exigia, elimi-
mesmo tempo os in-
que se oppunham a
das, ameaçando a uni-
artido e a dictadura do

dos dos elementos, ja
plicam perfeitamente
ldades, que terá que
este anno, o governo
Esses pedidos em sua
mentar constam do

erdade economica para
ores ricos.
ardamento geral do
a de industrialisação.
pensão parcial do mo-
bro o commercio es-

propostas reflectem
blemas. O governo do
a executado um pro-
e industrialisação que
resultados satisfacto-
mentando a producção
anno, em mais de
ato. O Soviet conse-
resultado á força de
crificios, não só poli-
o economicos. O go-
nstruiu novas usinas
bricação de machinis-
tações hydro-electri-
em uma época em
abalhadores clamam,
machinas ou electrici-
por calçado, roupas,
domesticos, e outros
necessidade diaria.
gramma causou gran-
entamento. Não po-
iprar generos manu-
por um preço ra-
camponezes negam-
a vender a sua pro-
s populações das ci-

ESPERANÇAS DO BRASIL

ZELIA GATTAI

Filha do sr. Ernesto Gattai e de d. Angelina D'Acol Gattai, residente á alameda Santos, 5.

Nasceu nesta capital a 2 de Julho de 1916. Matriculou-se no 2.o anno do grupo escolar da Consolação em 1926. No corrente anno alcançou a média mais alta entre as 65 diplomadas, facto aliás já verificado nos annos anteriores. Foi sempre a que mais se distinguiu entre as companheiras de classe. O seu comportamento exemplar condiz com sua applicação e assiduidade.

O primeiro reconhecimento, no jornal *O Estado de S. Paulo*, aos doze anos

Zélia aos treze anos, com Vera, Wanda e a pequena Déa

Férias no Guarujá: o primo Bruno, Vera, o avô Eugênio, Tito, Wanda, dona Regina, Zélia e vizinha

Piquenique dos quinze anos de Zélia na Capela do Ribeirão, vilarejo próximo a Mogi das Cruzes

Zélia na formatura do curso de corte e costura

Zélia com Vera e amigos

Zélia aos dezoito anos

O casal Remo e Clara, o irmão
e a cunhada de Zélia

Família Gattai em Santos: Angelina, Ernesto, Remo, casal de amigos, Vera, Zélia, Iraci, Wanda, e a pequena Déa entre José Soares e Cláudio

AUTOMOVEL CLUB DO BRASIL

COMMISSÃO ESPORTIVA

RUA DO PASSEIO, 90

RIO DE JANEIRO

Nº 6

LICENÇA DO CONDUCTOR

Válida até 31 de Dezembro de 1934

Entregue ao Snr. Ernesto Gattai

Nascido em 2 de Dezembro de 1885

Natural de Italia

Domicilio S. Paulo

Rio de Janeiro, 14 de Setembro de 1934

O Presidente da Commissão Esportiva

Ribeiro

Ernesto Gattai

VIDE O VERSO

Carteira de piloto de corrida de Ernesto Gattai

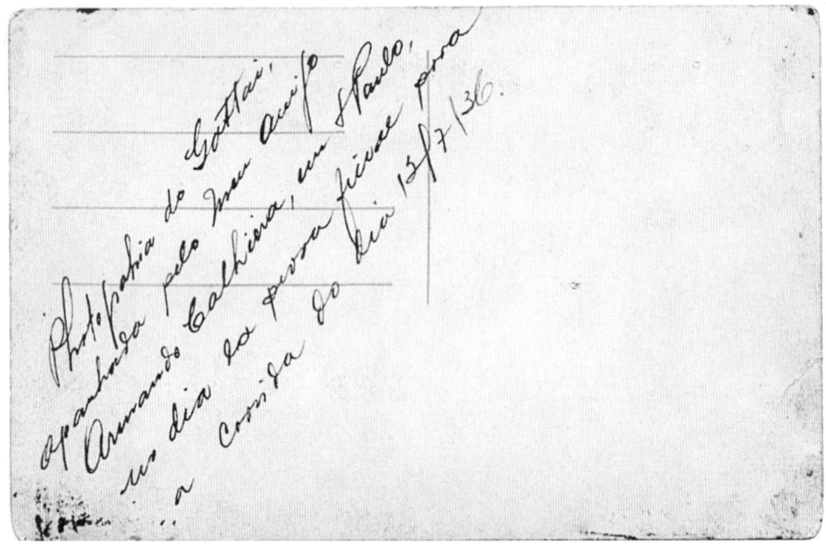
Photographia do Gattai, apanhada pelo meu amigo Armando Calheira, em S. Paulo, no dia da prova final para a corrida do dia 13/7/36.

Ernesto Gattai no dia da prova final de uma de suas corridas

A rixa entre Alfa Romeo e Bugatti: foi em uma das inúmeras corridas dessa disputa que Ernesto Gattai se acidentou gravemente

Ernesto Gattai em corrida no circuito da Gávea, no Rio de Janeiro

Recordação do convescote
à Santos promovido pelo
Grupo Regional e ~~pelo~~ ao
Orpheon Portugal

Santos 13/1/35

oferece eu mesmo

Sempre que possível eu escapulia, mas, quando agarrada de supetão, dizia-lhe que havia sonhado com defunto.

— Sonhar com morto dá elefante, isso todo mundo sabe... Mas... não pode dar elefante todos os dias... — conjecturava a velha. — Conta pra titia! Conta! Você não sonhou com mais nenhuma coisinha diferente? Mais nada, nada? Veja se lembra — olhava-me fixamente nos olhos como a querer adivinhar meus pensamentos. Felizmente não os adivinhava.

Eu, firme, nunca me lembrava de mais nada. Era defunto só e pronto! Ela que se danasse, se desse por feliz com o muito que já lhe contara.

Não mentia e nem exagerava, no entanto, ao afirmar à dona Vicenza que sonhava frequentemente com enterros. Não somente sonhava, como na maioria desses sonhos eu me encontrava ressuscitando o defunto, ou melhor, descobrindo que o suposto morto estava vivo e impedindo que assim fosse enterrado.

Em certo sonho, o caixão caiu do coche funerário bem em frente à minha casa; corri para ver o acontecido e, ao chegar perto, encontrei o cadáver exposto, o ataúde partido, o morto principiando a mover-se para em seguida levantar-se. Em outra ocasião, eu ia ao cemitério e notava que o caixão — já na igreja, sobre a mesa à espera de ser levado para a cova — se movimentava. Eu chamava a atenção para o fato: levantada a tampa, o defunto, lampeiro, saltava de dentro. Certa vez sonhei que beijava uma jovem morta e senti calor no seu rosto.

E por que tantos enterros e ressurreições em meus sonhos? Qual seria a explicação? Só encontrei explicação muitos anos mais tarde.

ZINA

Recordando coisas esquecidas, desenterrei do passado uma figura e um fato, únicos capazes de explicar o mistério das frequentes ressurreições em meus sonhos. A figura de Zina, garota de minha idade, também filha de italianos, os Bertini. Brincávamos juntas desde pequeninas, éramos íntimas. Segundo opinião geral, nos parecíamos muito. Ambas louras de olhos escuros. A única diferença eram seus cabelos encaracolados e os meus lisos como franja de seda. Morávamos no mesmo bairro mas, devido à distância entre nossas casas e à nossa pouca idade, somente podíamos brincar de comadres quando eu era levada por minhas irmãs à sua casa ou quando as irmãs dela a traziam à minha.

Na casa dos Bertini havia sempre muitas crianças: os folguedos eram tantos que o dia passava rápido. Cantávamos canções de roda: "Ciranda, cirandinha...", "A rosa ficou doente...", "Senhora dona Sanja...", "Margarida está no castelo..." e uma quantidade de outras cantigas de roda. Como de hábito, havia entre as crianças rivalidades e partidos, vivíamos de arengas, brigávamos muito mas Zina e eu estávamos sempre unidas contra os outros.

Quanto ao fato, para narrá-lo devo antes falar de alguns assuntos e de outras figuras.

TREM DE SEGUNDA CLASSE

Bem organizado, o carnê social de mamãe vivia repleto de compromissos. Impecável, ela andava sempre em dia com suas visitas: recebidas e retribuídas. Uma vez por semana visitava sua irmã Margarida, no Brás, e uma vez por mês ia a

São Caetano, onde moravam — em chácaras vizinhas — seus irmãos Angelim e Gígio.

Viagem cheia de baldeações, complicada. Tomava-se dois bondes para chegar à Estação da Luz. Na Estação da Luz apanhava-se o trem parador que ia chegando e despejando passageiros em todas as estações: Brás, Mooca, Ipiranga, Vila Prudente e ainda outras, antes de alcançar o nosso destino: São Caetano.

Mamãe só viajava de segunda classe. Nesse caso não era por economia e sim por ser "muito mais divertido...". Nos vagões de segunda, era permitido o transporte de volumes grandes e de animais. Viviam sempre apinhados de gente, de bichos e de mercadorias. Todo mundo se atropelava, ao entrar no trem, na ânsia de conseguir sentar — havia o costume de marcar lugar pela janela antes de subir ao vagão —, tropeçando em jacás de frutas e de verduras, em trouxas de roupas, em bujões de leite, em cestas de ovos e em gente mesmo.

Certa vez, não conseguindo equilibrar-se a um solavanco do trem, vovô Eugênio, que ia visitar os filhos em São Caetano, pisou em cheio no pé de um indivíduo de maus bofes. Não adiantou nada desculpar-se, foi obrigado a desembarcar na primeira estação, desistir da viagem, para evitar que o enfurecido cavalheiro concretizasse a intenção e a ameaça de furar-lhe os olhos com a ponta do guarda-chuva.

Em menos de uma hora de viagem chegávamos a São Caetano, sujos de fuligem, cheios de novidades e piadas para no regresso contar aos que não tinham sido escalados naquele dia.

Caminhávamos ainda uns bons dois quilômetros antes de chegar à chácara de tio Angelim.

OS DOIS TIOS MATERNOS

Tio Angelim e tio Gígio eram o oposto um do outro, personalidades completamente diversas. Nós, as crianças, às escondidas os chamávamos de Mutt e Jeff, o alto e o baixo, heróis dos desenhos cinematográficos.

Tio Angelim era o baixo, vivo e inteligente mas sobretudo espirituoso. Pelo menos todos achavam. Tia Margarida e mamãe riam de se acabar de suas conversas e de seus trocadilhos e os repetiam sempre, causando hilaridade. Eu, francamente, não achava lá muita graça nas piadas de tio Angelim. Ria para fazer companhia e porque gostava muito dele. Tia Joana, sua mulher, era também do Cadore, nos Alpes vênetos, como a família do marido. Era uma tia de quem eu também gostava muito, sempre amável. Tinham seis filhos. Família unida e feliz.

Um gigante, tio Gígio podia até ser um bonito homem — cabelos pretos encaracolados, olhos azuis — não fosse tão relaxado. Seus negros caracóis jamais viam a cor de um pente, andava desgrenhado. Depois de um casamento que durou pouco, amigara-se várias vezes. Nunca teve filhos. Vivia sempre sozinho, à cata de nova companheira com quem juntar os trapos. Não era amigo do trabalho, preferia ler poesias. Muitas vezes, em meio à nossa dura caminhada em direção à chácara, íamos encontrá-lo, por acaso, deitado à sombra de uma árvore a ler poemas de amor. Mamãe não se conformava: "Como pode um homem tão romântico apaixonar-se por mulheres tão horrorosas e ignorantes?". Uma delas, nhá Catarina, cabocla de cabelo nas ventas, mais velha do que ele, uma bruxa feia, viúva, trouxera de quebra para o casamento uma filha boba. Depois veio nhá Belarmina, depois nhá Ana e muitas outras nhás. Todas com nhá antes do nome, indicando a condição de matutas. Nenhum de seus incompreensíveis casamentos foi bem-sucedido.

Um belo dia, na falta de livro de poesias para ler, Gígio lançou mão de um manual de espiritismo que lhe caiu sob as vistas. Interessou-se pelo assunto, tornou-se ferrenho espírita, recebendo passes, vendo assombrações. Ao meio-dia, parava toda e qualquer atividade, concentrava-se, era a hora de passarem as almas por seu corpo.

— Todas as almas do mundo, tio? — perguntei-lhe certa vez, admirada.

— Todas. Basta fechar os olhos, concentrar-se, ficar imóvel. Experimente daqui a pouco, quando der meio-dia — respondeu-me tio Gígio, entusiasmado com a ilusão de conquistar, quem sabe, uma nova adepta para a sua doutrina.

Foi infeliz. Papai passava por perto e ouviu a conversa; enfureceu-se:

— Pare de dizer besteiras às crianças, Gígio! Se for para meter essas *stupidaggini* na cabeça dos meninos, nem me apareça mais aqui. Pare com isso! — repetiu.

Gígio ofendeu-se, nem almoçou em casa naquele dia, sumiu de nossas vistas durante largo tempo. Mamãe morria de pena do irmão: "Tão bom, mas de miolo mole, não tem remédio, não!".

A EXPLICAÇÃO DE MEUS SONHOS MACABROS

Todas as vezes que era escalada para a ida a São Caetano, eu entrava em excitação desde a véspera. Nessa noite não dormia direito, acordava a toda hora, no medo de não despertar a tempo e de perder o trem. Quase sempre, no momento de sair de casa era acometida de incontrolável distúrbio intestinal.

Certa manhã, arrumadas para a viagem a São Caetano, tomávamos café, eu, mamãe e Vera, a outra viajante escalada. A cesta de vime levada sempre nessas visitas, com alças, boa para ser carregada por duas pessoas, já estava pronta, superlotada: com dois litros de vinho, linguiça de porco fresca, linguiça calabresa, salames e queijos, "para ajudar o almoço de tia Joana", dizia mamãe.

Como sempre, ao perceber o movimento característico da partida, senti necessidade urgente de ir ao banheiro. Demorei-me algum tempo e ao voltar encontrei todo mundo diferente, o ambiente pesado.

Em minha ausência, Remo chegara da rua com uma triste notícia. Dramática, mamãe exclamava quase chorando — o pranto apenas na voz:

— *Dio mio!* Que coisa mais horrível! Mas como pode acontecer uma coisa dessas, Madona Santa? Coitada de dona Renata! *Poverina!*

Explodi em pranto ao inteirar-me do acontecido: Zina morrera. Tivera um ataque repentino, caíra morta. Pedi que me levassem à casa dela. Mamãe achou que não devia, eu me impressionaria demais. O melhor a fazer era partirmos o quanto antes para São Caetano, eu me distrairia no passeio, não ficaria insistindo para ir ao velório da menina.

Reagi, tentei desobedecer, não houve jeito; pela primeira vez, não apreciei a viagem. Não achei graça nem mesmo na situação cômica da vendedora de galinhas correndo pelo vagão, desesperada atrás das aves escapulidas do jacá; nem na participação espontânea de mamãe na caça às fugitivas; nem no grito do cidadão que se levantou apontando com o dedo algo em sua roupa, enojado, a reclamar: "Ói, dona, a galinha cagô ni mim!..."; nem nas espavoridas aves, em voo rasante sobre as cabeças dos não menos espavoridos passageiros, tentando sair pelas janelas do trem em movimento. Nada disso me divertiu. Nesse dia, não quis brincar com minhas primas Alféa e Alma, de quem tanto gostava; não desci ao limite da chácara à procura de peixinhos no estreito córrego que por ali passava, levando às escondidas, de cumplicidade com as primas, o coador de macarrão de tia Joana, que nos servia de rede para a pesca; não busquei ninhos de passarinhos nas árvores, nem fui ao curral visitar as vacas. Grudei-me à saia de minha mãe, ouvindo-a contar e repetir toda a tragédia da família Bertini à tia Joana. Falavam vêneto pensando que eu não entendesse nada e eu entendendo tudo, me martirizando. Tia Joana soltava exclamações verdadeiramente cômicas — ela era careteira de natureza, dessa vez superava-se — que, em outras circunstâncias, me teriam feito estourar de rir. Naquele momento, apenas aumentavam a minha angústia.

Senti no ar que alguma coisa se tramava contra mim. Não via a hora de voltar para casa. O enterro seria no dia seguinte pela manhã. Ninguém me impediria de acompanhá-lo. Nem que fosse para fugir de casa e ir sozinha. Eu haveria de acertar o caminho.

Quase na hora de partir, mamãe confirmou a minha suspeita, anunciando-me que eu ficaria em São Caetano. Ela iria ao enterro com papai e as meninas mais velhas, na manhã seguinte. Revoltada, protestei:

— Não fico, não fico!

Mamãe tentava convencer-me:

— Você vai se divertir aqui com suas primas, sua boba! Amanhã cedo você vai ver tia Joana tirar leite das vacas...

Ao perceber a decisão de mamãe, senti-me perdida, abri num berreiro escandaloso, botei a boca no mundo. Perdi todo e qualquer recato, que me vissem chorar, e daí? "Não fico e não fico e pronto!" Amarrei-me a essa afirmação de desobediência, recusando todas as ofertas, todas as tentações com que mamãe pensava me seduzir:

— Hoje, quando tio Angelim chegar, ele vai contar uma porção de histórias...

Tocava no meu fraco, sabia que eu adorava histórias e tio Angelim sabia contá-las como ninguém. Mas nem essa perspectiva me dobrou; pelo contrário, as promessas só fizeram aumentar minha rebeldia.

— Não quero passar a noite aqui, nessa escuridão de lamparina, não quero! Não quero dormir naquela cama cheia de percevejos... Não quero ouvir história nenhuma! Quero voltar para minha casa!...

Depois dessa torrente de malcriações, encarei mamãe. Ela estava lívida. Esperei a surra merecida. Nunca a desafiara daquela maneira, com tanta ousadia, fazendo-a passar vergonha diante de sua família. Esperei, mas os tapas e os cascudos não vieram. Calada, impotente, olhando sério para mim, mamãe sentia-se derrotada; desviou o olhar para tia Joana como que a lhe suplicar desculpas. Senti que ela me compreendera, sabia que eu estava sofrendo, ela morria de pena da filha. Mas não voltou atrás. Fiquei em São Caetano. Tia Joana também não se ofendeu. Naquela noite preparou, para me agradar, meu prato preferido: arroz cozido no vinho com muito queijo parmesão ralado, à moda do Cadore, e ainda fritou fatias de polenta para o café.

Tempos depois, um ano talvez, faleceu um dos Bertini, tio de Zina. Foi comprado então pela família um jazigo perpétuo. Na remoção dos restos mortais da menina para a nova sepultura, verificaram que os ossos de seus joelhos estavam voltados para cima tocando a tampa do caixão, os pés pousados nas tábuas, embaixo. As duas mãozinhas abertas para o alto, em atitude de forçar a tampa para abri-la.

Tudo isso eu ouvi, de conversa a meia-voz, de gente grande. Provavelmente, comentavam, a criança havia sido enterrada viva. Devia ter sido acometida de um ataque de catalepsia.

Essa revelação me atordoou. Quis saber detalhes, ninguém sabia nada mais do que ouvira. Era sigiloso, a mãe de Zina não podia tomar conhecimento da tragédia.

Se eu tivesse ido ao seu velório, poderia ter descoberto tudo. Teria olhado tanto para o semblante de Zina, teria segurado suas mãos, teria beijado seu rosto. Todas essas desesperadoras reflexões ficaram escondidas em meu pequeno coração, extravasaram certamente em sonhos.

SONHOS E INTERPRETAÇÕES

Para compensar meus pesadelos, eu tinha o privilégio de sonhar colorido. Esses sonhos coloridos não eram frequentes, porém eram lindos. Eles se passavam sempre em bosques e prados, em castelos de torres e candelabros, com felpudos tapetes azuis forrando os salões, meus pés afundando neles, sentindo a maciez de seda. Jamais encontrei, na vida real, azul igual ao de meus sonhos.

Até mamãe foi atacada por essa mania de sonhos, durante longo tempo. Ao despertarmos pela manhã, lá estava ela de plantão:

— Como é? O que sonharam? Coisa boa?

Nós traduzíamos "coisa boa" por bom palpite. Cada uma contava seu sonho, mamãe interpretava. Havia desistido de ouvir dona Vicenza, chegara à conclusão de que a velha sabia muito pouco. Errava demais!

Contei um dia à mamãe — com a promessa de que ela

não o transmitisse à bruxa — o meu sonho colorido daquela noite. A princípio ela não acreditou na minha conversa:

— Sonhou colorido? Que invenção é essa, menina?

Depois de ouvir os detalhes do sonho, chegou à conclusão de que eu não teria capacidade para inventar tanto. Nem perdeu tempo na interpretação: "Tudo colorido? Só pode ser borboleta". Jogou, perdeu. Deu pavão.

Dos filhos de dona Angelina, Vera era a menos dotada para línguas. Em casa nossos pais falavam italiano; nós entendíamos tudo, porém respondíamos sempre em português. Às vezes, por brincadeira, arremedávamos uns e outros em italiano. Vera era incapaz de fazê-lo, se atrapalhava toda, não dizia coisa com coisa. Só fazia todo mundo rir de suas frustradas tentativas.

Certa manhã, Vera acordou entusiasmada. Antes que mamãe nos perguntasse pelos sonhos, ela adiantou-se:

— Mamãe, sonhei hoje em italiano.

— Em italiano? — surpreendeu-se a mãe toda animada.

Vera estava ansiosa para relatar seu sonho:

— Eu sonhei que seu Gragnólli — um vizinho nosso — chegou aqui em casa com uma novidade. Trazia um telegrama na mão. Perguntou: "*Dov'é il signor Gattai?*".

— Com toda essa cerimônia? — quis saber dona Angelina, surpresa.

— Foi assim mesmo que ele disse — respondeu Vera. — E aí papai chegou. Seu Gragnólli entregou-lhe o telegrama.

— Um telegrama, hein? — Mamãe não cabia em si de curiosidade.

Um telegrama com o nome de papai e endereçado para a casa de seu Gragnólli.

— E de quem era o telegrama? Por que endereçado para seu Gragnólli?

— Papai não leu o telegrama. Não sabia ler letras de telegramas.

— Não sabia? Mas como, não sabia? Não é tudo a mesma coisa? — protestou dona Angelina.

— Pois ele não sabia, tanto é que pediu ao seu Gragnólli que o lesse e seu Gragnólli leu.

— Mas de quem era? Desembucha logo!

— Adivinha, mãe!

— Ora, se era em italiano, só podia ter vindo da Itália, não?

— Pois não vinha da Itália — Vera castigava a mãe.

— Se não vinha da Itália, então de onde vinha?

— Sabe de onde, mãe? Do Hospital do Juqueri, do hospício!

— Do Juqueri? Então só podia ser de seu Urbano, marido da Regina. É a única pessoa que conhecemos, internada lá.

— Pois desta vez a senhora acertou. Era do seu Urbano mesmo. Um telegrama muito esquisito que dizia assim — fez uma pausa —, como é mesmo? Espera, deixa me lembrar. Ah!: "*Peste volete, peste avrete, anarchico traditore*".

— Minha mãe do céu! Seu Urbano deve estar cada vez pior, coitado! Pra tratar teu pai desse jeito! Chamar de anarquista traidor!

— Mas o sonho ainda não acabou, mãe! — apressou-se Vera. — Aí, papai ficou furioso, virou-se contra seu Gragnólli, como se o telegrama tivesse sido mandado por ele, e disse: "*Ma cosa mi dici, Raimondo?*".

— Raimondo? — assombrou-se mamãe. — Teu pai devia estar maluco também! Veja só! Mudar o nome de seu Gragnólli! Ele sabe muito bem que ele se chama Hugo...

Wanda interveio às gargalhadas:

— Que é isso, mãe? A senhora está esquecendo que isso foi um sonho?

Passado o primeiro momento do impacto, mamãe quase perde o fôlego de tanto rir. Aquela Vera era um número. Como conseguira falar italiano? Quem diria!

O sonho de Vera fora tão importante que mamãe nem quis saber dos outros dois. Passou a manhã toda concentrada, tirando conclusões, querendo chegar ao pivô do enredo. A experiência lhe havia ensinado que o óbvio não prestava para palpites. Somente os sonhos bem decifrados davam resultado. Mamãe penitenciava-se de ter deixado de ganhar boas boladas, pela pressa, pela preguiça de refletir quando de um sonho de Wanda e outro de Vera.

Depois que Wanda começara de namorico com aquele rapazinho da quermesse do Calvário, andava sonhando coisas estranhas. Sonhara, por exemplo, que passeava com o namorado, no Parque Paulista. De repente, por entre as flores do jardim, saltou enorme serpente. O namorado evaporou-se, ela ficou só, a víbora preparando o bote para atacá-la. Não se acovardando, Wanda agarrou a bicha pela goela, bem perto da cabeça.

— Precisava ver, mãe, a bocarra que ela abria, querendo me morder. Das enormes presas, para fora, jorrava veneno na minha mão. Então, atirei a cobra longe e enquanto ela se refazia do golpe, atordoada certamente, eu saí na disparada e aí acordei.

Mamãe não teve dúvidas: jogou cinco mil-réis na cobra. Aquele sonho era bom demais para não dar. À tarde, ao chegar o resultado, foi aquela decepção! Jacaré no primeiro prêmio.

— Precipitação minha, única e exclusivamente — lamentou-se. — Não quis refletir. Wanda não me disse que a serpente tinha um bocão aberto? E dentes enormes? Ora, mais claro, impossível! Jacaré puro!

De outra vez, ainda um sonho bom, de Vera:

Uma águia estava voando por cima dos canteiros de nosso jardim. Aí, chegou Remo com uma vassoura, a de cabo comprido, de vasculhar o teto, e lutou com a águia dando vassouradas nela. Deu tantas vassouradas, mas tantas, que ela sumiu.

Bem, sonho mais evidente não podia haver! Jogou na águia, deu galo.

— Como galo? — perguntava a pobre da dona Angelina, desapontada.

Foi Maria Negra quem então, dessa vez, deu-lhe a chave da adivinha:

— Pense bem, dona Angelina: a senhora vê seu filho Remo alguma noite em casa? Por onde é que ele anda todas as noites? Me diga!

— Ora, certamente vai namorar. Remo tem tantas namoradas...

— E quem tem muitas namoradas, hein, dona Angelina? Não é por acaso, chamado de galo?

A patroa admirou-se da sabedoria da empregada mas não se deu por vencida:

— Mas a águia, Maria, era o personagem principal do sonho, não era?

— Nesse sonho, dona Angelina, a águia podia até ser alguma namorada em que Remo quisesse dar o fora... Lembra o que foi que a senhora disse quando aquela mocinha mandou pra ele o pijama azul-anjinho?

Claro que lembrava. Isso tinha acontecido havia tão pouco tempo... É, ela dissera que aquela moça era uma águia, que dava presentes pra ver se pegava o menino. Maria Negra tinha razão. Com um pouco mais de paciência, teria jogado certo: no galo.

Desta vez não cochilaria. Durante toda a manhã ficou concentrada, de vez em quando ria sozinha, lembrando a frase dita pela filha: "*Ma cosa mi dici, Raimondo?*". Quanto à frase insultuosa, a do telegrama, essa passara para um segundo plano. Mamãe recordara tratar-se da frase de um drama anarquista em cuja representação ela mesma tomara parte quando meninota. Certamente Vera a ouvira declamar — coisa que fazia frequentemente, enquanto passava a ferro —, guardara-a no subconsciente. Mas aquele sonho a intrigava. Onde estaria o agente principal? Seu Urbano? Coitado, louco. Só podia ser cachorro, se fosse ele o centro do sonho. Cachorro louco. Afastou rapidamente a ideia. Deus nos livre e guarde que Regina soubesse de tal pensamento. E seu Gragnólli? Esse não entrava nos cálculos, não era de forma alguma o personagem principal, apenas um estafeta.

Por volta de meio-dia, mamãe chegou-se à Vera, perguntou-lhe à queima-roupa:

— Me diga uma coisa, minha filha. Teu pai estava muito furioso?

— Furioso? — assustou-se a menina. — Ave Maria! Furioso por quê? Eu não fiz nada...

— Não foi com você, não, boba! Furioso com seu Gragnólli!

— Ah! — respirou Vera, tomando embalo. — Estava furiosíssimo! Danado da vida! Uma verdadeira fera!

— Uma verdadeira fera? — alarmou-se mamãe. — Mas você não disse isso hoje de manhã, não falou em fera em momento nenhum... Essa agora! Não estava em meus cálculos! Vem perturbar completamente o meu tirocínio...

Wanda entrou em ação, interrompendo a conversa:

— Tirocínio ou raciocínio, mãe?

— Olhe, não me amole, viu? Minha cabeça está pra estourar! — gritou-lhe dona Angelina, irritada.

Percebendo que baratinara, sem querer, as matemáticas

da mãe, Vera não perdeu tempo, tratou de afastar rapidamente a fera de seu caminho:

— Não, mãe! Ele não estava uma fera, não! Ele estava só furioso, mas furioso mesmo, de verdade!

Mamãe reiniciou o interrogatório, chegava ao fim de sua pesquisa:

— Me diga ainda uma coisa: os olhos dele estavam vermelhos?

— Ah! Isso eu não reparei, mamãe. E nem podia reparar cor nenhuma. O sonho não é branco e preto?

A essa altura da situação ela já possuía material suficiente para fazer seu jogo. Desta vez seus cálculos eram precisos. Não falhariam. Chamou um empregadinho da oficina:

— Vá até o chalé de seu Dantes e ponha dez mil-réis no touro.

Entregou o dinheiro rapidamente ao menino antes que se arrependesse de arriscar importância tão alta. Se Ernesto desconfiasse que ela andava jogando no bicho... e sobretudo tirando dinheiro das economias...

O menino já ia longe com a nota na mão. Mamãe chamou-o:

— Pícolo, volte aqui. Vamos fazer uma pequena mudança nesse jogo: ponha oito mil-réis no touro e dois no leão. Vá depressa antes que fechem o jogo. Está quase na hora.

Ufa! Que alívio! Agora respirava, completamente despreocupada. Acabara de tirar a fera de sua cabeça, abrira o portão da jaula, soltara o leão.

Não eram ainda quatro horas — somente às quatro chegava seu Dantes ao chalé com os resultados da extração —, quando entrou Tito, o surpreendente Tito, sempre ausente de nossos olhos mas sempre a par de tudo, brandindo o papelzinho do bicho, seguro nas pontas dos dedos, portão adentro.

Tomara a iniciativa. Sem dizer nada a ninguém, ao sentir a aflição da mãe e interessado também no assunto, fora a um chalé de loterias, perto do cinema, onde os resultados chegavam mais cedo.

Fora de seus hábitos, entrou gritando:

— Touro, mãe! Deu touro! Touro no primeiro e leão no segundo!...

Mamãe havia jogado só no primeiro prêmio. Outra falha a corrigir. Nas próximas vezes saberia como fazer as coisas.

Mesmo desfalcada dos dois mil-réis, desviados à última hora, a bolada fora grande. Suficiente para repor todo o dinheiro perdido em seu devido lugar, sobrando ainda para algumas comprinhas e para futuros palpites.

Feliz de sua vitória, mamãe voltou-se para os outros filhos:

— E agora? Quero que me digam se Vera é ou não um colosso!

Durante toda a vida, a admiração de mamãe por Vera só fez aumentar. Não encontrava outra expressão capaz de defini-la: "Vera é um colosso!".

SEM FECHADURAS NEM TRANCAS

Na casa da alameda Santos número 8 não havia uma única chave. Os buracos das velhas e enferrujadas fechaduras viviam entupidos de papel amassado, vetando a eventuais olhos indiscretos a possibilidade de uma espiada no interior dos quartos de dormir. As portas de entrada eram fechadas por frágeis ferrolhos internos, mas na da cozinha não havia nem mesmo isso, e, durante a noite, uma cadeira a mantinha encostada. As duas portas do terraço lateral, que separavam as paisagens de tzi Ró, eram facilmente arrombáveis. Havia um ponto exato onde forçar com o ombro: bastava comprimi-lo de leve e a porta se abria na maciota, sem fazer o mínimo ruído. Todos os de casa usavam este método, prático e simples. O pesado portão de ferro trabalhado — única beleza da fachada — passava o dia inteiro aberto e, à noite, apenas encostado. Por ele entrava-se para a residência e para a oficina mecânica. O portão dos fundos, de madeira, que dava para a Consolação, servia apenas à garagem.

Nunca tivemos medo, nem mesmo pensamos, que um ladrão pudesse invadir nossa casa durante a noite. Não possuíamos nada de valor e os gatunos sabiam muito bem escolher suas vítimas. Os ladrões de antigamente eram inteligentes e conscienciosos, deixavam os pobres em paz. Dormíamos tranquilos.

SERIA MENEGHETTI?

Nossa casa nunca fora visitada por ladrões mas, em compensação, nela penetravam tranquilamente animais de toda espécie.

Certa noite em que eu dormia sozinha, pois minhas irmãs, minhas companheiras de quarto, passavam o fim de semana em casa de tia Margarida, fui despertada às tantas da madrugada por um ruído estranho a vagar pelo quarto. Som mais esquisito aquele! Flutuante, metálico, parecia o tilintar de um guizo. O som, como já disse, deslocava-se pelo quarto, chegando às vezes bem perto de minha cama. Calada, o coração aos pinotes, pensava: "Será o Meneghetti, meu Deus? Por que ele usa um sino? Para saber se tem alguém no quarto?".

Gino Amleto Meneghetti, ladrão temido e audacioso,

quase legendário, era uma espécie de herói popular. Seu nome e suas proezas andavam em todas as crônicas de jornal e em todas as bocas.

Fantasma a surgir e a desaparecer entre altos muros e escorregadios telhados, desafiava a polícia, toda ela em seu encalço. Não se passava uma noite sem que ele assaltasse um palacete, arrombasse um cofre, mestre no ofício.

Diziam que só roubava dos ricos, deixando os pobres em paz; contavam que se tratava de pai extremoso de dois filhos, aos quais dera os nomes de Spartaco e Lenine. Meneghetti declarou certa vez a um jornalista que o entrevistou: "O comerciante é um ladrão que tem paciência".

Mamãe nos dizia que Meneghetti era ainda mais atrevido do que o famoso João do Telhado, assaltante também temível, invadindo as residências sempre pelos telhados, esse fato lhe valera o apelido. Andara em evidência havia anos mas suas façanhas não se comparavam às de Meneghetti.

Os pensamentos sucediam-se rápido em minha cabeça enquanto o sininho continuava a tocar aqui e ali, circulando de um para outro extremo do quarto: "Não, Meneghetti não ia perder tempo com nossa casa... Pode ser, quem sabe, outro ladrão?... E, se for mesmo um ladrão e eu gritar? Ele foge de medo". Ao mesmo tempo temia que, gritando, provocasse uma reação violenta no assaltante contra mim e contra meus pais que dormiam no quarto ao lado. Que fazer? Da parede, no centro da cabeceira da cama, pendia um soquete em formato de pera. Resolvi sentar-me para alcançá-lo e acender a luz. O colchão barulhento, de palha de milho desfiada, exigia toda a cautela. Fui deslizando, lenta e mansamente, bem devagarinho... até conseguir sentar-me. Segurei o soquete e preparei-me para gritar no momento em que a luz acendesse. O guizo continuava a circular, esperei que se distanciasse;

pressionei então o botão da pera. No fundo do quarto, um imenso cão policial balançava grossa corrente partida, presa à coleira; estava ali, meio perdido, sem saber para onde ir. Devia ter fugido de sua casa e, encontrando nossas portas abertas...

Agarrei meu chinelinho de junto da cama e atirei-o: "Puxa daqui!". O cão saiu em disparada.

FLOX, MEU CÃO, MEU CAMARADA

Pelo nosso enorme portão, aberto de par em par, entravam, procurando guarida, cães abandonados ou escorraçados por moleques da rua. Penalizada, mamãe recolhia e tratava quantos aparecessem por lá.

O mais antigo de nossos cães, entre tantos que tivemos, chegado nessa circunstância, escorraçado, era enorme. Mamãe o batizou com o nome de Flox certamente por ser felpudo e branco como um floco de algodão. O mau português de dona Angelina foi responsável pela transformação de floco em flox; ao ver o cachorro banhado e penteado exclamou: "Ai que lindo flox de algodão!". Ficou sendo Flox.

Flox apareceu um dia, fugindo das pedradas de um bando de meninos. Machucado, atingido numa das patas traseiras, sangrando, corria com dificuldade, sustentado por três pernas apenas. Encontrou o providencial portão aberto, entrou, escondeu-se debaixo de um automóvel estacionado na garagem. Morta de pena, como sempre, mamãe o acolheu; conquistou a confiança do animal assustado, oferecendo-lhe água fresca, falando-lhe com carinho.

Com voz severa, passou um sabão nos moleques que, sem tomar conhecimento da lição de moral que recebiam, permaneceram ainda por muito tempo rondando a casa, esperançosos de continuar a brincadeira.

Tratado com todo o carinho, adotado, Flox tornou-se o nosso melhor e mais fiel amigo; em nossa companhia, viveu cerca de oito anos, eficiente guardião das crianças, sempre atento, a defendê-las se fosse preciso. Seu único e grande defeito era gostar de rua. Tinha a mania de nos acompanhar aos passeios, fosse de automóvel, de bonde ou a pé. Antes de sairmos de casa tínhamos sempre a preocupação de deixá-lo trancado. Matreiro, desconfiado, ao ver-nos de chapéu na cabeça e bolsa na mão, Flox escondia-se. Conhecia o hábito da família: esse mau costume de prendê-lo sempre que se ausentava, impedindo-o assim de acompanhá-la. Mesmo tomando cuidado, quantas vezes tivemos que voltar em meio do caminho? Quando menos se esperava, lá vinha o danado, língua de fora, arfando, correndo atrás do automóvel ou do bonde.

Um dia, numa ida ao Jardim da Luz, de repente o avistamos a correr disparado, acompanhando o bonde. Do veículo repleto, mamãe, as meninas e Maria Negra gritavam-lhe: "Volte pra casa, Flox, volte!". Fazendo ouvidos de mercador, ele virava a cabeça evitando olhar para o nosso lado. Devia pensar que, não nos vendo, podia ignorar as ordens imperativas que o mandavam retornar.

Situação tragicômica: os passageiros do bonde, rindo às gargalhadas dos gritos em coro e da esperteza do cão, enquanto mamãe, agoniada, temia o animal fosse atropelado. E assim seguimos até nosso destino: mamãe aflita, os passageiros divertindo-se, o animal atrás, arfante, com um palmo de língua pendurada de fora.

Quando finalmente desembarcamos, Flox aproximou-se, cauda abanando. No portão do Jardim da Luz um letreiro proibia a entrada de cães. Mamãe procurou o porteiro, talvez ele pudesse dar um jeitinho... o cachorro nos esperaria amarrado junto ao portão... o cachorro era manso, bonzinho... o porteiro daria uma olhada... A proposta, ou antes, o pedido não foi aceito, não se deu o jeitinho. Estávamos, pois, diante de um grave problema a ser resolvido: mamãe não se dispunha a voltar para casa e perder a "viagem" por culpa daquele "atrevido". Foi Wanda quem salvou a situação, lembrando que dona Altamira, vendedora de roupas de cama e mesa a prestação de quem mamãe era freguesa antiga, morava nas imediações do Jardim da Luz. Foi lá que Flox permaneceu a tarde toda enquanto passeávamos pelo florido e arborizado jardim, onde tiramos retrato no lambe-lambe e corremos atrás dos bichinhos soltos.

Voltamos no "caradura", bonde misto, de segunda classe, mais barato, transportando passageiros e carga, inclusive animais, utilizado sobretudo por trabalhadores. As duas senhoritas, Wanda e Vera, feridas em sua vaidade, resmungavam sem parar, considerando uma vergonha viajar em tal veículo.

Com o vício de andar sempre na rua, Flox era de vez em quando apanhado pela "carrocinha de cachorro", da prefeitura, que recolhia os cães abandonados.

Ao chegar alguém ao portão avisando que o cachorro havia "embarcado" novamente, a casa vinha abaixo! A choradeira da meninada querendo o cão de volta punha mamãe doida, atarantada, impotente, sem encontrar um meio de ensinar "aquele besta" a não sair de casa ou, pelo menos, a fugir dos malvados.

Eu detestava os "homens da carrocinha" ainda mais do que à dona Vicenza. Quando os via acuando um cão — dois e três homens, armados de laços, contra pobre e indefeso animal — sentia ódio dos covardes. Muitas vezes agarrava-me ao bichinho, sem jamais tê-lo visto antes, para evitar que fosse laçado.

Uma vez, enquanto os laçadores, distraídos no afã de alcançar sua presa, correndo em disparada, distanciaram-se deixando a carrocinha repleta e desprotegida, Tito, um amigo e eu aproveitamos a ocasião para, num abrir e fechar de olhos, abrirmos a porta da jaula, soltando os cães que nos acompanharam em desabalada carreira. Temendo ser perseguida, olhei para trás e divisei um cãozinho, todo aparvalhado, sem saber que rumo tomar, onde meter-se. Voltei rapidamente e agarrei-o a tempo de impedir que fosse laçado novamente pelos homens encolerizados. Esbravejando, eles avançavam em minha direção, dispostos a arrebatar-me o animal:

— Este cachorro é meu! — gritei, chorando, o animalzinho, apertado contra o peito. — Ninguém leva o meu cachorro!

As pessoas paradas em torno da disputa tomavam minha defesa, não escondendo sua animosidade contra os "inimigos", que não tiveram outra alternativa senão desistir. Eu já era sua conhecida de aventuras passadas e por isso me detestavam. Se pudessem me laçariam também, como aos cães.

O depósito de cachorros ficava na Ponte Pequena, nas imediações do "Clube de Regatas Tietê", bastante longe lá de casa. Os cães apanhados nas ruas permaneciam presos à disposição dos interessados, durante três dias, em enormes jaulas de ferro. No quarto dia, se ninguém os reclamasse, eram sacrificados em câmaras de gás e depois transformados em sabão. A cada dia que passava, a taxa paga para retirá-los aumentava, acrescida de multa. Mesmo tendo que pagar mais, mamãe jamais se apressou. Acreditava que assim, demorando a aparecer, daria um susto no fujão: "Quem sabe agora ele cria vergonha no focinho e se emenda!...".

Mas a tática de dona Angelina nunca serviu de nada, não

surtia o efeito desejado; Flox era reincidente pela própria natureza, um caso perdido.

Figura que se tornara conhecida lá na Ponte Pequena, mamãe era tratada com deferência; todos a cumprimentavam e chegaram até a lhe oferecer cafezinhos e mudas de plantas. Ela nunca aceitou nada: "Não quero tomar café dos carrascos e nem ter em meu jardim plantas de campos de torturas".

A viagem de ida para a "operação resgate do cachorro" era tranquila; apanhava-se dois bondes e tudo bem. A volta é que eram elas! Os motoristas de táxi não aceitavam animais em seus carros, muito menos aquele cachorrão felpudo, soltando pelos por todos os lados! Quanto aos bondes, o problema se repetia: não permitiam animais nos veículos. Se houvesse um "caradura" naquela linha, que beleza! Mas não havia. Mamãe poderia muito bem pedir ao marido que a levasse. Ele não se negaria, com certeza. Mas ela preferia a cansativa caminhada a fazer-lhe tal pedido. Imaginava as blasfêmias e os sermões que seriam lançados contra ela e contra seu cão, mil vezes mais cansativos e mais incômodos do que voltar a pé.

Mesmo sabendo o quanto era penosa e estafante aquela excursão, eu sempre pleiteava ir com mamãe. Adorava Flox, queria que ele me visse logo ao chegarmos. Mesmo antes de nos aproximarmos das jaulas ele nos pressentia; seu faro aguçado funcionava, começava a latir. Seu latido era diferente de todos e eu o distinguia entre mil. Flox dava saltos gigantescos ao nos avistar, parecia-me até que ele ria para mim.

Deixávamos a Ponte Pequena, caminhando lentamente, mamãe puxando o cão por uma corda presa à coleira; passava-lhe descomposturas durante o percurso todo: "Cachorro rueiro, cachorro estradeiro… esta é a última vez que eu venho te salvar, seu besta, seu burro, seu idiota... cachorro atrevido... vá de novo pra rua, vá!... bruta bestial...", e ia repetindo sempre o mesmo sermão com pequenas variações: às vezes falava em italiano, às vezes em português e às vezes numa mistura das duas línguas.

Descansávamos aqui e ali, nos detínhamos mais longamente junto ao Gasômetro: diziam que o cheiro do gás que dele se desprendia fazia bem aos pulmões, curava até tosse comprida. Ali encontrávamos sempre mães que, acreditando na lenda, vinham de toda a parte, arrastando os filhos pelas mãos, fazendo-os respirar fundo, na esperança de vê-los curados da coqueluche.

Chegávamos em casa exaustas, mas pelos seus cães mamãe enfrentava tudo, modificava até sua maneira de ser — normalmente cordial e cerimoniosa —, tornando-se às vezes dura e intransigente, como no caso ocorrido com dona Luiza, irmã de dona Josefina.

A SIMPATIA DE DONA LUIZA

Certa manhã, ao voltar do açougue, Maria Negra entrou em casa às gargalhadas:

— Dona Angelina do céu! Vá se preparando e esconda seus cachorros. Dona Luiza, de dona Josefina, vem por aí com novidade. Está com três fatias de toucinho debaixo do sovaco... — falava e ria ao mesmo tempo.

Mamãe não estava entendendo nada do que lhe dizia a empregada. Que significava aquela conversa tão estapafúrdia?

— Que maluquice é essa? Desembucha de uma vez, Maria! Dona Luiza está com quê?...

Não terminou a frase pois pela porta da sala entrava a própria, o braço esquerdo colado ao corpo. Com seu carregado acento português, dona Luiza foi direta ao assunto:

— Bom dia, dona Angelina. Vim cá lhe procurar pois preciso de sua ajuda; estou a fazer uma simpatia portuguesa, lá de minha aldeia, para curar o meu sobrinho Sílvio. O menino não anda bem, está com mau-olhado e parece que está aguado também. O pobrezinho deve ter tido vontade de comer alguma coisa, não lhe deram e a criança aguou. Anda pálido e sem apetite. Josefina, coitada, a dar-lhe fortificantes, sem resultados. Então resolvi fazer a minha simpatia, sem dizer nada, nem a ela e nem à Idinha e à Ema. Deus me livre! Elas não acreditam nessas coisas, iriam tentar impedir-me. A senhora é uma pessoa amiga, vai me compreender.

Mamãe não desgrudava os olhos do braço de dona Luiza, preso ao corpo a sustentar as fatias de toucinho; larga mancha de gordura espalhava-se, bem visível, na blusa azul.

Da cozinha, chegavam gargalhadas escandalosas de Maria Negra, entremeadas de cochichos com Wanda. Mamãe, encabulada, temia que dona Luiza percebesse que as duas malucas estavam rindo dela. Falta de respeito! Mas sua curiosidade superava tudo:

— Mas diga, por favor, dona Luiza! No que posso lhe servir?

— Pois olhe, dona Angelina, para que meu Sílvio fique bom preciso oferecer, a três cães, fatias de toucinho que trago aqui, debaixo do braço. Comprei-o agora mesmo no açougue de seu Pepino: o toucinho está fresquinho! Dou-o ao cão e digo-lhe: "Toma lá, toma lá, cão, tu ficarás aguado, meu filho não!". Quando o terceiro cão terminar de comer a última fatia, o menino estará curado. Essa simpatia é muito boa. Não falha nunca. Sim, senhor!

Em sua ingenuidade mamãe não atinava com o objetivo de dona Luiza, ali plantada, àquela hora da manhã, a lhe dar explicações. Nem desconfiava que seus cães haviam sido escolhidos para comer as fatias "fresquinhas": Flox e Zero-Um seriam os primeiros agraciados. Zero-Um, novo afilhado de dona Angelina, era um vira-lata de pelo raso, branco, o toco de rabo de pé. "O rabo desse cachorro parece o número um", dissera a inventiva madrinha, ao justificar o nome com o qual batizou o cão.

Dona Luiza preferia fazer o trabalho discretamente, distante de olhares curiosos na rua. Os amigos eram para essas ocasiões. Foi preciso que ela começasse a chamar os cachorros pelos nomes, a estalar os dedos, para que mamãe, de repente, descobrisse a intenção da vizinha. Não conseguindo esconder sua surpresa e sua revolta, deixou timidez e cerimônia de lado e explodiu:

— Mas, dona Luiza, a senhora quer fazer uma coisa dessas com meus cachorros? A senhora então não sabe que o toucinho é um veneno para a saúde dos animais? Aos meus nunca dei nem nunca vou dar. Ataca os intestinos, é quente, provoca diarreias, faz cair o pelo. Não, dona Luiza, não me peça isso, tenha a santa paciência! Nem insista, por favor!

Ao sentir a reação da vizinha, seu tom irritado que até então desconhecia, dona Luiza, bastante sem jeito, "meteu a viola no saco", encerrou o assunto. Apenas pediu reserva, que não contassem nada em sua casa. Partiu em seguida, certamente para cumprir mais adiante o que considerava um dever de tia extremosa.

BITO

Nas vésperas da Páscoa, papai recebeu de presente um cabritinho.

— Depois do almoço você vai chamar o açougueiro para matá-lo. Ponha o cabrito em vinha-d'alhos para tomar gosto, e vamos ter um belo assado, regado a vinho, no almoço do domingo de Páscoa — explicou seu Ernesto ao entregar o cabrito à Maria Negra, responsável pela cozinha.

Mamãe pulou:

— É preciso ter muita coragem e nenhum coração para matar um bichinho miúdo como esse! Vejam! Não tem "nada em tudo", é só pele e osso! — "Nada em tudo" era uma das expressões originais de minha mãe, e com ela afastou qualquer hipótese de sacrificar o animal.

Distanciando-se enquanto ela falava, papai desistiu de comer cabrito assado, na Páscoa ou em qualquer outra ocasião; não adiantava discutir com Angelina. Conhecia de sobra sua mulher.

O cabritinho passou desde então a viver dentro de casa, ganhou o nome de Bito, cresceu forte e sabido como ele só.

Todos os dias, Tito ia levá-lo ao pasto. Na avenida Rebouças, sem calçamento nem guia, apenas um lamaçal — de avenida só tinha o nome —, sobravam terrenos baldios, com fartura de capim para o apetite de Bito. Tito o amarrava com uma cordinha em qualquer arbusto, num campo atrás do Hospital de Isolamento, enquanto jogava futebol com outros meninos. Ali o animal se empanturrava, devorando toda a sorte de ervas.

Um dia vovô Eugênio insinuou a mamãe que Bito estava se tornando um bode, que já era chegada a hora de...

Não completou a frase.

— Deus me livre — revidou a filha indignada —, seria o mesmo que matar uma criança minha! Deixem o bichinho aí, ele não faz mal a ninguém. — Encarando o pai, perguntou-lhe: — Foi Ernesto quem lhe mandou dar o recado?

Nono Eugênio fitou-a, encabulado. Coitado do Ernesto, não lhe havia dito nada. Nem sabia por que dera o palpite. Não se metia na vida da filha. Não se metia na vida de ninguém. Vivia em nossa casa desde a morte da companheira de tantos anos. Ficara acabrunhado, sozinho em sua velhice. A filha insistira para que viesse morar com ela. Adorava os netos e esses também o amavam muito. Procurava ajudar o genro, tomando nota dos carros que entravam e saíam da garagem, recebendo recados. Não queria ser peso morto, trabalhara até a velhice. Discreto e calado, nem sabia como e por que arriscara aquele palpite infeliz. Quem mais conhecia a filha, seu coração imenso, sua paixão pelos animais, era ele. Por fim, respondeu à sua pergunta:

— Não, filha, Ernesto não me falou nada. Esqueça o que eu disse, não foi por mal.

E o Bito continuou a crescer sob a tutela de dona Angelina.

Num sábado à tarde, em meio a grande temporal, que se iniciara na véspera, surgiu em casa um rapazinho, empregado da Alfaiataria Adônis. Trazia um embrulho grande e fofo, pousado sobre os braços estendidos. Era um terno sob medida, que tio Guerrando, irmão mais velho de papai, havia mandado fazer. Titio chegara havia pouco de Botucatu com a família, instalara-se na Consolação, abaixo da alameda Itu. O calçamento da Consolação ia apenas até a alameda Jaú. Em dias de chuva, da alameda Jaú para baixo, a lama escorregadia impedia a descida de automóveis e ameaçava os pedestres de quedas espetaculares. Na impossibilidade de descer a rua da Consolação, o rapazinho pedia que guardássemos o terno até parar a chuva ou, então, que o entregássemos a tio Guerrando, caso ele aparecesse antes. Recomendou à mamãe que tirasse o papel, que envolvia as três peças, completamente encharcado. Mamãe o fez e com muito cuidado colocou a calça, o colete e o paletó no espaldar de uma cadeira, na sala de jantar. Tio Guerrando passaria por lá no dia seguinte, como costumava fazer todos os domingos, e apanharia sua roupa.

BITO PÕE AS MANGUINHAS DE FORA

A primeira a levantar-se, todas as manhãs, era Maria Negra, e enquanto todos dormiam ela saía em busca do jornal, do pão e do leite.

Naquela manhã de domingo, a chuva que continuava a cair e o frio úmido convidavam a espichar um pouco a preguiça. Deu um cochilo a mais, acordou sobressaltada, perdera a hora. Por sorte o pessoal ainda dormia. Apanhou o guarda-chuva do patrão e saiu às carreiras para as compras. Devia passar pelo açougue de seu Pepino Cápua, encomendara na véspera um bom peso de coxão-duro especial para o molho da macarronada domingueira. Voltou para casa correndo, atirou o jornal sobre a mesa da sala de jantar, deixou o guarda-chuva aberto, também na sala, a fim de secar, e foi tratar de acender o fogo — com o tempo úmido o carvão custava a pegar — para preparar o café, ferver o leite e em seguida tratar da carne. Para que o coxão-duro ficasse bem macio eram necessárias muitas horas de cozimento. O almoço sairia atrasado naquele dia.

Afobada do jeito que estava, Maria Negra nem reparou que o Bito — desde há algum tempo proibido de entrar em casa, deixara de merecer confiança — havia penetrado na sala de jantar. Na véspera, devido à chuva, não saíra a pastar, estava inquieto.

De repente os olhos de Bito pousaram no terno de tio Guerrando: "Que alimento mais estranho seria aquele, sobre o espaldar da cadeira?" — deve ter pensado, pois em seguida, e rapidamente, devorou a barra do paletó. Depois notou o guarda-chuva, ainda molhado, boa coisa para refrescar um pouco a goela: foi a ele.

Papai apareceu na sala, disposto a ler o jornal. Aos domingos podia ler calmamente sentado no *seggiolone* — cadeira de balanço austríaca, herdada de seu pai. Procurou pelo jornal.

— Está em cima da mesa, seu Ernesto! — gritou Maria Negra da cozinha.

Estava, isso sim, no bucho de Bito, que ainda lambia os beiços. Do volumoso exemplar do *Estado*, sobravam farelos, pelo chão.

Papai gritou, esbravejou: não aguentava mais sujeitar-se a conviver com animais... Mamãe veio correndo lá de dentro, o que se passava? Permaneceu calada, vendo os estragos, ouvindo as reclamações do marido, sem moral para reagir.

Ao chegar, mais tarde, tio Guerrando não achou graça nem escondeu o desgosto de ver a roupa nova inutilizada. Despejou sua cólera sem constrangimento e sem cerimônia:

— Em minha casa jamais poderia acontecer uma coisa dessas! Em minha casa existe ordem! Em minha casa não entram bichos! — declarou fixando os olhos na cunhada, responsável pelo seu aborrecimento.

As relações entre os dois não eram das melhores. Mamãe o acusava de lhe fazer picuinhas e de envenenar o irmão contra ela ao citar sempre a esposa como exemplo de boa dona de casa.

Pessoa tranquila, ordeira, tia Adéle, mulher de tio Guerrando, realmente tomava conta da casa e da cozinha, além de pelejar com oito filhos, sem ajuda de empregada. Esposa calada, submissa, bem diferente da cunhada. Cada uma no seu gênero, ambas excelentes.

Somente depois da investida do cunhado, dona Angelina se animou, abriu o bico:

— Quem não gosta de animais, que não tenha, ora essa! Eu gosto, tenho e ninguém tem nada com isso! Cada qual cuide de sua vida! — Dirigiu-se a tio Guerrando: — O senhor terá outro paletó, não precisa se preocupar.

Virou as costas e continuou monologando em voz alta para ser ouvida pelos dois irmãos, aproveitando a chance de desabafar aborrecimentos passados.

Dessa vez Angelina exagerava! Havia pouco o marido se contrariara ao ver seu jornal destruído; revoltara-se mas em seguida se calara para evitar discussões. Dava-se conta, reconhecia que Guerrando não perdia vaza para "alfinetar" a cunhada, mas não gostava que ela reclamasse. Devia procurar entender o cunhado; a natureza dele era assim... Agora, visivelmente desapontado e, ao mesmo tempo, furioso diante do ataque frontal da mulher contra seu irmão mais velho, a quem tanto respeitava, papai resolveu terminar de vez com aquela falação desagradável, tão sem cabimento. Entrou de sola:

— *Falla finita! Dio cane, non si può più vivere in questa casa!* Eu aqui não mando mais nada... Porca miséria! Tudo tem seu limite! Bichos por toda a parte, dentro e fora... ainda vou encontrar, um dia, bodes e porcos dormindo na minha cama... e ela ainda a se julgar uma vítima...

Dando uma rabanada, saiu fulo da vida. O irmão o acompanhou, um brilho de vitória no olhar. Papai não apareceu para o almoço. Só voltou quando todos já haviam terminado de comer, trazendo um novo exemplar do *O Estado de S. Paulo*. Sentou-se em seu *seggiolone* sem dizer palavra a ninguém; leu jornal durante o resto da tarde. Começava a escurecer quando dobrou, colocando-o sobre uma cadeira, a seu lado. Ali ficou o jornal até o fim da noite. Ninguém ousou tocar nele. Papai continuava irritado, não valia a pena mexer no jornal, arriscar-se a levar um carão.

Tarde da noite, quando todos dormiam, mamãe levantou-se da cama, voltou à sala de jantar. Apanhou o jornal largado pelo marido, folheou-o procurando algo que muito a interessava. Com uma tesoura recortou o noticiário sobre Sacco e Vanzetti: o artigo de Pietro Nenni e ainda outro, de um jornalista também italiano, Umberto Terracini. Também ele batalhava pela revisão do processo que condenara os dois inocentes. Mamãe leria tudo numa hora de calma, lentamente, refletindo, como gostava de fazer. Depois os guardaria junto a outros recortes que havia muito vinha juntando debaixo do colchão.

OS DRAMAS DE AMOR DE BITO

Havia algum tempo Bito vinha dando certas demonstrações... Tentara um dia — na falta de cabra para saciar seus desejos — cruzar Flox, não obtendo sucesso. Levou um carreirão daqueles, com latidos e dentadas. Mamãe surgiu, pressurosa, em defesa de Bito contra aquele "cachorro velho e ranzinza, que podia muito bem brincar um pouco com o pobrezinho!...". Não se dava conta da realidade, parecia não enxergar os enormes chifres e o cavanhaque do bode.

Galã à cata de aventuras, Bito tentava a sorte com tudo o que lhe passasse pela frente: galinhas, gaios, gatos, potes de plantas, tamancos e até perseguia os inocentes pombinhos. Acabou bandeando-se para os lados de Rubiconda, uma roliça leitoa, ganha de presente para ser assada no Natal, salva como de hábito por dona Angelina, grudada agora nas barras de sua saia, não lhe largando os calcanhares.

Mamãe custou a entender que Bito se tornara adulto, carente de amor, que deixara de ser aquele cabritinho travesso, ingênuo em suas reinações... até o dia em que ele investiu com ardor e vontade contra as cabras de dona Caropita, no quintal de nossa casa.

Naquela manhã, dona Caropita — mulher de pouca educação e briguenta — mungia, distraída, as tetas de suas cabras, seu ganha-pão. De repente, copo e leite voaram longe.

Bito atacava, macho sequioso! Enfim! Enxergava, à sua disposição, não apenas uma mas duas belas fêmeas, branquinhas, sedutoras. Ninguém o afastaria dali antes de levar a cabo o seu intento. Investia ora sobre uma, ora sobre a outra... As cabras assustadas saltavam, os grandes guizos de latão, atados ao pescoço, a tocar colaborando para o pandemônio.

Estatelada, entre a surpresa e o orgulho, mamãe presenciava a cena sem tomar providências. Despertou com os berros de dona Caropita que, não gostando nem um pouco da brincadeira, possessa, ordenava que levassem aquele bode "*puzzolento*", antes que ele acabasse secando o leite de suas pobres e indefesas cabras. Que se o leite delas secasse, mamãe teria de lhe pagar o prejuízo e que mais isso e que mais aquilo...

Voltando a si, dona Angelina ordenou a um empregadinho da garagem que amarrasse o bode numa árvore do jardim, engoliu em seco os impropérios atirados pela mulher revoltada. Não adiantava discutir com pessoa tão ignorante, mamãe tinha experiência.

SANTA ACHIROPITA E DONA CAROPITA

Vizinha de dona Josefina Strambi, na alameda Jaú, dona Caropita, mulher de um carroceiro, andava pelas ruas, logo cedo, arrastando duas cabras por uma corda, os sinos de latão tocando com o movimento dos passos, anunciando sua chegada, vendendo leite a fregueses certos, entre os quais mamãe. Ela cobrava caro, mas todos diziam que leite de cabra prevenia contra a tuberculose, muito bom para as crianças. "Antes gastar em leite do que em remédios", filosofava dona Angelina, aturando todos os desaforos daquela mulher ignorante, pois não havia no bairro outra vendedora da milagrosa medicina.

Certa vez, ao ver um filho da cabreira, ajudante da mãe na venda do leite, com o rosto coberto de eczemas, dona Angelina apiedou-se do pobrezinho e, conhecedora de uma pomada ótima para o caso, receita de famoso dermatologista alemão, prontificou-se a mandar aviá-la no Ao Veado de Ouro, famosa botica do centro da cidade, merecedora de toda a sua confiança. Explicou à dona Caropita que, se ela dispusesse de um recipiente vazio, economizaria o dinheiro do pote, ficaria mais barato. Remo, a caminho da escola, o levaria aquele mesmo dia ao boticário. A fornecedora de leite mandou um pote enorme, o maior que encontrou, pensando, na certa, que o encheriam até a borda.

No dia seguinte, logo cedo, apareceu o filho de dona Caropita, com o pote na mão e o seguinte recado da mãe:

— A mama mandou dizer que já que a senhora tirou a metade da pomada pode ficar com o resto...

Dona Angelina revoltou-se: "Mulher mais ignorante, mais mal-agradecida!". Tentou explicar à criança, depois à mãe pessoalmente, que eles não pensassem que ela queria roubar a pomada, que ela tinha a dela, que a medida certa da receita era aquela, que as receitas deviam seguir religiosamente o peso dos ingredientes... gastou seu latim à toa. Certamente não entenderam nem uma palavra do que ela disse.

Mas mamãe era caso perdido, não se emendava. Precisava apanhar muito para aprender. Algum tempo depois recebeu recado de dona Josefina: convidava-a para irem juntas, aquela tarde, visitar dona Caropita, que estava de cama havia vários dias. "Por isso que ela não tem aparecido, coitada!" Pronto! Já estava a boba da mamãe com pena da peste!

Boas e prestimosas vizinhas, lá se foram as duas para a visita de cortesia. Olguinha e eu, atrás. Nossas mães levavam à enferma uma libra de chocolate cada uma.

O marido atendeu à porta, gritou para dentro:

— Carô, está aí dona Giusepina e dona Angiolina!

Uma voz seca e apagada de moribunda, vinda do leito, respondeu:

— Estô na *casa mia*...

— Carô! *Ti hanno portato la cioccolata*... — esclareceu o marido entusiasmado, depois da esticada de olho nas mãos das visitas.

A voz da enferma fez-se ouvir novamente, porém agora límpida e melosa:

— *Entrate, entrate*, dona Angiolina, *entrate* dona Giusepina...

Deste episódio restaram apenas risadas e comentários. Dona Caropita era um número!

Certo dia, porém, uma de suas cabras desapareceu do pasto. Dona Caropita, depois da experiência da pomada, não pensou duas vezes, veio direta à casa de dona Angiolina, a "sabida". Certamente lá encontraria a fugitiva (ou a roubada).

Arrastava-se em passos lentos pela rua numa lamúria dolorosa, entrecortada de estridentes gritos — que todos soubessem do seu desespero. Transeuntes paravam, janelas se abriam, o que teria acontecido àquela mulher?

— *Aggio perso a grappa mia! Aggio perso a grappa mia!* (Perdi minha cabra!)

Linguajar mais atrapalhado aquele! Era preciso muita prática para entendê-la. Dona Caropita esquecera sua língua natal, não aprendera o português.

Parou ao portão de nossa casa chamando por mamãe aos gritos:

— Dona Angiolina! *Dove sta la mia grappa?*

Largando o tanque de roupa, mamãe veio ao encontro da queixosa, as mãos ainda ensaboadas. Não tinha visto cabra nenhuma. Nem sabia que ela havia sumido...

Não se conformando, ou antes, não acreditando na informação que lhe davam, a mulher resolveu vistoriar a garagem por conta própria, não ligando à pobre dona Angiolina que a seguia aflita repetindo-lhe mil vezes que nenhuma cabra havia entrado em sua casa. A cabreira ensurdecera por completo, não dava atenção a ninguém. Baixando-se diante de cada carro, espiando e ao mesmo tempo chamando a fugitiva:

— *Grappa! Grappa mia! Dove stai?*

Do fundo da garagem apareceu papai. Que se passava? Aquela mulher ali, se lamuriando, Angelina falando e gesticulando, exaltada, as crianças a rir...

Ao ver papai aproximar-se pensei que chegara a hora da obstinada entregar os pontos, pois a máscara de lobo-mau, usada por ele em circunstâncias tais, assusta de verdade! Mas qual nada! A velha era dureza, resistia a tudo. Fez rápida pausa e retomou a cantilena, à guisa de explicação ao dono da casa:

— *Aggio perso a grappa mia! Aggio perso a grappa mia!...*

Não se abalou também com a reclamação de seu Ernesto:

que estava perturbando o trabalho das pessoas, que nos deixasse em paz... Ela continuava em sua busca, sem dar confiança a ninguém. Na garagem a cabra não estava, convencera-se. Voltou-se para mamãe:

— Agora vámo espiá no galinheiro!

— Mas dona Caropita, faça-me o favor! O galinheiro é fechado. A senhora então acha que alguém trancou sua cabra lá?

A resposta veio seca:

— É. Às vezes, quem sabe?

Encaminhou-se, resoluta, para o galinheiro, a procissão toda atrás: os da casa, os empregados da garagem que haviam abandonado o trabalho para assistir ao movimento, e até papai. Antes de alcançar a porta do galinheiro, no fundo da garagem, apareceu seu filho, o da eczema, avisando que a cabra havia sido encontrada. Não houve pedido de desculpas, nem mesmo um até-logo: dona Caropita deu as costas, foi-se embora às pressas.

Mamãe teve um único desabafo:

— Essa devia morar na rua Caetano Pinto ou no Bexiga!...

RUA CAETANO PINTO E BEXIGA

Até dona Angelina, sempre tão liberal, tinha preconceitos contra a Caetano Pinto e o Bexiga!

Devido a seus cortiços famosos, a rua Caetano Pinto, no Brás, afastava de suas calçadas moradores de outras ruas. Mal-afamada pelas brigas e bafafás diários, tornara-se tabu, habitada sobretudo por italianos do sul da Itália — calabreses principalmente — vindos à procura de fortuna no Brasil. Sobre ela contavam-se coisas do arco-da-velha, histórias mirabolantes! Talvez exagerassem, não sei, pois nunca tive a aventura de pisar naquelas calçadas proibidas. Passei a admirar seus moradores desde que soube terem eles destruído uma carrocinha de cachorro, pondo os laçadores a correr debaixo de tabefes e pontapés. Nunca mais voltaram. Polícia não circulava na Caetano Pinto, os habitantes faziam suas próprias leis. Não havia soldado que por ali se aventurasse.

População extremamente religiosa, profundamente patriota, de sangue quente. Comprava barulho por um dá cá aquela palha mas, ao mesmo tempo, era terna e alegre.

As mulheres tinham fama de valentes, discutiam de janela a janela, batiam nos filhos, à moda italiana: violentos tapas na cara.

Havia curiosa emulação entre as vizinhas da Caetano Pinto: quem conseguiria fazer luzir mais suas panelas? Consumiam mãos e unhas na poderosa mistura de cinza e areia com que esfregavam as peças, mas sentiam-se recompensadas. Em torno dos caixilhos das janelas, permaneciam penduradas, em exposição, brilhando, ofuscando a vista dos passantes, panelas e frigideiras, caldeirões e caçarolas, de todos os tamanhos e formatos, motivo de elogios e glória para suas proprietárias, enchendo-as de orgulho e vaidade.

Dos fogareiros a carvão, colocados nas calçadas, as panelas fumegantes desprendiam aroma de molhos e de guisados, que entrava pelas narinas dos passantes, despertando apetite.

Aos domingos, não havia tráfego de automóveis pela rua. Os homens não trabalhavam, a maioria ocupava a pista de paralelepípedos, jogando bocha e malha. Outros preferiam a *morra*. A *morra* era um jogo que eu conhecia de perto, pois nossos vizinhos calabreses e napolitanos também gostavam dele. Reuniam-se na venda de seu Donato, na Consolação, importador de iguarias italianas, que lhes fornecia, além do local para o divertimento, um vinho calabrês, forte de cor e de gosto, queijos e linguiça picante, cebola crua e pão caseiro, que os contendores devoravam enquanto a curiosa disputa perdurava. Dois adversários de cada vez apostavam, as mãos fechadas abrindo-se de repente, apontavam alguns dedos — ou nenhum — ao mesmo tempo que gritavam a soma. O que acertasse o número de dedos estirados era o vencedor: "*Due!, otto!, cinque!, quattro!...*". A maior graça do jogo consistia no fato dos números serem gritados a plenos pulmões, ouvidos a léguas de distância.

Devotos de Nossa Senhora da Achiropita e de Nossa Senhora da Ripalta, padroeiras do sul e norte da Calábria, frequentavam a igreja da Achiropita, que os próprios imigrantes, os *capomastri* — mestres pedreiros, arquitetos improvisados —, construíram no Bexiga, bairro habitado também por italianos do sul.

O Bexiga, amplo e populoso, era igualmente pitoresco. Seus habitantes, como os da Caetano Pinto, conservavam seus costumes e faziam suas leis. Moradores de outros bairros dificilmente frequentavam o Bexiga, considerado um reduto de gente atrasada, perigosa, de sangue esquentado. Provavelmente havia um certo exagero no julgamento.

Extremamente religiosos, respeitavam as datas de seus santos preferidos, festejando-os com procissões e foguetes, enfeitando as ruas com flores e bandeirolas coloridas, de papel de seda. São Genaro era o santo da devoção maior dos napolitanos, bastante numerosos no Bexiga. Reverenciavam também a imagem de são Vito mártir, na pequena igreja de Nossa Senhora de Casaluce — a *Madonna Nera* —, no Brás, igualmente construída pelos dedicados artesãos. Napolitanos e calabreses nossos vizinhos na alameda Santos frequentavam essas igrejas, acompanhavam as procissões que eram o ponto alto dos folguedos das moças que delas participavam em companhia dos pais.

Nas grandes festas, como, por exemplo, Natal, Ano-Novo, Páscoa, e nas datas cívicas italianas, eles recorriam à banda dos Bersaglieri, composta de músicos fardados, ostentando vistoso chapéu de abas largas, um penacho verde reluzente de plumas (parecendo rabo de galo) tombando sobre pescoço e ombro. Esses Bersaglieri eram contratados para tocar em frente às casas — quase sempre de italianos do sul —, o concerto executado do lado de fora, na calçada. O repertório dos aparatosos soldados, composto sobretudo de antigas marchas militares, com a implantação do fascismo se ampliou, incluindo hinos modernos, cantos de glórias ao Duce.

Certa ocasião, um calabrês do bairro veio consultar papai: talvez seu Gattai quisesse ter os Bersaglieri tocando em frente à sua casa na noite de Ano-Bom. Três famílias do quarteirão haviam concordado em contratá-los, mas os músicos exigiam a adesão de pelo menos cinco famílias, sem o que teriam prejuízo... Não custaria muito, apenas uns quantos mil-réis, além do vinho obrigatório para os músicos.

Meu entusiasmo, ao pensar que a banda dos Bersaglieri, tão barulhenta e chamativa, poderia tocar para a nossa família, não durou muito, apenas alguns instantes; desmoronou-se em seguida, com a resposta de papai:

— Me desculpe, seu Cármine, mas em frente à minha casa, nem de graça, muito menos pagando. Não estou disposto, de jeito nenhum, a patrocinar esses hinos de Mussolini, Giovinezzas e outras imundices que me fazem sentir o cheiro do óleo de rícino...

Essa agora de papai!... Que negócio era aquele, de óleo de rícino? Papai inventava cada uma...

Seu Cármine devia saber do que se tratava, entendeu. Desapontado, ao dar-se conta de que batera em porta errada, engoliu em seco e partiu.

BITO E O MISTER

O Mister era um freguês muito distinto, dono de um Peugeot. Aliás, a oficina de papai regurgitava de fregueses importantes: todos a recomendavam e assim a clientela aumentava em número e qualidade.

Lembro-me de alguns. Dr. Cincinato Richter, homem grande, gentil e sorridente, que às vezes trazia seu filhinho Roberto e a esposa, moça bonita e simpática. Dr. Luciano Gualberto, outro cliente ilustre, grande cirurgião. Conde Pereira Inácio, milionário da avenida Paulista. Geremia Lunardelli, o "Rei do Café", que, por coincidência, encontrou certa vez, trabalhando na oficina de papai, um camarada de sua região, da província de Treviso, na Itália. Haviam imigrado na mesma ocasião para o Brasil em busca de fortuna. "*Sciò! Geremia, come stêto?*" — saudou-o em dialeto vêneto o empregado de papai, entusiasmado ao reencontrar o antigo companheiro pobre, agora milionário. Pelo que contam, o velho Geremia não se entusiasmou nem um pouco com o encontro, fechou a cara, manteve-se reservado, decepcionando o conterrâneo. Lembro-me de Guilherme Giorgi, um dos primeiros clientes a aparecer na oficina, que se tornou amigo da casa. Muitos outros também passaram de fregueses a amigos: Antônio Ambroggi, Federico Puccinelli, José Pistorezi, Alfredo Albini, entre os nomes que recordo. Havia clientes de nacionalidades variadas: franceses, ingleses e alemães, cujos nomes não decorei mas dos quais guardo a fisionomia e os apelidos: o Paleta, alemão de dentes enormes que lhe saíam da boca; o Bigodinho, de bigodes enrolados e duros de goma; o Tampinha, muito baixo e gordo; o Carnera, mastodonte inglês, um gigante de homem, que foi chamado certa vez por Vera de seu Carneiro.

Edu Chaves, herói da aviação, aparecia de vez em quando lá na oficina. A primeira vez que veio, foi aquele alvoroço; Remo entrou em casa esfogueado, "Sabem quem está aí?". As mulheres largaram o crochê, se precipitaram à janela para espiar, eu saí na disparada, queria vê-lo de perto. Até modinha sobre ele eu sabia, aprendera com meus primos, no Brás.

Edu Chaves falava com seu Ernesto, os dois de pé no meio da oficina; eu me cheguei, encostei-me em papai, nenhum dos dois se deu conta de minha presença, eu doida para que o aviador me olhasse, me desse vaza para sapecar a música em sua homenagem. Quando percebi que ele se despedia, que não haveria chance para mim, voltei correndo para a sala de onde cantei bem alto, me esgoelando:

Salve Edu Chaves
Aviador
rival das águias
e do condor...

Teria ele me ouvido? Certamente, não.

Entre os fregueses de papai, havia um muito especial, o Mister. Por ser estrangeiro, fumar cachimbo e usar bigodes engomados nas pontas, o sr. Muller — era esse o seu sobrenome — foi apelidado de Mister por nós, as meninas. Pela marca de seu carro francês, talvez Monsieur lhe assentasse melhor, mas fora batizado de Mister e assim ficou: seu Mister.

Como já foi explicado antes, seu Mister era a própria distinção personificada. Eu o achava velho. Mas as crianças sempre acham os adultos velhos. Devia beirar os quarenta anos, quando muito. Vestia-se impecavelmente, um homem elegante. Seu ar solene e seu aspeto respeitável não o impediam, no entanto, de dirigir olhares, sempre que possível, à linda filha mais velha do mecânico. Maravilhosa! Wanda achava graça quando pilheriava a respeito do entusiasmo do Mister.

Papai considerava o Mister um ótimo freguês, cuidadoso como ele só, não esperando que o carro falhasse para procurá-lo, mandando fazer revisões antes do tempo.

Mas o Mister não era o único a suspirar por Wanda; havia outros, como certo rapaz que, ao vê-la na janela, entrou com o pretexto de mandar revisar o automóvel. Entregou o carro na oficina e, tranquilamente, demorou-se zanzando pelo jardim de dona Angelina, olhando ostensivamente para dentro da casa à procura da beldade ali escondida. Até seu Albini, solteirão, amigo de papai, andou se ensaiando... nesse, Wanda não achou graça: "Velho descarado!...".

Um dia o Mister veio apanhar o Peugeot que deixara na revisão. Antes de entrar na garagem parou bem em frente à janela de onde podia observar Wanda sentada na sala, fazendo crochê. Iniciou a manobra para acender o cachimbo. Lentamente tirou do bolso fumo e cachimbo, tarefa demorada. Mais lentamente ainda, começou a enchê-lo, um olho cá outro lá na janela. Puxou a caixa de fósforos e se preparava para acendê-lo quando, de repente... Entretido com a dupla operação, não se dera conta, nem ele nem Wanda, de que, por detrás, Bito marcava distância, preparava o bote.

Colhido de surpresa, acertado em cheio na traseira, lá se foi o elegante cavalheiro, sob o olhar atônito da bela jovem, de fuças ao chão. Chão de graxa e óleo de automóvel.

Marrada de mestre, em vez de louros e glórias lhe valeu a condenação. Bito chegara à maioridade, bode-feito. Aquela foi sua última façanha em nossa casa. Com ela derrotou de vez dona Angelina, sua protetora.

Coração apertado, dias depois, mamãe entregou seu bode a tio Gígio, que lhe prometeu cuidar bem dele e jamais matá-lo.

Ao ver o irmão afastar-se arrastando o animal por uma corda, com a voz embargada, ela se despediu de Bito:

— Vai, seu besta!

E os dois partiram. Iriam a pé até a Estação da Luz. Lá tio Gígio instalaria o bode a seu lado, num vagão de segunda classe, rumo a São Caetano.

UM BILHETE PARA MARIA NEGRA

Aquela era hora de passar a carrocinha de cachorro. Mamãe gritou:

— Zélia, espia lá fora, veja onde é que está o Flox. A carrocinha anda por aí rondando.

Obedecendo às ordens de mamãe, dirigia-me ao portão, quando vi surgir um moleque segurando, nas pontas dos dedos, um papel dobrado.

— Vem cá, menina. Chame a Maria aí.

— E o que é que você quer com ela, hein?

— Eu tenho este bilhete aqui pra entregar pra ela, mas é só na mão dela, viu?

O tom misterioso do menino picou-me. Entrei berrando:

— Maria, ó Maria! Tem um bilhete aqui pra você!

Maria espiou pelo janelão da sala de jantar, largou no chão a vassoura, veio ao portão. Arrebatou o papel da mão do garoto, perguntou o que já sabia:

— Quem foi que mandou?

— Foi o Luiz da farmácia de seu Adamastor.

Maria Negra dirigiu o olhar para a farmácia da esquina, quase em frente à nossa casa. Na porta, Luiz, um mulatinho magro, sorriu. A moça entrou correndo, radiante de felicidade. No meio do caminho topou com a patroa.

— O que foi que aconteceu, menina? Que entra-e-sai é esse?

— Assunto meu! — foi a resposta.

— Assunto teu? — gritou a patroa, enquanto a jovem se distanciava.

— É! — gritou Maria Negra, ainda mais alto, para ser ouvida, acrescentando: — Particular!

Mamãe havia jurado que não discutiria mais com a empregada. Engolia em seco todas as provocações. Sem Maria Negra o barco não marcharia, ou marcharia mal, e ambas tinham consciência disso.

Correndo feito barata tonta, Maria chamava:

— Wanda! Ó Wanda! Onde é que você está?

— Estou aqui, mulher! O que é que há? O que foi que aconteceu?

— Venha comigo, Wanda, lá no galinheiro, onde ninguém veja a gente.

No galinheiro, escondido no fundo da garagem, atrás da seção de pintura de automóveis, Maria Negra se abriu:

— Olhe aqui. Um bilhete do Luiz da farmácia. Leia pra mim, por favor, mas não vá contar a ninguém o que está escrito, tá?

Wanda pilheriou:

— Se você quiser posso até tapar os ouvidos e ler em voz alta, sem escutar...

— Ora, não brinque, por favor! Leia depressa. Não aguento esperar mais!

Dos garranchos quase ilegíveis, Wanda decifrou que o galã desejava encontrar-se à noite — precisamente às oito horas, na esquina da Bela Cintra — com a criatura de seus sonhos.

— Ai, meu Deus! Nem acredito? Ele quer me namorar! — suspirou Maria Negra, enlevada, romântica.

Dobrou o bilhete, guardou-o no corpinho, junto ao coração, declarando em tom solene:

— Hoje eu sou a mulher mais feliz do mundo, vou me encontrar com o meu amor!

O ROMANCE DE WANDA

Wanda andava apaixonada. O namorado chamava-se José do Rosário Soares, filho de portugueses. Haviam se conhecido numa das festas do Divino Espírito Santo, da igreja do Calvário, na Vila Cerqueira César — hoje Pinheiros.

O jovem rondava a casa todas as noites, na esperança de ver a bela, dar-lhe um adeus de longe ou, quem sabe, ter a ventura de uma rápida conversa.

Seu Ernesto não permitia que a filha namorasse, não estava na hora, muito cedo ainda. Dona Angelina, mais condescendente, partia do princípio de que na idade da filha ela já estava casada. Consentia no namoro, às ocultas do marido — "Deus nos livre e guarde que ele descubra!" —, com a condição de que jamais saíssem sozinhos. Deviam ter sempre alguém a pajeá-los, um pau-de-cabeleira. E quem podia ser esse alguém, essa vítima senão eu? Tito se opunha ao namoro — uma peste —, não podiam contar com ele. Já rapaz, Remo não se sujeitaria a esse papel ridículo. Com Vera, nem pensar. Antes mesmo que a consultassem, adiantara-se:

— Não vou segurar a vela de ninguém, tenho mais o que fazer...

Wanda conseguia convencer-me a acompanhá-la, usando métodos diversos: do carinho e da adulação às ameaças. A mão espalmada para frente, em sinal de "espere e verá!", dizia tudo, mais ainda do que a frase que acompanhava o gesto: "Deixa estar, jacaré, a lagoa há de secar e hei de ver o jacaré dançar...". Gesto e frase tinham um efeito fulminante sobre mim. Sabia bem o que aconteceria caso eu não cedesse: seria privada das coisas de que mais gostava, como, por exemplo, das histórias sensacionais contadas por minha irmã. A história do Narizinho Arrebitado, de Lobato, me empolgava. Para me conquistar, Wanda chegava a me chamar de Narizinho, afirmando ser meu nariz igual ao da personagem: "Narizinho, mamãe tá chamando...". Eu estourava de contentamento.

Detestava sair à noite, atrás dos dois namorados, pelas ruas desertas e escuras, iluminadas apenas por lampiões de gás. Nas noites frias em pleno inverno, me encostava em papai depois do jantar, tentando me garantir, impedir a convocação. Wanda me rondava à caça de um encontro de olhares. Eu desviava o olhar o mais que podia mas não aguentava muito tempo. De repente... pronto! Olhava, e via o gesto feito discretamente, à distância, e... lá me ia eu.

O lugar predileto dos dois namorados era a rua Haddock Lobo, logo abaixo da alameda Santos. Ficavam à sombra de enorme paineira, na rua sem calçamento, pouco transitada. Eu me distanciava um pouco e ia espiar, embaixo do lampião, as figurinhas do *O Tico-Tico* que Zé Soares me oferecia uma vez por semana. Muitas vezes sentia sono, sentava-me sobre a grossa raiz da paineira, e dormia, cabeça debruçada sobre os braços pousados nos joelhos. Não podia encostar-me na árvore espinhenta. Só despertava com o pregão anunciador de Quatrocentão, que vendia pamonhas, pipocas, paçocas e amendoins torrados.

Preto forte e alto, boca enorme, beiços caídos e dentes brilhantes, Quatrocentão passava em frente à nossa casa, todas as noites, exatamente às nove horas. Por ordem de mamãe, Wanda devia entrar assim que Quatrocentão passasse.

Tempo curto para o namoro, no melhor da festa lá vinha o negrão, voz tonitruante, bocarra escancarada, pregando as delícias que trazia numa cesta coberta com alva toalha: "Ôi a pipôca, paçôca, miduís tôrrá... tôrrá...". Seus *ós* eram fechados e neles fazia pausa. O *ô* prolongava-se antes de continuar a trajetória da palavra: "Ôôôi a pamôôônha de mio veerr...".

— Vamos embora que já está na hora...

Além do *O Tico-Tico*, José me oferecia balas, sempre as mesmas deliciosas balas de travesseirinho, cor-de-rosa ou brancas. Esses travesseirinhos faziam a minha felicidade, quase compensavam o sacrifício. O interior macio, por fora a crostinha fina, crocante. O rapaz precisava conquistar as graças da menina rebelde, garantir sua preciosa companhia. Chegava, às vezes, a escorregar em minha mão uma moedinha, na hora de despedir-se.

WANDA APROVEITA A OCASIÃO PARA ENSINAR MARIA NEGRA A LER

Wanda compreendia bem a felicidade de Maria Negra em sua estreia no amor. Disposta a alcovitar o namoro, aproveitou-se do entusiasmo da moça para convencê-la a estudar, vencer sua teimosia, sua relutância em aprender. Encetara havia muito essa campanha:

— Olhe, Maria, de amanhã em diante vamos começar as nossas aulas. E não me venha com a conversa de que é burra, de que não aprende. Você é muito inteligente, isso sim. Você entende até italiano! Diga que não entende o que os velhos falam! Até vêneto você é capaz de falar!...

Pela primeira vez os argumentos de Wanda e a possibilidade de ler futuras mensagens de amor convenceram a moça. Havia de aprender a ler e a escrever suas próprias cartas, custasse o que custasse! Ficou combinado que, a partir do dia seguinte, Maria da Conceição seria aluna de dona Wanda.

O serviço da casa naquele dia rendeu muito. Foi todo feito num clima de euforia, temperado com canções de amor.

PREPARATIVOS PARA O ENCONTRO

— Não é hoje o dia do velho aparecer? — lembrou de repente Maria Negra. — Juro que se ele vier filar a boia hoje e atrasar a minha vida, ele me paga!

Referia-se a seu Luciano, irmão mais velho de tio Gino, solteiro empedernido, velho amigo da família. Seu Luciano organizara sua vida jantando uma noite em casa de cada amigo ou parente. Todas as vezes que aparecia em nossa casa atrasava o jantar, obrigando Maria Negra a sair mais tarde da cozinha. O velho falava e esbravejava sem parar, sendo sempre o último a terminar de comer. Em sua presença ficávamos calados, seu Luciano não dava chance a ninguém.

Baixinho, estatura abaixo do normal, aspecto bizarro: pele clara, cabelos brancos cortados à escovinha, grandes olhos azuis, saltados, bigodes espetados a lhe entrar pelas ventas e pela boca. Não fazia cerimônia com os anfitriões, repreendendo as crianças aos berros, quando elas, sem poderem se conter, riam das suas expressões cômicas, das coisas divertidas que dizia — e só as dizia em italiano, no seu dialeto genovês:

— *Ma, porco di un Bacco Barilaccio! Questo ragazzo é veramente un imbecille! Un cretino!* — investia quase sempre contra Tito, que, sentado à sua frente na mesa, não conseguia parar de rir, riso ostensivo, incontrolável, principalmente quando insultado. Quanto mais insultos, mais gargalhadas.

Nunca soubemos o que seu Luciano pretendia com a frase, que dizia e repetia: "*Porco di un Bacco Barilaccio!*". Violento desabafo, certamente, tinha ar de blasfêmia, mas não era.

BLASFÊMIAS E PALAVRÕES

Blasfêmias nós conhecíamos muitas, de toda a sorte: havia as delicadas como: "*Dio Madonna!*", "*Dio Croce!*", "*Dio Buono!*", "*Dio Cristo!*"; outras sem expressão, porém metidas a espirituosas: "*Dio Cane!*", "*Dio Merda!*", "*Dio Boia!*", "*Puttana della Madonna!*"...

Nono Eugênio, velho católico, não queria ofender a Deus. Usava blasfêmias camufladas: "*Sacranon de la medaglia*", "*Órpo di Bio*". Palavras soltas, aparentemente sem sentido, não passava a última injúria de uma corruptela de "*Porco di Dio!*". Ou, quem sabe, "*Corpo di Dio*". A primeira nunca foi decifrada.

Ao contrário dos italianos do norte, que blasfemavam a respeito de tudo e por tudo, os do sul não blasfemavam. Não ofendiam a Deus em hipótese alguma. Desabafavam, ofendendo a mãe dos outros, com a maior tranquilidade, insultando o próximo com termos grosseiros, chulos: "*Vaffanculo!*", "*A fessa a mamata?*", "*Stronzo!*" e muitos outros mais.

Nos habituamos a ouvir esses palavrões, pois os vizinhos napolitanos e calabreses não faziam cerimônia, e os berravam a toda hora. Mamãe nos proibia de repeti-los. Se o fizéssemos, um bom tapa na boca nos faria engolir palavrão ou blasfêmia.

Nem mesmo a palavra "merda" era permitida lá em casa. Não íamos além de "vá lamber sabão!"...

ORAÇÃO À SANTA CLARA

Logo depois do almoço o sol desapareceu e nuvens escuras cobriam o céu.

— Minha Nossa Senhora! Será possível que vai chover, justo hoje? — desesperava-se Maria Negra.

Aflita, resolveu apelar para uma oração infalível. Chamou-me:

— Zélia, vem cá. Vamos cantar pra santa Clara uma reza pra ela não deixar chover hoje de noite. Você canta comigo, porque santa Clara gosta muito de crianças. Criança é anjo e ela adora os anjos. Atende os pedidos deles sempre.

Apanhou um sabonete usado, dividiu-o em dois, deu-me uma parte:

— Agora nós vamos lá fora, cantamos e depois jogamos o sabão em cima do telhado.

— Mas eu não sei cantar pra santa Clara, Maria, e não vou conseguir jogar o sabonete em cima do telhado. É muito alto pra mim.

— Eu te ensino a cantiga num instante. Você atira o sabão pra cima, não faz mal que não caia no telhado; a santa entende.

Não foi difícil aprender a lição; após um rápido ensaio começamos as duas, uma ao lado da outra, concentradas:

Santa Clara deixa clarear
São José deixa vir o sol
Pra lavar o meu lençol
Pra enxugar o meu lençol!

Mamãe, de longe, só assistindo à nossa maluquice. Balançou a cabeça rindo, mas, ao nos ver jogar o pedaço de sabonete fora, deixou de achar graça:

— Que desperdício é esse? Vão jogando as coisas fora... como se sabonete fosse encontrado na rua, não custasse dinheiro!...

O céu tornava-se cada vez mais escuro. Foi preciso acender as luzes antes da hora. Santa Clara parecia não ter ouvido as nossas preces, ou não estava querendo atender ao pedido da jovem enamorada e da menina.

RESTAURANTE QUÁGLIA

Por volta das cinco horas, apareceu Guilherme Giorgi em busca do Gattai para jantarem no Restaurante Quáglia.

O Restaurante Quáglia ficava no alto da serra de Santos, numa casa grande, com terraço coberto na frente; do lado de fora, quiosques cobertos de sapê, alguns balanços e gangorras para crianças. Lugar agradável, comida boa. Os proprietários, um casal de italianos, cuidavam de tudo: a mulher dirigia a cozinha e o marido servia, ajudando o garçom e fazendo as honras da casa.

Para saborear um delicioso risoto de *funghi secchi* com *zafferano* ou de *tartufi*, preparado especialmente pela senhora Quáglia, patrícios endinheirados não se incomodavam com o péssimo caminho de terra — quilômetros intermináveis de estrada esburacada e a maçante passagem obrigatória por São Bernardo, cheio de valetas ou mata-burros, cavalos na rua principal a fim de evitar excessos de velocidade no centro urbano. Nem o preço caro nem as dificuldades do caminho impediam a frequência ao restaurante do alto da serra. Era passeio e aventura.

Logo após a chegada de Guilherme Giorgi, naquela tarde sombria, papai largou o trabalho antes da hora, entrou apressado. Foi direto ao banheiro, precisava de um bom banho, livrar-se da graxa. Mamãe, calada, acompanhava seus movimentos.

— Vai sair com seu Giorgi?

— Vamos jantar no Quáglia. Temos uma reunião muito importante, vamos discutir um assunto que, se der certo, vai ser bom para nós.

— E para tratar de assuntos é preciso ir até o Quáglia, tão longe e com essa ameaça de tempestade?

O marido irritou-se. Sabia onde ela queria chegar. Sabia o que ela estava pensando:

— Acabe com isso! *Falla finita!*

— Eu sei muito bem o que são essas reuniões...

— Olhe, Angelina, quer saber de uma coisa? Não estou disposto a discutir. Me deixe em paz, por favor!

Continuou sua toalete, vestiu um dos ternos de casimira que mandara fazer sob medida havia pouco tempo: "Pra acompanhar essa gente preciso me vestir direito, não? Não posso me apresentar *come un lazzarone!*".

Papai partiu com seu Giorgi. Rosto contrafeito, triste, mamãe acompanhou com os olhos o automóvel que se afastava. Deixou escapar seu pensamento numa lamúria:

— Lá se vão para a gandaia...

Relâmpagos começaram a iluminar o céu, coriscos antecediam as trovoadas. Na cozinha, Maria Negra tomava providências para impedir que a chuva caísse. Concentrada em estranhas alquimias, misturava folhas e pós, queimando tudo nas brasas do fogão, levantando nuvens de fumaça, cheiro de enxofre e incenso a invadir a casa.

— Olhe, Maria! — disse-lhe, também preocupada. — Você foi mentir pra santa Clara e agora ela vai deixar chover...

Maria Negra sobressaltou-se:

— Que é isso, menina? Que invencionice é essa? Quando foi que eu menti pra santa Clara? Me diga, vamos? Não me venha azarar, pelo amor de Deus!

— Ora! Você não disse pra ela que ia lavar o teu lençol, Maria? E você lavou?

Não é que a menina tinha razão? Mas aquela letra era assim mesmo, não tivera intenção de mentir nem de enganar ninguém... e, depois, não fora ela quem inventara a cantiga mágica... Não, não desejava de maneira nenhuma se indispor com a santa. Ela que fosse perdoada...

Às sete horas, antes do habitual, o jantar já estava na mesa. Graças a Deus seu Luciano não aparecera — certamente com medo da chuva —, seu Ernesto saíra, tudo estava dando certo a não ser o tempo que continuava ameaçador. A apaixonada Maria estaria pronta antes das oito.

Wanda foi à janela, lá se ia Maria Negra ao encontro do

amado. Podia ver o vulto do crioulo lá adiante, no outro quarteirão.

O par de namorados acabara de dobrar a esquina quando a chuva desabou, acompanhada de relâmpago e trovão.

Havia a lenda de que em nosso bairro o barulho dos trovões era mais forte do que em qualquer outro lugar, devido ao pararraios instalado no Hospital de Isolamento, ali perto, na avenida Rebouças. A verdade é que nunca mais em minha vida tornei a ouvir estrondos tão assustadores.

Raios e trovões estavam soltos aquela noite. Wanda morta de pena de Maria Negra, tão medrosa, coitada, sempre apavorada com os temporais... Mamãe só pensando no marido, naquelas lonjuras, em estradas de barro, esburacadas, arriscando a vida... Aquele homem não criava juízo mesmo. Oh! *Dio!*

Soaram nove horas. Na noite de tormenta não haveria pamonhas nem pipocas. Nem Quatrocentão, nem ninguém se aventuraria a sair à rua com aquele temporal. Wanda espiava de vez em quando pela janela, na esperança de ver a amiga chegar. De repente a porta abriu-se, Maria Negra entrou, toda molhada, no maior dos alvoroços:

— Dona Angelina do céu! Tenho assunto para a senhora! Só mesmo a senhora pode salvar hoje a vida de um homem! A chuva pegou eu e Luiz bem na ladeira da Bela Cintra. Damos a volta, subimos pela Consolação e, quando passamos pela Casa da Velha, o Luiz achou melhor a gente entrar e ficar no terraço pra se proteger da chuva. A gente já estava molhada... mas, nós entramos.

— Você entrou? — admirou-se Wanda. — Não teve medo?

Mamãe aflita e curiosa queria saber a todo custo qual seria o homem a salvar, interrompendo a empregada:

— E o homem que está morrendo, Maria?

— Eu chego lá. Deixa eu contar primeiro as minhas coisas, dona Angelina, não tenha tanta pressa! Não é sangria desatada, não! Não se afobe! Credo, que agonia!

Mamãe calou-se a contragosto. Maria Negra prosseguia em sua narrativa, cada vez mais entusiasmada com a admiração que causava à Wanda.

— Eu não tive medo de entrar na casa mal-assombrada porque estava ao lado de um homem para me proteger, entendeu, Wanda? — falava de boca cheia, a vaidade transbordando pelos poros. — Imagine só! Eu ali, firme, nem sentindo medo da trovoada, até que de repente ouvi um gemido: "Aaaai!". Fiquei doidinha! Meu Deus do céu, só pode ser a alma da velha, pensei. Agarrei Luiz.

— Agarrou? — assanhou-se Wanda. — Agarrou, como? Abraçou?

— Agarrei. Mas ele tremia mais do que eu. Estava com medo e não era pra menos. Qualquer pessoa teria medo naquela hora. Tive vontade de correr mas minhas pernas tremiam tanto que nem saíram do lugar. Fiquei ali grudada. De repente, outro gemido. O céu se iluminou com um relâmpago, criei coragem, olhei pra dentro e vi um vulto esticado no chão. Cochichei pro Luiz que não era alma, não, que parecia um homem. "Me ajudem, pelo amor de Deus!", repetiu a voz queixosa. Fiquei com pena, espiei de novo. Era um velhinho miúdo, a cabeça branquinha como algodão. Aí eu aproveitei a estiada e vim buscar dona Angelina, que socorre tudo quanto é cachorro da rua e que não vai deixar um pobre velho morrer à míngua. — Voltou-se para mamãe: — Está contente agora, dona Angelina?

Sem dar importância à ousadia da empregada, impressionada com o relato, mamãe não vacilou, apanhou um guarda-chuva:

— Vamos depressa!

E lá se foram as duas em busca do velho. Não tardou muito, retornaram carregando um homem franzino, de baixa estatura. O leve fardo foi transportado para a cozinha. Dele se desprendia um forte cheiro de álcool misturado a outros odores ainda piores. Mamãe sentou o velho numa cadeira:

— Meu senhor, o senhor está se sentindo mal?

O velho entreabriu os miúdos olhos azuis, cheios de remela. Fixou-os em sua interlocutora:

— Por caridade, me dê alguma coisa pra comer...

O velho fedia demais! Havia quanto tempo não tomava banho? Faltara-lhe uma privada a tempo?

— O senhor quer café com leite?

O pobrezinho parecia tomar consciência das coisas.

— Vossa Senhoria é muito bondosa. Que Deus guarde vosso lar. Eu não tenho lar, não tenho ninguém no mundo... — falava em tom de lamento.

O velho acertara em cheio na sensibilidade de mamãe: "Sozinho no mundo, nessa idade...".

— Esse é um homem de fino trato — diagnosticou dona Angelina. — Pessoa educada, certamente desprezado pelos parentes. Ai! Meu Deus! Quanta ingratidão neste mundo!

Mamãe estava louca para saber de onde ele vinha. Saber de sua vida. Pessoa mais delicada, a lhe chamar de Vossa Senhoria. Nunca ninguém a havia tratado assim, antes, com cortesia tamanha. Era preciso fazer tudo direitinho, cuidar do homem como ele merecia:

— Olhe, Maria, é bom atiçar o fogo, o quanto antes. Vamos precisar de água quente para dar um banhinho nesse pobre coitado. Ele fede demais, chego a ter ânsia de vômito.

A operação limpeza começou. Mamãe tirou-lhe o paletó. Muquiranas se arrastavam sobre o tecido encharcado. A roupa devia ter sido preta em outra época. Na ocasião não tinha cor definida.

Foi trazido um bacião para a cozinha, mamãe não era doida de metê-lo em nossa banheira. O bacião de lavar roupa não cabia no banheiro. A mesa da cozinha foi afastada para dar espaço.

— Vossa Senhoria não havia dito que me daria café com leite? — lembrou o velhinho, um pouco alarmado com aquela aprontação em torno.

— Vou dar café com leite pro senhor, mas só depois do banho.

— E vão me dar um banho? — reclamou assustado.

— Vamos, sim. É do que o senhor mais está precisando.

Mamãe ordenou que as crianças se retirassem. Na cozinha só ficaram ela e Maria Negra. Da sala de jantar ouvíamos as gargalhadas de Maria, os suspiros e as exclamações piedosas de mamãe, os berros do velho e o barulho da água caindo da cuia sobre seu corpo magro. Wanda e Vera mortas de vontade de espiar. Vera sugeriu subirem na máquina de costura; pelo basculante de vidro colorido sobre a porta dava jeito, podiam ver bem. Tito, ali de guarda, protestou:

— Nada de espiar homem nu, suas assanhadas!

De repente, a porta se abriu, Maria Negra apareceu vitoriosa:

— O velho já está lavadinho da silva! Enrolamos ele na toalha. A roupa dele está tão empesteada que nem dá pra lavar. Vai direta pro lixo, lá no portão. A única coisa que temos pra vestir nele agora é o pijama azul-anjinho do Remo. Está só entulhando a gaveta, ele não usa...

Da cozinha, mamãe reclamava pressa, que trouxesse também o talco.

O MISTÉRIO DE VOSSA SENHORIA

O pijama azul provocara, havia tempo, um conflito entre os dois irmãos. Remo o recebera de presente de uma namorada que andava aprendendo corte e costura. Em casa os homens jamais haviam usado pijama, e as mulheres, nem se fale! Papai e os meninos dormiam de ceroulas e camiseta de malha.

Quando Remo apareceu no quarto envergando o pijama de gola redonda caída sobre os ombros — a jovem fora generosa ao cortar a gola, não poupara tecido —, de um azul da cor do céu, Tito teve uma explosão de riso:

— Parece um anjinho! — gargalhava apontando o irmão.

Enfurecido, Remo atirou-lhe o travesseiro, começando verdadeira batalha. A intervenção de mamãe acabou com a briga; o pijama foi aposentado, relegado para sempre.

Pudemos entrar na cozinha, somente quando Vossa Senhoria — o velho já ganhara apelido, batizado por nós — envergava o pijama, enorme para ele, porém combinando com seus olhos. Mamãe limpara-lhe as remelas, com um algodão embebido em água boricada. O cabelo bem alvinho, todo penteado, cheio de talco, perfumado. Em sua frente um tigelão de café com leite, pão com manteiga e queijo.

O velho começou a chorar:

— Vossa Senhoria é a mãe que nunca tive...

Misturava lágrimas com café, comia com vontade.

Resolvidos dois problemas graves — sujeira e fome —, restava ainda um terceiro, o mais difícil: onde alojá-lo? Não tínhamos acomodações para hóspedes. Esse era um problema sério. A benfeitora não ia jogá-lo de novo na rua, debaixo da chuva que recomeçara a cair. Isso nunca! Por fim, a solução.

Na garagem achava-se a *limousine* do conde Pereira Inácio. Estava lá havia dias para revisão geral. Carrão luxuoso! O chofer isolado na frente; lá atrás aquele conforto! Grossos vidros separavam os patrões do motorista, que recebia as ordens por um telefone interno. Havia cortinas de seda fumê, proteção contra o sol e estofamento de veludo, de se lhe tirar o chapéu.

— Vou levar o senhor para dormir dentro de um carro — comunicou-lhe dona Angelina, satisfeita com a solução encontrada. — Mas, por favor, fique bem quietinho, durma tranquilo. Se precisar fazer alguma necessidade, tem uma privada na garagem mesmo. Eu lhe mostro. Amanhã cedo eu lhe acordo antes que meu marido se levante. O senhor compreende, não é? Os homens nem sempre aceitam certas coisas... E meu marido...

Quando percebemos a intenção de mamãe, qual o carro escolhido para a soneca do hóspede, ficamos horrorizados com seu atrevimento. Até Tito, o puxa-saco de mamãe, o seu protegido, estrilou:

— Mas, mamãe! Se papai descobrir uma coisa dessas!

— Uma coisa dessas? — protestou mamãe defendendo-se. — Você quer que eu deite o pobre velho num carro aberto, depois de um banho quente, pra ele apanhar uma pneumonia?

Naquela noite mamãe não dormiu de aflição, à espera que o marido chegasse. E se lhe acontecesse algum desastre na estrada? E se ao chegar resolvesse espiar dentro da *limousine*? Pensamentos ocultos, suspeitas dolorosas, voltavam a lhe atormentar. Estava morta de ciúmes.

Só dormiu de madrugada, depois que o marido chegou. Nem ler pôde, seus pensamentos voando longe, impossível concentrar-se. Planejara acordar muito cedo, mas perdeu a hora. Felizmente Ernesto ainda dormia.

Levantou-se sobressaltada, correu aflita, direta à garagem. Cadê a *limousine*? Já não estava mais. Partira muito cedo, antes do dia clarear — explicou nono Eugênio. — O conde e a família viajariam naquela manhã para a fazenda.

E Vossa Senhoria? O que lhe teria acontecido? Ninguém nunca soube, nunca mais se teve notícias dele. Os carros do conde não voltaram a frequentar a oficina de seu Gattai.

Morta de curiosidade, mamãe se perguntava: Quem seria aquela criatura? De onde viera? Que fim levara? Fora discreta demais, na véspera, não quisera massacrar o infeliz com perguntas, adiara a *enquête* para o dia seguinte... pagava caro!

PROGRESSO E BOM HUMOR

Papai andava bem-humorado, mas mesmo assim ninguém se atreveu a lhe contar o caso do velho. Talvez, quem sabe, se tivesse sabido nem teria reclamado, tivesse até achado graça na última "arte" da mulher.

A reunião com Giorgi e os outros italianos, no Quáglia, resultara bem. Seriam concessionários do automóvel Alfa Romeo no Brasil. Ele entraria para a sociedade com sua bem montada oficina mecânica, seu nome e seu trabalho. Providências já estavam sendo tomadas para pôr tudo no papel, para legalizar a Sociedade Anônima Gattai.

A CASA DA VELHA

Ao mudar-se para a alameda Santos mamãe fora advertida: seria vizinha de uma casa mal-assombrada, a Casa da Velha, como era conhecida, nos fundos da garagem. Sua frente dava para a rua da Consolação. A garagem confinava com ela, apenas separada por um muro alto. Corria a lenda de que essa casa, quase destruída pelo tempo e pelos ladrões, pertencera a uma senhora idosa que nela habitara durante toda a vida. Sozinha vivera e sozinha morrera. Seu corpo, ou antes, seu esqueleto fora encontrado muito tempo depois de sua morte. A lenda contava ainda que, às altas horas da noite, a alma da velha costumava perambular pela casa e jardim.

"A PROPRIEDADE É UM FURTO..."

A oficina andava em franco progresso, como já disse, papai ganhando muito dinheiro. Admitira vários operários especializados, tudo marchava a contento. Para mamãe, no entanto, a situação financeira não se alterara em quase nada. Ela continuava não dispondo de dinheiro à vontade, para manejar como bem entendesse.

Para não dizer que as coisas andavam na mesma lá em casa, alguma coisa melhorara: nossa cozinha, por exemplo, andava mais farta, subira de qualidade. Papai associara-se a outros italianos para importar azeite da Itália, acondicionado em garrafões de cinquenta litros (passamos a cozinhar somente com azeite de oliva, "melhor gastar em comida do que em remédios e médicos"), azeitonas, queijos, latas de atum, salames variados e vinho. Quando terminava uma barrica de vinho, outra cheia logo a substituía. Sem contar os vinhos finos engarrafados, vindos em caixas.

Fora a alimentação, papai empregava tudo o que ganhava na compra de máquinas, na ampliação da oficina. Pusera abaixo o telhado do barracão, trocara as vigas de madeira, já podres, e o cobrira de telhas; colocara claraboias em vários pontos do telhado, mandara fazer uma privada e banheiro dentro de casa. Não precisávamos — como nos primeiros anos — nos servir da privada da oficina. A enorme banheira de folha-de-flandres foi aposentada, dando lugar a uma bela banheira moderna, esmaltada. Gastara uma fortuna nessas melhorias. Mamãe suspirava:

— Enterra tudo na casa dos outros?

Certa vez, antes da sociedade, ao chegar enorme caixão, embalando um torno importado da Alemanha, mamãe quis saber o preço da máquina. Espantada com o atrevimento do marido ao empatar tamanha fortuna numa única peça, não resistiu à tentação, voltou ao assunto proibido — compra de casa — que já lhe trouxera muitos dissabores e discussões.

Estávamos almoçando, a família reunida, Maria Negra servindo a todos, como sempre, sentada à minha direita. Mamãe começou a entrar no assunto com jeito, devia ter estudado mentalmente a frase inicial e o tom de voz, para evitar possível atrito:

— Me diga uma coisa, Ernesto, que tal a gente comprar a Casa da Velha? Soube que ela está à venda por preço de corda no pescoço...

Antes que o marido repetisse que não podia comprar casa nenhuma por não ter dinheiro, ela se adiantou:

— Agora que você já pode até importar torno tão caro, vai poder também comprar uma casa para a família, não?

Não adiantou nada a fala doce, as boas maneiras ensaiadas. Seu Ernesto, como sempre, refratário à compra de casas, não podendo ouvir falar nesse assunto, irritou-se repetindo uma frase feita — anarquista — tranchã, infalível para liquidar o assunto de vez:

— A propriedade é um furto e ladrão quem a possui! —

Com esse chavão, dito em tom declamatório, papai deu por encerrada sua parte na discussão.

— Quer dizer então — ainda insistiu dona Angelina — que você prefere ser roubado?

Houve uma rápida pausa no duelo. Aguardávamos, era a vez de seu Ernesto revidar. Mas não houve tempo. Maria Negra, não conseguindo conter-se, adiantou-se:

— Eu acho mais é que seu Ernesto está com medo da alma da velha!

Em seguida, se dando conta de haver metido o bico onde não fora chamada, prudente e antes que o patrão se recuperasse da afronta sofrida, levantou-se e deu o fora; não queria receber o troco.

— *Vá a mordere uno stronzo che é meglio!* — gritou papai, para que ela o ouvisse.

— Vá a o sinhô! — respondeu uma voz ao longe.

MARIA APRENDE O BÊ-Á-BÁ

Antes de completar um mês de aulas diárias, Maria Negra dominava as letras do alfabeto, sabia o abecedário de cor e salteado, de trás para diante, de diante para trás, maiúsculas e minúsculas, separava sílabas.

A quem os louvores? À professora ou à aluna? Ambas os mereciam: a primeira, revestida de muita paciência e boa vontade, não poupava esforços para transmitir o pouco que sabia. A segunda, disposta a aprender, esforçando-se ao máximo, querendo saber tudo, fazendo perguntas e mais perguntas: não entendia, por exemplo, por que a letra *cê* junto ao *e* continuava sendo *cê* e junto ao *a* virava *cá*. Por que não *çá*? E por que farmácia se escrevia com *pê agá* e não com *efe*?

A professora também ignorava a razão daqueles "disparates" da ortografia. Havia muito saíra da escola. Terminara o curso primário, recebera o diploma com honras e prêmio, e fim. Sabia o suficiente para ler e escrever, aprendera bastante naqueles quatro anos de escola. Daí por diante, fora orientada para tornar-se boa dona de casa, mãe de família exemplar. Aos dezesseis anos já sabia cozinhar, costurar, fazer chapéus, flores de papel e de tecido, crochê, tricô e bordados — à máquina e à mão. Não havia trabalho manual que Wanda não soubesse fazer: "Mãos de fada", diziam. "Moça prendada!"

Como poderia explicar agora o que não aprendera? Não queria, no entanto, dar parte de fraca, expor sua ignorância. Encabulada diante da insistência da aluna em exigir-lhe explicação lógica às contradições que lhe eram apresentadas, Wanda embromava:

— Por enquanto a gente não precisa se aprofundar nessas coisas pequenas, sem importância, Maria, você vai aprender tudinho quando já estiver se preparando para ser professora de escola...

Embora eu não assistisse a todas as aulas, começava também a aprender com elas. Divertia-me com as disputas entre as duas: uma a perguntar, a outra a tirar o corpo fora, saindo pela tangente:

— Vamos agora à leitura?

A professora abriu ao acaso um velho livro escolar; com o dedo indicador sobre a linha, acompanhando as palavras, Maria Negra foi soletrando: "Assim tão gentil, com tantas flores, aonde vais, Leornô?".

— Leornô ou Leonor? — corrigiu a pressurosa professora, caçoando.

A aluna não gostava que rissem dela, mas não ia desistir de estudar por uma bobagem daquelas. Prestaria mais atenção daí por diante. Havia de aprender, ah! um dia ainda leria sozinha aqueles romances em fascículos que a patroa comprava todas as semanas. O último, o que ainda acompanhavam, que beleza! Seu título era: *A filha do diretor do circo*. Leria também a *Scena Muta* cheia de novidades e de mexericos dos artistas — Wanda ganhava a revista do namorado —, e, se duvidassem, leria também *O Malho*, repleto de caricaturas, que seu Ernesto trazia quando ia ao barbeiro.

OS ROMANCES EM FASCÍCULOS

À tarde, não havendo outros compromissos, dona Angelina reunia em sua casa algumas vizinhas interessadas em romances de folhetim. Aproveitavam a ocasião para fazer tricô e crochê, enquanto ouviam a leitura dos fascículos novos. Encarregadas da leitura, as filhas mais velhas de dona Angelina sabiam como ninguém dar ênfase às frases no momento preciso. Quatro fascículos eram comprados por semana e as duas jovens se revezavam: dois para cada uma.

Eu tinha muita vontade de aprender a ler, pensava no *O Tico-Tico*; como seria bom me envolver nas aventuras de Chiquinho, Jagunço e Benjamim, sem a ajuda de ninguém... E aquele livro lindo que mamãe guardava trancado a sete chaves em seu guarda-roupa? Aquele também me interessava muito.

Papai não entendia e ficava intrigado com as contradições intelectuais da mulher. Como podia ela, pessoa de bom gosto literário, que ficava até altas horas da noite — para poder concentrar-se no silêncio — lendo livros de Victor Hugo, de Zola, de Kropotkin, de Eça de Queiroz, versos de Guerra Junqueiro, gostar também dos romances em fascículos?

Quando a via reunida com outras mulheres, cada qual mais ignorante, ouvindo as filhas lerem as "idiotices" dos folhetins — ela que zelava tanto pela elevação cultural das filhas! —, algumas vezes ela mesma lendo *Expulsa na noite de núpcias* ou *Morta na noite de núpcias*, balançava a cabeça, repetia: "Como é que Angelina pode gostar tanto dessas bobagens?". Francamente, tal disparate não podia entrar-lhe na cabeça, escapava-lhe, não encontrava explicação. Chegou a discutir e mesmo criticá-la acerbamente, a boicotá-la pedindo-lhe favores ou chamando-a no exato momento em que ela se deliciava, em plena leitura coletiva, no melhor da festa, na hora do suspense. A essas dúvidas, a essa implicância do marido, dona Angelina respondia simplesmente que os folhetins descansavam sua cabeça, distraíam-na sem nenhum compromisso. E que isso lhe era muito necessário, fazia-lhe bem. Que a deixasse em paz com seus romances em fascículos. Adorava lê-los!

Os folhetins de antigamente representavam o mesmo papel das novelas de televisão nos dias de hoje.

"SERENATA" DE SCHUBERT

Numa quarta-feira, depois do almoço, como acontecia todas as quartas-feiras, mamãe preparou-se para visitar a irmã. Eram necessárias duas conduções de nossa casa à casa de tia Margarida, no Brás. Uma hora de viagem, daí para mais.

Mamãe nunca saía sozinha. Jamais desacompanhada em seus passeios, aliás, como nenhuma senhora que se prezasse, naquela época. No caso de mamãe, as guardiãs de sua reputação éramos nós três, suas filhas, escaladas uma de cada vez. Naquele dia, Vera a acompanhou. Da próxima vez seria eu.

O itinerário escolhido por dona Angelina era sempre o mesmo: tomava o bonde na esquina da avenida Paulista com Consolação, saltava na praça do Patriarca. Por duzentos réis, podia-se ir de casa até à rua Quinze de Novembro, onde havia conexão para o Brás. Mamãe não aproveitava o percurso todo a que tinha direito, preferia saltar antes. Atravessava a rua Direita inteirinha, a pé, vendo vitrinas. Essa, creio, era a parte do passeio mais demorada, a de que mais gostava. Na rua Direita estavam instaladas as grandes lojas da cidade. Começava pelo Mappin Store, na praça do Patriarca, depois vinha a Casa Alemã, depois a Casa Lebre e depois de muitas outras lojas bonitas chegava a nossa preferida: a Loja Ceylão. Ah! a Loja Ceylão! Sortida de flores e frutos artificiais, lanternas de papel colorido, cestos de todos os formatos, uma beleza! As vitrinas das lojas eram renovadas todas as semanas e mamãe parava diante de cada uma, espiando as novidades, embora jamais comprasse nada. O dinheiro de que dispunha não dava para abusos.

Apenas uma vez vi minha mãe sair do sério. Foi na grande liquidação do Mappin, depois do incêndio gigantesco que quase destruiu o maior, o mais conceituado e elegante magazine de São Paulo, quando dona Angelina se acabou de comprar coisas bonitas por bagatelas, verdadeiras pechinchas. Gastou todas as economias da casa, dinheiro que vinha sendo posto de lado para alguma emergência, guardado atrás de um enorme quadro — uma alegoria anarquista — que enfeitava a sala de jantar.

Desta vez o "cofre" ficou vazio mas os cinco filhos de dona Angelina foram vestidos a capricho, dos pés à cabeça, cobertos de roupas e calçados finos, roupas de gente rica. Entre outras coisas, mamãe comprou ainda dois chapéus para ela verdadeiramente gloriosos: ambos de palha preta brilhante, enfeites diferentes. Um deles exibia imenso buquê de flores coloridas, um pássaro voando sobre elas, sustentado por uma espiral de arame revestido de verde. O outro tinha parte da copa e da aba cobertas por enorme cacho de uvas brancas. Com certeza não foi por vaidade, nem por querer estar na moda, que mamãe comprou os vistosos chapéus. Não podia existir pessoa mais simples, mais desligada, mais fora de qualquer coqueteria do que dona Angelina. Romântica, ela gostava das coisas bonitas, na certa o que a atraiu nessa compra foi a beleza das flores, dos pássaros, das uvas, "tão bem-feitos, parecem verdadeiros". É possível que fossem chapéus fora de moda, refugos, entrando no bolo da liquidação para desocupar espaço. Não sei. Do que estou certa, no entanto, é que mamãe se sentia muito feliz quando saía ostentando em sua cabeça tão chamativas obras de arte.

Nessa compra dos chapéus eu estava presente e acabei ganhando também um lindo chapeuzinho cor-de-rosa, de palha e crina. Uma guirlanda de flores do campo enfeitava toda a volta de sua copa. Fui eu mesma quem o descobriu debaixo de um montão de chapéus amassados, chamuscados pelo fogo. Amor à primeira vista, chapéu mais lindo! Num bater de olhos, mamãe descobriu que ele era pequeno para mim. E era. Como não havia outro igual, maior, bati o pé, não era pequeno nada, eu o queria acima de tudo e pronto. Para evitar vexames, ela rendeu-se. Por timidez ou preconceito, talvez devido às duas coisas, mamãe vivia eternamente escravizada à opinião alheia: "O que não vão pensar?" era a frase que mais repetia.

Pelo menos desta vez fui beneficiária de seu medo da língua do povo, mamãe teve receio de que criticassem a má educação da menina e acabou comprando o lindo chapeuzinho cor-de-rosa, que passou a ser a minha coroa de martírios. Toda vez que o usava, sofria o diabo! Apertado demais, a crina, enterrando-se em minha testa, deixava-me com a fronte em brasa, toda vincada. Mais vale um gosto, porém. Uma longa franja, que me ia quase aos olhos, encobria as marcas da teimosia e da vaidade. Mas, como dizia, naquele começo de tarde lá se foram as duas, mamãe com seu chapéu de uvas, Vera com suas pernas de saracura.

Já se aproximavam da Loja Ceylão quando, ao passarem por uma casa de discos numa esquina da rua Direita, mamãe estancou. Da loja vinha o som de suave melodia. Para ela música nova; nunca a ouvira antes. Lindíssima! Ali, na porta da casa, ficou plantada até seus últimos acordes.

A vontade de dona Angelina era de entrar e comprar o disco imediatamente, mas tinha saído desprevenida, como sempre. Certamente o dinheiro que levava não daria para as passagens de bonde e a compra urgente. Nem se animou a entrar, perguntar seu preço, saber o nome da música. "O que é que não iam pensar? Essa mulher, com todo esse chapéu, não ter dinheiro nem para comprar um disco?" Ficou com a música na cabeça.

À noite, de volta a casa, trazia meu primo Cláudio pela mão e planos para a compra do disco no dia seguinte. Foi explicando a presença do sobrinho:

— Pobre da Margarida! Trouxe o Cláudio para aliviar um pouco a carga da coitada!

O moleque havia feito ainda uma das suas. Partira a vidraça de um vizinho com uma estilingada.

Ao chegar à casa da irmã, da porta da rua mamãe a chamara, como de hábito, pelo apelido que lhe dera desde a infância:

— Málgueri!

Não houve resposta. Aquele "ôôô!" de satisfação, que sempre precedia a vinda de Málgueri ao encontro da irmã, não se ouviu.

Mamãe foi descobri-la toda aflita com a queixa do vizinho furioso e a nota do estrago a pagar. Ela vivia na maior consumição, lutando para equilibrar o orçamento da casa com o pequeno salário do marido e o da filha mais velha — ainda jovenzinha, já trabalhando numa fábrica — e uma porção de filhos a criar, o caçula com menos de um ano.

Que loucura essa de mamãe, trazer Cláudio de novo? Ele estivera havia bem pouco tempo em casa e não deixara saudades. Para mim, as visitas de Cláudio significavam prenúncios de aborrecimentos. Vivíamos sempre às turras, um provocando o outro, chegando às vezes a nos atracar em luta corporal, ele levando vantagem, dois anos mais velho do que eu. De sua última estada, em nossa casa, destruíra, antes que eu o folheasse, meu *Tico-Tico* novo, transformando em barcos e chapéus. Furiosa, dei-lhe socos, não queria nunca mais vê-lo em minha vida, que não pisasse mais em minha casa... A tia, como sempre, defendeu o sobrinho, tentando botar panos quentes em minha cólera:

— Ora! Tanto barulho por uma revistinha à-toa... Vamos acabar já com essa briga!

A briga terminou, pois o vilão estava de partida, foi embora. Eu fiquei pensando: se ele tivesse feito barquinhos dos livros de estimação dela, dos que viviam trancados no seu guarda-roupa, sua reação seria outra. Ela falaria diferente com ele... Eu gostaria de assistir.

Naquela noite, Cláudio estava particularmente antipático; foi chegando e entrando de sola:

— Como é? Tem mais *Tico-Tico* novo para mim? Vim atrás deles...

— Pra você, seu idiota, tenho isto: an! — mostrei-lhe a língua.

Da disputa mamãe assistiu apenas a uma parte — a minha: língua de fora e insulto.

— Ó *benedetto!* — interveio desgostosa —, já começaram de novo as brigas? Nem mal o menino chega, a pestinha começa a provocar. Que horror! Essa menina precisa tomar jeito, se ofende com qualquer besteira. Parece que tem um dragão no sangue!

Por detrás de mamãe, que ralhava comigo, Cláudio fazia macaquices, me arreliava: "Bem feito! Bem feito! Bem feito!", dizia-me na surdina, apenas o gesto característico das crianças, quando querem pirraçar.

Ai, que vontade de chorar! Era sempre assim. Já estava mamãe defendendo o filho da irmã. Bastava ele pisar em casa, para sair automaticamente da categoria de moleque endiabrado, transformar-se em hóspede respeitado, cheio de regalias. Isso me matava de revolta e de ciúmes, sobretudo de ciúmes.

Papai, que até então assistia calado à confusão, chamou-me para seu lado, beijou-me. Inda bem que papai compreendia as coisas, não era cego, estava sempre do meu lado!

Antecipando-se à mamãe, que esperava apenas um momento livre para contar sua aventura da tarde — a descoberta da música maravilhosa —, Vera não lhe deu vez. Em altos brados — ela não sabia falar baixo —, deu seu relatório, com versão própria, para quem quisesse ouvir:

— ...aí mamãe ficou parada na porta da loja de discos, gente entrando, gente saindo, ela ali, nem se mexia, ouvindo a música que não acabava nunca. Quase morro de vergonha...

Vera, a novidadeira da casa, sabia sempre tudo o que se passava dentro e fora e era fiel aos seus relatos. Ninguém que viesse contar em sua frente duas vezes o mesmo caso e omitisse ou acrescentasse algum detalhe. Ah! isso ela não tolerava! Saltava logo, completamente dona da história:

— Não senhor... isso não foi assim... — não deixava escapar nada.

Alta para seus treze anos, magra, pernas finas, tinha ganho o apelido de saracura, num dia de passeio ao Jardim da Luz. Corríamos atrás das saracuras soltas no jardim e Cláudio, que nos acompanhara, fez a comparação dos gambitos de Vera com os das saracuras. Todo mundo achou graça e o apelido pegou.

— Que negócio é esse de música, que a Vera está contando, Angelina? — perguntou papai, talvez mais para reconciliar-se com a mulher que o fuzilara com um olhar de reprovação, no momento em que me beijara, do que pelo interesse no caso que Vera contava.

Mamãe perdera o *élan*, o entusiasmo. Compreendeu a intenção do marido, respondeu:

— Continue a mimar essa menina e vamos ter bons resultados! Não há mais quem a suporte, está ficando uma malcriada! Com essa mania de ficar protegendo a filha, você está estragando ela.

Papai, de bom humor, não tomou conhecimento da advertência, deu-me uma piscadela disfarçada, riu, mudou de assunto propondo:

— Hoje vamos fazer de novo aquele concurso: quero ver quem descobre primeiro o nome da ópera e da ária do disco que vou colocar no gramofone; não vale espiar. Vamos começar?

Esse era um dos testes educativos que papai gostava de aplicar aos filhos, maneira prática de despertar-lhes gosto pela ópera.

Sua proposta naquela noite, no entanto, não encontrou a repercussão desejada. Ninguém se animou, a brincadeira já estava batida demais, não achávamos mais graça nela. Sabíamos de cor e salteado os trechos das óperas italianas, pois elas eram tocadas frequentemente em casa. Possuíamos grande coleção de discos de óperas, todas as interpretadas por Enrico Caruso.

Papai se babava de orgulho, quando sua caçula de sete anos antecipava-se aos irmãos mais velhos para dizer o nome do trecho em questão.

Além desses discos, possuíamos também alguns de canções italianas e brasileiras, apreciadíssimas por dona Angelina: "Na casa branca da serra" e "Amor traído", por exemplo, faziam mamãe suspirar, e assumir um ar ausente.

Uma coisa que me agradava, durante as noitadas musicais, era observar o pescoço e o rosto de meu pai. Sabia exatamente o momento em que ele ficaria arrepiado: "Una furtiva lacrima", "Rimpianto" e "Pioverà Bionda" eram infalíveis. Eu ficava esperando, sempre acontecia.

Naquela noite, antes de deitar-se, mamãe declarou:

— Amanhã vou à cidade comprar o disco. Zélia, trate de acordar cedo que você vai comigo.

Fui dormir excitada com a perspectiva de uma saída extra.

Pela manhã muito cedo, eu já estava arrumada, a postos com minha coroa de espinhos enterrada na cabeça, uma verdadeira boneca! Mamãe entreabriu o baú onde guardava os chapéus, sem olhar nem escolher, tirou o primeiro que lhe veio à mão. Foi sorteado o mais bonito, o de que eu mais gostava, o das flores com o pássaro.

Na loja de música, em vários gramofones rodavam discos diferentes ao mesmo tempo. Além dos vendedores havia alguns clientes.

Mamãe dirigiu-se a um rapazinho que atendia:

— Moço — começou a meia-voz, timidamente —, eu queria um disco que ouvi aqui, ontem à tarde, não sei o nome...

O rapaz não a deixou terminar, não havia entendido nada, não percebia o que desejava a freguesa.

— O que foi que a senhora disse? O que é que a senhora quer? Por favor fale mais alto, não entendi nada.

Foi preciso que mamãe repetisse tudo de novo, quase aos gritos, para ser ouvida em meio àquela confusão de músicas embaralhadas.

O jovem acabou compreendendo o que a freguesa lhe dizia e, irreverente, argumentou:

— Como posso adivinhar qual o disco que a senhora deseja, madame? Aqui tocamos centenas de músicas por dia...

— Era uma melodia muito nostálgica — esclareceu a freguesa, falando timidamente, porém alto, o que lhe devia custar grande esforço.

Outro vendedor aproximou-se, alguns clientes da loja foram se chegando, curiosos.

— Olhe, moço — decidiu mamãe —, se o senhor parar um pouco essas músicas, eu posso cantarolar um pedacinho dela, acho que gravei na cabeça.

Fez-se silêncio. Nesse momento, a roda de curiosos que a cercavam era grande. Ela começou:

— Lari lalá... lari la lalá...

A um só tempo, vários exclamaram: "'Serenata' de Schubert!".

Eu assistia àquela cena pensando que mamãe havia sido muito ladina não levando Vera nem Wanda para a compra. Ela nunca poderia ter se espalhado do jeito que se espalhou, tendo a seu lado uma das duas fiscais a controlá-la, a criticá-la. Eu achei muita graça daquele movimento em torno dela, envaidecida de minha mãe: vedete rodeada de público, cantando em plena loja da rua Direita.

Em casa, todo mundo à nossa espera, à espera da tão anunciada música. Vitoriosa, mamãe, com o disco debaixo do braço.

Na presença da meninada, Cláudio inclusive, colocou o disco no gramofone; a serenata começava com um solo de flauta. Mamãe enleada, com seu ar de ausência.

Terminada a música, enquanto retirava o disco do gramofone, se dirigiu a nós, num entusiasmo enorme:

— E agora, Maria da Conceição, vamos cuidar da obrigação! — Sempre que estava satisfeita, ela repetia frases loucas, inventadas pelas crianças, pelo prazer único da rima.

Compreendemos seu aviso: a folga estava terminada, cada qual para o seu trabalho; o de dona Angelina era um tanque cheio de roupa à sua espera para ser lavada. Wanda devia cuidar da cozinha, Maria Negra andava doente, nesse dia nem se levantara, com enjoo, vomitando.

O disco voltou para a capa de papel, mamãe colocou em cima de sua cama alta — dois ou três colchões, não lembro direito —, entre os travesseiros.

— Ninguém me toque nele, entendido? Vamos escutar de novo, hoje de noite, depois do jantar, com papai.

Antes de dirigir-se ao tanque, passou pelo quarto de Maria Negra para dar-lhe o Elixir Paregórico, que comprara na cidade. Esse mal-estar recente da empregada a intrigava. Ela sempre fora tão forte...

Acabávamos de jantar quando papai me pediu que fosse buscar um charuto em seu quarto. Entrei na peça escura, precisava acender a luz. Dirigi-me para o soquete que ficava pendurado na parede, no centro da cama. Para alcançá-lo dei um salto sobre o alto leito, como costumava fazer sempre que necessitava acender a luz. Finquei os dois cotovelos para me apoiar, senti debaixo deles algo duro e, em seguida, vários estalos significativos. Lembrei-me logo do disco. Acendi a luz, lá estava ele, partido dentro da capa. Que horror! O disco de mamãe, coitada!

Morta de susto apanhei o charuto, apaguei a luz, deixei o disco no lugar em que o encontrara. Ao chegar à sala, papai havia se levantado, chegara um moleque com recado:

— O moço lá adiante disse pro senhor ir lá depressa que o carro dele está se enfumaçando todo...

Saímos em bando atrás de papai. Do portão viam-se nuvens de fumaça, invadindo a rua, tirando toda e qualquer visibilidade. Seu Ernesto levou Remo com ele, o filho mais velho e aprendiz do ofício. Eu o ouvi comentando com meu irmão que a causa da fumaceira podia ser óleo velho ou gasolina suja. Percebendo de repente o acompanhamento, voltou-se para a criançada e mandou que voltássemos para casa; aquela fumaça não fazia bem à saúde. Nós todos obedecemos, menos Cláudio, que saiu na disparada, perdendo-se em meio à poluição.

Obedeci a papai de bom grado, não estava achando graça em nada, o disco quebrado não me saía da cabeça. Tudo o que eu desejava era ir para a cama. Desta vez não escaparia dos puxões de orelhas e dos coques na cabeça. Nem papai, com todos os seus poderes, poderia me salvar. Mamãe não gostava de bater nos filhos, ameaçava muito mas raramente ia às vias de fato. Mas, não ia deixar de fazê-lo esta noite, coitada, tinha razão de sobra. Do que eu não gostava mesmo, era dos coques na cabeça. Os puxões de orelhas eu até tolerava. Os coques me humilhavam. Se ao menos ela desse palmadas... mas não. Conservava o hábito antigo de sua mãe, nona Pina. Se mamãe levara coques e estava ali, forte e robusta, por que é que os filhos não podiam também recebê-los?

Que bom se eu pudesse sumir! Sair de mansinho, desaparecer!

Fui para a cama diretamente, meti-me debaixo das cobertas, fechei os olhos, continuei acordada. Logo depois chegaram Wanda e Vera, minhas companheiras de quarto. Já estávamos deitadas havia muito quando mamãe passou, como de costume, para ver se tudo estava em ordem, as meninas bem cobertas.

Entrou em seu quarto, vizinho ao nosso. Coração em disparada, não tive que esperar muito:

— *Madonna mia santíssima! Maria Vergine! Dio santo! Dio sacrossanto!* Quem foi que quebrou meu disco? *Ma guarda!* Um disco comprado hoje, com tanto sacrifício! Não é possível! Quem foi que quebrou meu disco? — repetia mamãe, o pranto na voz.

Os desabafos de mamãe em italiano indicavam que estava verdadeiramente zangada, revoltada, desesperada. Nesses momentos ela esquecia seu anticlericalismo, trazia à tona nomes de santos e invocava as divindades que a haviam acompanhado durante a infância. Jamais blasfemava.

Calada, olhos fechados, respirava a custo. Minhas irmãs, ao lado, dormiam a sono solto, inocentes do drama que se desenrolava ali, tão próximo.

De repente mamãe se calou, passou pelo nosso quarto ligeira, entrou no quarto dos meninos, onde Cláudio devia estar dormindo. Sua cama estava deserta.

Cláudio havia sumido. Depois de muito procurado pela casa toda, foi encontrado atrás de uma porta, escondido. O interrogatório começou:

— Foi você quem quebrou meu disco, Cláudio? Diga!

— Não fui eu, não, titia...

— Então por que é que você estava escondido atrás da porta?

— Não sei, tia...

Mamãe apertava o torniquete, convencida de estar diante do culpado.

Roída de remorsos, eu morria de pena de meu primo. Esqueci até as ofensas sofridas na véspera. Coitado, nem sabe se defender! Mas, também, por que diabo o burro foi se esconder? Eu raciocinava: se eu me denunciar, levo os maiores cascudos de minha vida. Se mamãe se convencer de que foi Cláudio, ele não levará cascudo nenhum, ouvirá apenas um sermão. Ora, um sermão a mais para Cláudio não significa nada. Será apenas um sermão a mais. Cheguei à conclusão de que o melhor mesmo a fazer era permanecer calada. De repente, quando menos esperava, a bomba explodiu. Cláudio entregava os pontos:

— Fui eu, sim, tia. Fui eu que quebrei o disco. Foi sem querer — confessava em prantos.

Minha Nossa Senhora! O burro acabava de confessar uma falta que não cometera. Mas por quê? Para ver-se livre do interrogatório? Só podia ser. Coitado!

Embasbacada diante da confissão, aliás já esperada por ela, a tia engasgou. Mudou o tom de voz. Passou a falar numa queixa, quase num lamento:

— Moleque levado das sete brecas! — Ai! Onde estava Wanda para corrigi-la? Mamãe misturava "levado da breca" com "pintar o sete". — Que necessidade tinha você de bulir no disco? Diga! Eu não havia avisado que não era para mexer nele? Hein? Responda!

O medo de apanhar, naquela noite, foi mais forte do que a vontade de contar a verdade. Passei uma noite péssima, cheia de angústias e remorsos.

Pela manhã, ao acordar, mamãe se decepcionou não encontrando a filha mais velha em casa. Esquecera-se de que era dia de feira e de que ela, substituindo Maria Negra, saíra em busca de legumes e frutas. Mamãe estava ansiosa para lhe contar o sucedido da noite anterior. Wanda era boa de escutar as coisas, dava sempre palpites sensatos. Certamente a confortaria com boas palavras. Ia ter que repetir a história todinha de novo, quando ela chegasse. No momento, como ouvintes, apenas Vera, Tito e eu, sem contar o próprio Cláudio, que parecia nem ouvir o que a tia dizia, como se nada tivesse com aquilo. Repetiria tudo novamente para Wanda, seria até bom para desabafar...

Tendo tomado seu café, antes mesmo que a tia terminasse sua queixa, Cláudio saiu, foi juntar-se a Tito que escapulira pouco antes e o esperava com um par de estilingues, armas para o safári, planejado na véspera, nas perigosas Águas Férreas.

TITO

O mais calado dos cinco irmãos, Tito vivia a fiscalizar decotes — comprimentos de saias de mamãe e de Wanda, a ditar regras de decência. Pois não é que Tito, com seu puritanismo, foi surpreendido, certa vez, espiando Feliceta, nossa vizinha, quando, nua e despreocupada, tomava banho? O moralista havia subido na parte mais alta do telhado, a que cobria a oficina mecânica, colara os olhos à claraboia do banheiro da casa da moça. Feliceta, ao notar a sombra do vilão atrás do vidro, botou a boca no mundo. Seus pais, napolitanos rígidos, ameaçaram de tiros e morte a quem se atrevesse novamente.

Além de sonso, Tito era teimoso: bastava que lhe dissessem sim para que ele dissesse não. Bom no desenho, desde cedo se revelara engenhoso, dotado. O artista da família. Dois anos mais velho do que Cláudio, era o único dos irmãos a rejubilar-se com a presença e a companhia do primo. Juntos enfrentavam o mundo.

VÁRZEA E ÁGUAS FÉRREAS

Naquela manhã, os dois sumiram para os lados das Águas Férreas, lugar deserto, perigoso — transformado mais tarde, muitos anos mais tarde, no elegante bairro do Pacaembu. Atrações desses ermos eram a caça e uma fonte de água cristalina que dava o nome ao lugar. Formava-se em torno dela um pequeno lago onde bandos de moleques costumavam banhar-se nus. A fonte e o lago de Águas Férreas estavam situados bem no meio da mata, nas profundas de um barranco, onde foi erguido, anos mais tarde, o estádio do Pacaembu. Tanto as Águas Férreas quanto a Várzea — localizadas em direções opostas, ambas nas imediações de minha casa — eram lugares absolutamente proibidos aos meninos lá de casa. Proibição estrita, sobretudo de papai, severo e rigoroso no respeito às suas ordens. Quando papai proibia uma coisa, ninguém ousava desobedecer — a não ser Tito, na calada.

A Várzea era um pantanal deserto — hoje Jardim América —, reduto de marginais perigosos.

Nesse dia, para aliviar um pouco minha consciência, ao contrário do que certamente faria, guardei segredo, não contei a ninguém tudo o que havia escutado: os dois iriam caçar nas Águas Férreas, tomar banho nus; levavam lanche para um programa de dia inteiro.

A noite começava a cair, mamãe aflita, de "coração na mão", quando os dois pelintras foram chegando. Traziam uma coruja morta, a cabeça esmagada. O assunto do disco perdeu sua vez, foi superado, entrou em pauta o sumiço dos moleques e a maldade de matarem uma indefesa coruja. A paciência de mamãe se esgotara.

No dia seguinte, logo cedo, Cláudio foi recambiado. Wanda tomou meu lugar — era minha vez de ir à casa de tia

Margarida —, acompanhou mamãe na devolução de minha vítima. Não reclamei, até me senti satisfeita de não ter que ouvir novamente toda aquela lengalenga que, certamente, mamãe repetiria à irmã, reavivando meus remorsos.

Na hora da saída, chamei Cláudio de lado, ofereci-lhe um *Almanaque do Tico-Tico*, acabado de ganhar de José Soares. Havia pensado muito antes de decidir-me a dar-lhe o primeiro almanaque que possuía — o primeiro e único. Cláudio apanhou o presente com a maior indiferença, não estranhou o meu gesto, como se a minha oferta fosse a coisa mais natural do mundo.

LA *DIVINA COMMEDIA*, DE DANTE

Aproveitando a ida do marido ao Brás, dona Angelina resolveu pegar a carona, embora tivesse estado lá na antevéspera; precisava falar urgentemente com a irmã. Havia um problema que a afligia nos últimos dias. Trocaria ideias com Margarida, se aconselharia com ela. Não ia levar menina nenhuma junto, o assunto era reservado e crianças não merecem confiança, andam sempre de orelhas em pé a ouvir conversas que não devem, para depois reportar. A saúde de Maria Negra não melhorara, ela continuava com enjoos, cada vez mais, não podendo nem ficar de pé, nenhum remédio dando jeito. Dona Angelina começava a ter desconfianças… "Será possível, meu Deus?"

Papai deixaria mamãe em casa da cunhada, trataria dos assuntos dele e ambos jantariam com tio Gino e tia Margarida.

Ficamos, pois, as três sozinhas em casa. Tínhamos muito tempo de liberdade pela frente para inventar artes. Wanda lembrou-se de um bom programa: aproveitar a ocasião e mais uma vez abrir o guarda-vestidos de mamãe, o único móvel da casa a ter chave. Como já disse antes, nossa casa não tinha chaves, nem nas portas nem nos armários.

Wanda descobrira havia tempo o esconderijo das coisas proibidas e, sempre que possível, lá íamos nos regalar. Além dos vestidos de mamãe, que não eram muitos, estavam guardados nesse armário, propriedade privada, um mundo de objetos, os mais variados e que atraíam nossa curiosidade: entre outros, havia *bibelots* de biscuit, joias, livros anarquistas, uma belíssima edição italiana, ilustrada por Gustave Doré, de *La divina commedia*, de Dante Alighieri, e um frasco de fortificante, o preferido de mamãe: Ferro Quina Bisléri. Esse remédio tinha gosto de licor; bastante alcoólico, apenas de um ligeiro travo amargo, era uma delícia! Dona Angelina o tomava diariamente, antes das refeições. A nós ela dava a execrável Emulsão de Scott, leitosa, grossa, gosto e cheiro de peixe. Verdadeira mania das mães de então, fortalecerem os filhos, durante o inverno, com óleo de fígado de bacalhau. Só de ver o frasco com o inconfundível rótulo do homem carregando um peixe às costas, bacalhau enorme, quase de sua altura, sentia náuseas.

Costumávamos sempre — antes de começar a exploração no guarda-vestidos, antes de iniciar nossas leituras — tomar um gole do delicioso néctar de mamãe. O frasco passava de boca em boca, bebíamos pelo gargalo, os espertos mamando mais.

Como de hábito, naquela tarde, começamos pelo volumoso livro de ilustrações proibidas. Foi aberto, como sempre, em cima da cama de mamãe, lugar ideal para se folhear um livro tão grande e pesado, quando já nos encontrávamos bastante alegres devido ao licor tomado.

Logo na primeira página, bem no centro, lá estava Dante Alighieri de perfil, rosto magro, uma coroa de louros a circundar-lhe a cabeça, nariz reto e pontiagudo, queixo comprido também. Homem mais sério!

Wanda já nos explicara da primeira vez que Dante, o homem que escrevera o livro, o fizera havia anos... e para termos uma ideia exata do "tempão", ela dizia que o Brasil ainda nem havia sido descoberto, quase trezentos anos antes de Cabral chegar até aqui. Dante Alighieri tivera uma visão durante a Semana Santa e ali, no livro, estava descrito em versos tudo o que então vira e sentira.

Começava pelo Inferno. Conduzia-o, atravessando os nove círculos — Wanda nunca soube nos explicar o que eram os nove círculos: "Nove círculos, ora!" —, um amigo, um poeta muito importante chamado Virgílio — ali estavam os dois na ilustração. Os dois amigos percorreram juntos aquele reduto de suplícios das almas danadas! Um verdadeiro horror! Vera e eu nos assustávamos, ficávamos impressionadas todas as vezes, ao folhear as páginas do Inferno — e quantas vezes já o tínhamos feito? Muitas.

Caras agoniadas por todo o lado, pedindo misericórdia, expressões de sofrimento surgindo em meio à fumaça, crateras de fogo em labaredas: certamente eram os pecadores da terra, condenados para todo o sempre aos martírios das chamas do inferno. O detalhe do sofrimento pela eternidade afora era o que mais me apavorava. Não haveria jeito?

Ao chegarem ao fim do Inferno, antes da subida ao Purgatório, os dois amigos se separavam, o pior já havia passado — os amigos são para as ocasiões difíceis, nos ensinava mamãe —, Dante podia agora continuar sozinho o seu caminho, subir a montanha do Purgatório. Esse era também um caminho difícil a palmilhar, muito sofrimento por toda a parte mas, nem de longe, o pavor do Inferno. Não havia comparação. Era bem diferente.

A subida do Purgatório não foi penosa para Dante. Lá em cima, bem no alto, o esperava Beatrice, sua amada. Ela o aguardava, para juntos percorrerem o Paraíso que ia começar, "*benignamente d'umiltá vestita...*".

Wanda adorava o encontro dos dois namorados. Demorava-se sempre mais tempo nessa imagem do que nas outras. A ilustração de Beatrice, tão linda, esguia, túnica longa, de mãos dadas com seu amor, fascinava a nossa jovem enamorada. Lembrava-se, certamente, de seus encontros com José do Rosário Soares, debaixo da paineira.

Conduzido por Beatrice, Dante percorria a última etapa de sua viagem, seguindo as trilhas do Paraíso, do céu.

Felizmente o Paraíso era a última parte do livro, nos deixando boas lembranças. Quem me dera ir para o Paraíso quando morresse, pensava, no meio daqueles anjos tão lindos, pela eternidade afora!

Vera, grande freguesa do livro, reclamava quando a irmã, indo direta ao seu ponto fraco, lia trechos que a chocavam. Sóbria na linguagem, ela detestava palavrões e conversas de porcaria. Wanda a provocava. Sabia onde encontrar as frases condenadas pela irmã, ia direta a elas. Havia uma que a fazia corar de vergonha e indignação: "*...e aveva un culo che pareva una trombetta!...*".

Outra vez Wanda voltou a provocar a irmã com a dita frase e, como de costume, a reação foi violenta: — Coisa mais sem graça, nem quero ouvir semelhante besteira. — Mas ouvia, não se retirava. — Não entendo como vocês gostam dessas bobagens, Deus me livre!... — Mais revoltada ainda ficou ao ver-me rir com Wanda, às suas custas: — E essa pirralha, aí? Você, como irmã mais velha, não devia deixar ela ver essas coisas, essas figuras indecentes... Se mamãe soubesse uma coisa dessas, você ia ver! Isso não é livro pra crianças — continuava —, só tem homem e mulher pelados, uma pouca-vergonha!

Nem Wanda nem eu demos bola à reclamação. Wanda ria cada vez mais e eu me sentia garantida. Não havia possibilidade de perder aquela mamata, que era uma das compensações ao meu sacrifício noturno, acolitando minha irmã em seu namoro. O livro era indecente? Nem entendia, para dizer a verdade, o que Vera queria dizer com aquilo. Para mim aquele livro era simplesmente maravilhoso — embora me assustasse com o Inferno —, preferia-o mil vezes ao *Tico-Tico*.

Se no livro havia frases que escandalizavam Vera, havia outras que enterneciam Wanda. Uma delas era sempre repetida por ela, onde quer que estivesse: "*Perduto é tutto il tempo che in amor non si spende...*".

ZOLA, VICTOR HUGO, BAKUNIN, KROPOTKIN E OUTROS

Tendo terminado de folhear a *Divina commedia* sobrava-nos ainda muito tempo pela frente para novas incursões pelo guarda-roupa. Mais uma rodada de Ferro Quina... Vera e Wanda abriram as portas do armário de par em par, tiraram de dentro uma pilha de livros. Vera foi lendo os nomes dos autores — quem sabe, entre eles havia algum livro novo para nós? —: Pietro Guóri, autor muito nosso conhecido. Seu livro, reunião de dramas anarquistas, verdadeira bíblia de dona Angelina, bastante manuseado, sempre com marcador de página pelo meio. Dois livros de doutrina anarquista: de Bakunin e de Kropotkin. Néry Tanfúcio, poeta humorístico — muito da predileção de dona Angelina. Ela sabia o volume quase de cor, recitava seus versos espirituosos e críticos a toda hora.

Chegara a vez dos prediletos de mamãe e de minhas duas irmãs: *Os miseráveis* e *Os trabalhadores do mar*. Esses dois volumes estavam gastos de tantas leituras. Mamãe gostava de ler trechos de *Os miseráveis* para os filhos e para Maria Negra. "Livro verdadeiro e muito instrutivo" — dizia.

De Émile Zola, havia três livros: *Thereza Raquin*, *Germinal* e *Acuso!*. Wanda adorava *Thereza Raquin*; Vera, mais puritana, fazia restrições. Eu, que não sabia ler, gostava era mesmo das ilustrações, pelo impressionante, pelo proibido. *Germinal*, só viria a ler, apaixonadamente, anos mais tarde, livro que me marcou muito. *Acuso!* não nos interessava, não era romance, não era ilustrado. Sabíamos, no entanto, tratar-se de livro muito importante, pois nas reuniões proletárias às quais comparecíamos, o Caso Dreyfus — tema de *Acuso!* — era muito lembrado, sobretudo durante a campanha pró-Sacco e Vanzetti. Os oradores faziam comparações entre os dois casos, citavam *Acuso!* como exemplo do que podia ser feito na luta pela verdade, contra a perseguição política e racial.

Zola era um ídolo de todos aqueles italianos anarquistas que chegavam a lhe atribuir a nacionalidade italiana, devido ao seu sobrenome que era pronunciado por eles à italiana: Emílio Zóla.

A mesma tentativa de nacionalização era empregada com Victor Hugo, no pronunciar deles, Húgo. "*Sono oriundi...*" — diziam.

OS SEGREDOS DA FAMÍLIA

Lá no fundo do guarda-roupa encontramos uma velha bolsa de mulher, cheia de documentos. Nunca a tínhamos visto antes. Achava-se atrás dos livros que acabavam de sair do esconderijo e de tal forma repleta que não podia ser fechada, os papéis saltando para fora. Wanda levou a bolsa pra cima da cama de mamãe, despejou a papelada toda sobre a coberta. Ela e Vera iniciaram a verificação dos documentos, desdobrando-os um a um: certidões de nascimento dos filhos, recibos do depósito de cachorros, contas já pagas de água e luz, documento de emigração da família Gattai. Wanda se deteve nesse passaporte enorme, do tamanho de meia página de jornal. Ele sozinho tomava grande espaço da velha bolsa. Ao alto, bem no centro da folha, sobre uma bandeira verde e vermelha — a bandeira italiana —, a coroa do rei da Itália enfeitava o papel.

Wanda iniciou a leitura com grande interesse, em voz baixa. De repente largou o documento, começou a procurar por outro. Esperava achar ali o correspondente ao da família Gattai, o passaporte da família Da Col — família de mamãe. Não estava lá. Encontrou, depois de muitas buscas, a certidão de nascimento de mamãe. Seu rosto iluminou-se:

— Minha gente! Querem saber da novidade? O nome de mamãe não é Angelina. Ela se chama Angela Maria. E ainda mais: o nome completo de papai é Giovanni Ernesto Guglielmo. Quem é que sabia disso?

Vera e eu ficamos um pouco surpresas com a descoberta, Vera mais do que eu.

— Mas será possível? Eu acho mais é que você está inventando — duvidou Vera. — Deixa eu ver esses papéis aí!

Wanda mostrou-lhe em seguida os dois documentos. Ali estavam os nomes, não havia dúvida. Bastante animada com os tragos tomados, Wanda ainda fez outra descoberta: se éramos registrados como filhos de Angelina e Ernesto e essas pessoas não existiam legalmente, nós não havíamos nascido... Eu não me afligi muito com a conclusão de minha irmã pois sempre ouvia contarem fatos de meu nascimento; não podia, pois, duvidar da minha filiação. Quanto a certidões e comprovantes, legais ou ilegais, eu nada entendia do assunto, esses detalhes não me perturbavam.

Bebemos outra rodada, a terceira, proposta por Wanda, do delicioso fortificante, para comemorar a nossa existência. À proporção que o frasco era esvaziado, nossa animação aumentava.

O passaporte de imigração da família Gattai, aberto sobre a cama, era agora lido em voz alta: a família, composta de marido, mulher e cinco filhos, estava autorizada a viajar no navio *Città di Roma*, que partiria de Gênova com destino a Santos — Brasil —, no dia 20 de fevereiro de 1890.

Vera e eu quisemos saber que idade papai tinha naquela época, Wanda começou pelo primeiro da lista: Guerrando, nove anos; Riria, sete anos; Giovanni Ernesto Guglielmo, cinco anos; Aurélio, três anos, e Hiena, nove meses de idade.

Vera admirou-se novamente. Não sabia ter uma tia com nome de fera. Por onde andaria ela? Wanda respondeu-lhe, rindo, que a tia estava com os anjinhos. Sabíamos da existência de tia Rina, aliás sabíamos que ela já havia morrido. E essa agora! Uma tia chamada Hiena? A mim, o que mais surpreendeu não foi a descoberta de uma tia nova com nome de bicho e sim o fato de não estarem na lista de passageiros os nomes de tia Dina e de tio Remo, irmãos mais moços de papai. Wanda sabia das coisas e explicou-me que ambos haviam nascido no Brasil, eram nossos tios brasileiros.

Àquela altura dos acontecimentos, as marcas do álcool já se faziam presentes, estampadas no rosto de Vera: duas rodas vermelhas circundavam seus olhos e parte do rosto. Isto sempre lhe acontecia ao tomar vinho ou outra bebida alcoólica qualquer. Certamente se tratava de alergia, mas naquela época essa palavra, ou antes, essa doença, não era conhecida. Em casa pilheriávamos dizendo, em dialeto vêneto, que aquela era a marca *dei chuquetoni*, ou seja, dos bêbados.

— Inda bem que Angela Maria e Giovanni ainda demoram a chegar! — exclamou Wanda às gargalhadas (gargalhada de *chuquetona*) ao verificar o rosto esfogueado da irmã. — Iam descobrir logo que caímos na farra, às custas da cachaça de mamãe, quando batessem os olhos na cara de palhaço da Vera!

Rimos de perder o fôlego, e até Vera, de pouco humor em relação a brincadeiras com ela, riu, mostrou que também tinha espírito:

— Don'Angela e Guglielmo voltam tarde, hoje, graças a Deus! Vão acabar com a polenta de tia Margarida!

Novas gargalhadas festejaram a estreia dos novos nomes a serem aplicados aos pais, daí por diante.

NÃO HÁ DOIS SEM TRÊS

Ao regressar do Brás, naquela noite, mamãe continuava na dúvida cruel. Confabulara a tarde toda com a irmã, sem contudo chegarem a uma conclusão: se era ou se não era. A única coisa de positivo que trouxera fora um ramo de losna, dado por tia Margarida, para uma última experiência: se Maria Negra não sarasse com o chá de losna, então... podia tomar outras providências.

Que santo remédio a losna! Tia Margarida não acreditava noutro para seus males. Barato — não lhe custava nada — e eficiente. Curava-lhe as indisposições de estômago e fígado. O arbusto, plantado numa lata de banha vazia junto à porta da cozinha, no corredor externo, bastava esticar a mão e apanhar umas folhinhas. O resultado era tiro e queda: tomar o chá e a dor passar. Não importava ser amargo como fel. Até já se habituara a ele, ao seu horrível paladar. Em compensação, a erva-cidreira, a malva-cheirosa, a camomila, a erva-doce e o alecrim, também cultivados em latas, davam chás deliciosos e de efeitos positivos, cada qual em sua especialidade.

Chegando em casa, mamãe dirigiu-se diretamente à cozinha; precisava preparar a tisana o quanto antes. Maria Negra devia tomá-la antes de dormir.

— Ela comeu alguma coisa? — perguntou à Wanda.

— Tomou um prato de sopa, deitada mesmo.

— E não vomitou?

Quem sabe já não estava boa? Mamãe nem podia acreditar...

O fogão estava apagado, as brasas transformadas em bolotas de cinza branca.

Serviu-se de pequena espiriteira, sempre à mão, para ocasiões de emergência.

Chamou Wanda, pediu-lhe que fosse levar o chá à moça.

— Se eu for ela vai me sair com um quente e outro fervendo, você sabe como ela é malcriada comigo. Com você é diferente.

A filha recusou-se violentamente a incomodar a moça. Um verdadeiro absurdo acordá-la para impingir-lhe uma peste daquelas... Vai vomitar as tripas, devolver toda a sopa que tomou. Tenha paciência, mãe, mas eu sou contra.

Tia Margarida havia aconselhado e ela também era de opinião que deviam fazer a experiência. Já que Wanda se obstinava a não obedecê-la, ela mesma iria. Arriscaria levar desaforos pelas fuças. Paciência.

Dirigia-se para o quarto da empregada levando a xícara, quando a filha mais uma vez interveio:

— Não vai adiantar nada, mamãe! Deixa a moça dormir sossegada...

— Como não vai adiantar nada? O que é que você sabe? Você sabe alguma coisa?

Até então não se atrevera a interrogar a filha; acanhava-se de perguntar-lhe sobre um assunto tão delicado. Mas Wanda agora vinha espontaneamente lhe garantir, com tanta certeza, que o chá não ia adiantar nada...

A moça desconfiava mas não queria envolver-se. Sabia apenas — mas não disse à mãe — que Maria Negra continuara a visitar a Casa da Velha em companhia do namorado, mesmo sem chuvas nem temporais.

— Posso entrar, Maria?

Uma voz apagada, suave, respondeu:

— Entre, dona Angelina!

— Olha aqui um chazinho de losna para você. Ele é amargo mas vai te deixar boa. Margarida toma sempre, e ai dela se não tivesse esse santo remédio!... Foi ela quem te mandou. Tome.

— Deixe aí em cima, dona Angelina. Eu tomo já.

A patroa estava encantada e surpresa com as boas maneiras da empregada. Tão educada, tão delicada, irreconhecível...

Deixou a xícara sobre o criado-mudo ao lado da cama estreita.

— Eu volto daqui a pouco. Veja! Ainda nem tirei o chapéu! — Riu dela mesma.

— Muito obrigada, dona Angelina.

Ao voltar, minutos depois, para apanhar a xícara, deu-se conta de que o seu conteúdo havia sido despejado no urinol. Havia respingos no chão. Não reclamou, fez de conta que não viu.

A observação da filha não lhe saía da cabeça. Wanda devia estar ocultando o que sabia. Não adiantava insistir. Puxara ao pai, não falaria, teimosa como ela só! O melhor a fazer era apertar a enferma de vez e isso seria feito pela manhã. Margarida lhe alertara que havia um prazo curto para reclamar e dar parte à polícia, caso o malfeitor se recusasse a assumir a responsabilidade do erro. Ou casava ou ia para a cadeia. Afinal de contas, Maria Negra ainda era menor, não completara vinte e um anos. Logo cedo faria o interrogatório. Estava decidida.

Pela manhã, enquanto papai lia o jornal, mamãe dirigiu-se ao quarto da empregada, disposta a tirar tudo a limpo de uma vez por todas. Entrou direta no assunto:

— Você sabia, Maria, que quando um rapaz faz mal a uma moça ela tem o prazo de vinte dias para reclamar? — recitara de um fôlego a frase escolhida e decorada desde a véspera.

Recebeu como resposta apenas pranto e soluços, nenhuma palavra. Maria Negra acabava de confirmar suas suspeitas.

— Foi o Luiz da farmácia? — dona Angelina indagava o óbvio, talvez para aproveitar a maré mansa da empregada que lhe permitia perguntas.

Sempre chorando, Maria confirmou com a cabeça.

— Vou falar com o Ernesto, a gente dá um jeito nisso. Hoje mesmo vamos chamar o moço aqui. Não se aflija mais, tudo vai dar certo.

Saiu do quarto, ainda abalada com a dura certeza. Papai, que até então lia debruçado sobre o jornal, levantara-se de repente, chamando-a aflito:

— Angelina, veja só que desgraça!

Mamãe espichou o olho para a fotografia do jornal, indicada pelo marido, leu a manchete: TRUCIDADOS POR LADRÕES OS DONOS DO RESTAURANTE QUÁGLIA, NO ALTO DA SERRA. Mais abaixo: AS SUSPEITAS RECAEM SOBRE UM EX-GARÇOM...

Lá estavam eles, os coitadinhos, estirados, no chão, mergulhados em poças de sangue... Mais abaixo a fotografia do casal ao chegar ao Brasil.

Atônita, mamãe recorreu ao vasto estoque de exclamações piedosas:

— Oh! *Dio mio! Mamma mia! Madonna mia santíssima!* Que coisa mais horrível! Quanto banditismo neste mundo!

Papai estava pálido, como jamais o vira. Estivera havia dois dias no restaurante com as vítimas. Passara lá em companhia de Guilherme Giorgi e outros, a caminho de Santos. Na ida, como sempre faziam, pararam no Quáglia para tomar alguma coisa e encomendar o jantar para a volta. Que preparassem umas coisinhas, lá estariam às oito horas mais ou menos. A senhora Quáglia, cordial como sempre: "*Ci penso io*", saíra direta para o galinheiro, escolheria uns franguinhos no ponto para aqueles glutões.

Na volta, a neblina os pegara na raiz da serra. Subiram com grande dificuldade aquelas curvas íngremes, beirando precipícios, lentamente, parando muitas vezes, não enxergando um palmo adiante do nariz, arriscando a vida.

Cheios de fome, chegaram ao restaurante já bastante tarde. Uma grande decepção os aguardava: o restaurante fechado, as luzes apagadas, tudo no mais completo silêncio. Bateram palmas, chamaram, subiram ao terraço e bateram na porta. Nenhuma resposta. Estranharam, não era hábito dos Quáglia encerrarem o expediente àquela hora, além de tudo sabendo que os fregueses cedo ou tarde chegariam para jantar. Essa não era a primeira vez que acontecia chegarem fora de hora... Papai ainda arrodeou a casa, tropeçando no escuro, chamando pelos donos do restaurante. Nada. Por fim desistiram. Agora estava tudo explicado. Papai refletia enquanto contava o sucedido: isso mesmo! Não havia dúvida!

No domingo, às onze horas, quando passaram por lá, o crime já havia sido praticado, talvez os ladrões ainda estivessem dentro da casa, os corpos das vítimas caídos no chão, quem sabe, ainda com vida?

Horrorizada, mamãe ouvia as considerações do marido. E se ele tivesse sido atacado ao dar a volta à casa? Nem queria pensar em semelhante coisa. Somente naquele instante ela tomava conhecimento dos passos do marido naquele triste domingo. Emburrara, como sempre, ao vê-lo partir em companhia daqueles "farristas", os ciúmes corroendo-lhe o coração.

No domingo anterior ele nos havia levado a Santos; Guilherme Giorgi levara também sua família.

GUILHERME GIORGI

Guilherme Giorgi, abastado dono de cotonifícios, apareceu pela primeira vez na oficina de seu Ernesto logo que ela começou a funcionar, quando o telhado que cobria o barracão era ainda de zinco e onde apenas ele labutava, sem bigorna nem malho, tendo apenas como material de trabalho uma pequena caixa de ferramentas, muita saúde, braços fortes e enorme vontade de vencer na vida. No início, Guilherme Giorgi apareceu como simples cliente, depois tornou-se amigo. Temperamental, estourado — não dizia duas palavras sem encaixar uma blasfêmia pelo meio — mas com rasgos de generosidade, um homem bom. Encontrou no mecânico o companheiro ideal para acompanhá-lo em suas viagens: equilibrado, calmo, agradável e eficiente. Com o Gattai ao lado não havia perigo de pernoitar na estrada com o carro enguiçado.

PRIMEIRO CONTATO COM O MAR

Quando Guilherme Giorgi chegou naquele começo de manhã, o carro repleto, a família toda participaria do passeio, nós já estávamos instalados no nosso automóvel. A excitação entre a criançada era enorme. Aquela seria nossa primeira viagem a Santos. Nunca tínhamos visto o mar.

O automóvel de papai era grande e bonito, capota de arriar, e, além dos bancos normais, tinha dois banquinhos — ai, os banquinhos! — duros e desconfortáveis, destinados aos menores. Havia lugar para todo mundo e ainda sobrava espaço para a quantidade enorme de cobertores e travesseiros que dona Angelina levava nos passeios domingueiros. Sempre esfriava na volta e, com a mania de velocidade de papai, o vento enregelava a gente. Mamãe era precavida.

Ao chegarmos ao alto da serra, paramos no Restaurante Quáglia — demora obrigatória para os preparativos —, e enquanto os adultos lá dentro se regalavam com os petiscos preparados na hora, acompanhados de vinho, corri em companhia de Adelina e Alfredo, os filhos mais novos dos Giorgi, para os balanços. Adelina, pouco mais nova que eu, era menina bonita, sempre bem-vestida — usava luvas e isso me encantava —, a caçula da casa, mimada pelas irmãs mais velhas, Amélia e Brasilina, e pelos pais. Brincamos muito nas gangorras e nos balanços, corremos atrás de uns patos brancos. Tito ficou de camaradagem com Alfredo e César; Júlio, Rogério e as moças preferiram a companhia dos mais velhos.

Antes de continuarmos a viagem foi encomendado o jantar para a volta. Almoçaríamos na casa de sobrinhos dos Giorgi, em Santos.

Logo depois do Restaurante Quáglia, começava a descida da serra. A mata densa, de um misterioso verde-escuro, chegava às vezes ao preto. De vez em quando uma cachoeira iluminava a paisagem, alegrando a vista. Tudo era novo para mim. Na tabuleta à beira da estrada, uma caveira pintada e a indicação que meus irmãos leram animados: curva da morte a quinhentos metros. Passamos por muitas outras curvas perigosas antes de chegar à raiz da serra.

Começava agora o Cubatão, outra paisagem inédita para mim: quilômetros e quilômetros de bananeiras plantadas em terreno úmido acompanhavam a estrada até chegar a Santos. Admirou-me o tamanho dos cachos de bananas, imensos, quase encostando no chão, sustentados por minúsculas bananeiras-nanicas...

Entramos em Santos pela praia do Gonzaga, cheia de hotéis. Depois vieram as de José Menino, Ilha Porchat, São Vicente, papai apresentando-as aos filhos, contente com as reações de admiração das crianças. Na praia do Gonzaga mudamos a roupa num hotel e, enquanto os pais ficaram bebericando no bar do terraço, na calçada, corremos para as ondas. Estranho ouvir o marulhar das águas! Em casa havia um caramujo enfeitando a cômoda do quarto de mamãe; encostando-o ao ouvido escutava-se uma espécie de eco que diziam ser o barulho do mar.

Atordoada com o vaivém das ondas quebrando na areia, a água a correr rápida, tive de sentar-me para não cair, a cabeça girando... girando...

Sol ainda alto, papai aconselhou que regressássemos. Traiçoeira, a neblina na serra não tinha hora para baixar, e no escuro, à noite, as coisas se complicavam, a falta de visibilidade não era brincadeira. Com muita pena, iniciamos a volta.

Chegamos com dia claro ao Restaurante Quáglia. Prossegui nos folguedos da manhã, brinquei até o escurecer.

Enquanto esperávamos que o jantar fosse servido, pediram que eu recitasse. Meu repertório era grande. Wanda ensinava-me poesias, em português e em italiano, preparando-me para qualquer emergência.

Conhecida e famosa entre os amigos de papai, pelas minhas qualidades declamatórias e pela boa memória que possuía, frequentemente ganhava umas moedas, como recompensa, após os recitativos. Dividia os lucros com Wanda, minha sócia, mas às vezes ela me embrulhava, ficando com o dinheiro todo.

Naquele dia eu estava de repertório novo. Minha irmã me fizera decorar na véspera, a toque de caixa, ao saber de nossa viagem e de um possível "recital", uma poesia italiana, muito triste. Era a história de uma menina cuja mãe morrera mas ela continuava a esperá-la todos os dias, sentadinha na soleira da porta de sua casa. A poesia começava assim:

Fanciulla, cosa fai su in quella porta
chi guardi così lontano per quella via?

Colocaram-me de pé sobre uma cadeira, chamaram a senhora Quáglia, que largou seus afazeres para assistir à menina recitar a poesia italiana; mamãe, ao meu lado, serviria de "ponto" caso eu engasgasse; apreensiva, nervosa, ela explicava — quase pedindo desculpas aos presentes — que a menina aprendera a poesia na véspera...

Ao terminar meu recitativo, colocando o pranto na voz:

Tornano i fiorellini ai vasi miei
tornano le stelle
e tornerà anche lei...

reparei que mamãe se emocionara, esforçava-se por não chorar. A sra. Quáglia devia ser também muito emotiva, pois de seus olhos marejavam lágrimas. Beijou-me e, antes de partirmos, deu-me chocolates e uma linda maçã perfumada. Seu Giorgi meteu a mão na algibeira, puxou uma libra esterlina e me ofereceu. Desta vez Wanda não tirou seu quinhão. A moeda de ouro foi trocada num banco por vinte mil-réis, o bastante para comprar uma boneca Lenci, ruiva, lindíssima, que recebeu o nome de Carlota. A boneca de minha infância.

TRUCIDADOS

Havia pouco mais de uma semana, eu brilhara lá no Quáglia, recebendo carinhos da pobre mulher tão cheia de vida, tão gentil... Agora a via na foto do jornal, morta.

Vera, que saíra logo cedo para a rua, entrou de repente. Perplexa ao ver o movimento na sala, rostos contrafeitos, comentários... Por que fora sair? Algo acontecera na sua ausência. O que teria sido? Tive pena de Vera. Perdera o melhor: a emocionante narrativa de papai sobre a noite do trágico domingo.

Sem dizer palavra, cutucando o braço da irmã, Wanda apontou com o dedo o jornal aberto sobre a mesa. Com sofreguidão Vera mergulhou no noticiário; ao terminar a leitura, com sua voz forte, exclamou:

— Trucidados, hein!

Talvez por estar tão chocada, ao ouvir o vozeirão da filha mamãe desatou a rir e nós a acompanhamos.

O assunto Maria Negra passara para segundo plano. Mamãe não desejava, de jeito nenhum, sobrecarregar o marido com mais um problema. Aguardaria até o dia seguinte, quando o ambiente se desanuviasse um pouco, havia tempo de sobra para tomarem as providências necessárias.

Todos voltaram aos seus afazeres quando, de repente, mamãe foi assaltada pela superstição corrente e universal: "Não há dois sem três. O que acontecerá ainda, meu Deus do céu?".

Não foi preciso martirizar-se por muito tempo. Por volta de meio-dia bateram palmas ao portão: mamãe espiou pela janela da sala de jantar.

— Moça — era um homem avisando —, seu cachorro foi atropelado...

Saímos todos correndo. Lá estava Flox estendido no meio da rua, ensanguentado, morto. Um carro passara sobre sua cabeça quando procurava fugir dos laçadores da carrocinha de cachorro.

REFLEXÕES SOBRE O SOFRIMENTO

Quanta confusão de sentimentos, que mal-estar naquela terça-feira. Não conseguia livrar-me da angústia a me sufocar.

Muito cedo eu aprendera na própria carne que nem tudo na vida é riso e que muitas coisas más existem no mundo a nos fazer sofrer, todas elas detestáveis: ciúmes, remorsos, saudades, injustiças, humilhação, ódio, raiva...

Inaugurei a série chorando magoada por achar que mamãe não gostava de mim. Deixara-me em casa, levando Hilda de dona Regina em meu lugar ao cinema. A causa de minha mágoa era dupla: ciúme e injustiça. De outra vez foi o tormento do remorso, ao permitir que meu primo Cláudio fosse responsabilizado pelo desastre com o disco de mamãe, o da "Serenata" de Schubert, naquela noite, encolhida na cama, ao ouvir a confissão do inocente sofri muito, muito mesmo. Depois restou a morrinha do remorso a me maltratar. Ainda na última segunda-feira, ao regressar do Brás, mamãe dissera que Cláudio, proibido pela mãe, não voltaria tão cedo à nossa casa. Ainda uma vez a sensação ruim de remorso a me cutucar. Chorei muito quando Zina morreu, sofri. Não a vi morta e creio que por isso mesmo não pude realizar, dar-me conta do que significava exatamente a morte. Restou-me a tristeza e a saudade. O desaparecimento trágico dos Quáglia, havia pouco, causara-me grande choque. Sentia ainda na boca o gosto da deliciosa maçã que a senhora Quáglia me oferecera... Tive ódio do assassino, pensei em vingança, em punições terríveis para o criminoso quando o apanhassem... Remoí tanto essa ideia de vingança que em vez de me aliviar, atormentei-me ainda mais.

Ajoelhada, agora, ao lado de Flox morto no meio da rua, experimentei a dor maior, a dor da impotência diante da morte. Meu cão ali estava e já não existia. Em torno, juntavam-se curiosos. Alguns paravam rapidamente, olhavam e seguiam seu caminho, na maior indiferença, nada de mais havia acontecido... Eu chorava, consumida de tristeza, quando ouvi o comentário de um homem apressado: "...não foi nada, não! É um vira-lata que morreu atropelado...".

PICOLINA

Sem Flox me senti desamparada. Faltava-me a companhia de um animal de estimação: tínhamos o Zero-Um, mas a esse nunca me apeguei, cachorro mais bobo! Quase me afeiçoei a uma cadelinha de raça maltesa, mas ela demorou pouco em nossa casa.

O animalzinho fora encontrado vagando pelas ruas, sem rumo certo, uma orelha enorme inflamada, contrastando com seu corpo, pequeno. A ferida aberta purgava.

Dado seu tamanho, a princípio pensamos tratar-se de um filhote. Como de hábito, mamãe se encheu de pena e a recolheu. "Gente sem coração, abandonar na rua um bicho nesse estado!..." Cadelinha linda, de pelos lisos e sedosos, bege quase rosa, parecia de brinquedo. Depois de examinar bem a ferida, dona Angelina deliberou: "Vou salvar essa pobrezinha". O mau cheiro exalado pela chaga não permitiu que o animal fosse levado para dentro de casa. Ficou isolado no galinheiro, um caixote forrado de trapos velhos lhe servindo de casa.

Depois de estudar várias bulas de pomadas, mamãe acabou optando pela Pomada de São Lázaro, declarando: "Especial para o caso dela...". Tratada como manda o figurino, a cadela começou a melhorar a olhos vistos. Com uma semana de curativos diários o mau cheiro sumiu, a ferida cicatrizava.

Entusiasmada com o resultado de seus esforços, grata ao "milagroso" medicamento, dona Angelina resolveu mandar uma carta de agradecimento ao laboratório que produzia a pomada.

— Quem vai escrever esta carta para mim? — dirigia-se às duas filhas mais velhas.

— Ah! Eu é que não vou! — recusou-se Vera. — Escrever para um laboratório, pra gente que nem conheço? A senhora nem sabe o nome do homem de lá, sabe? E para dizer como? Senhor Laboratório? Eu não! Só de pensar numa coisa dessas, morro de vergonha...

Desistindo de Vera, mamãe se voltou para o lado da outra filha, mas não precisou dizer nada, Wanda se adiantou:

— Olhe, mãe. A senhora não acha que é perder tempo

à toa? Sem saber para quem dirigir a carta... o que é que vai pôr no envelope? Não, tenho muito o que fazer...

— Pois então, já que não posso contar com minhas próprias filhas — frisou bem a palavra "próprias" —, eu mesma vou escrever e vou receber resposta. Vocês vão ver, suas mal-mandadas!

Sentada junto à mesa, papel, caneta e tinteiro em frente — a lápis seria mais fácil mas não ficava bem —, iniciou a difícil tarefa: "Ilmo. senhor... vocês acham que eu devo usar o Ilmo., ou é demais?" — consultou Vera e Wanda que se divertiam ao ver o embaraço da mãe. "Bem, eu acho que vou cortar o Ilmo. e vou pôr Exmo. snr., o que é que vocês acham?" — pediu opinião humildemente. "É assim que está escrito nos envelopes de reclames que mandam para o Ernesto, andei vendo..." "Que reclames são esses, mãe?" — riu Wanda, esboçando um ar de dúvida. "Ora!" — irritou-se dona Angelina. "Da Dunlop, da Pirelli, do Auto-Asbestos, da Texaco, do Mestre e Blaget... chega, ou quer mais?"

Não desistindo de sua intenção, dona Angelina voltava à carga diariamente, agora sem buscar ajuda, pois riam de sua obstinação. Empreitada difícil escrever uma carta sozinha, mas chegaria lá. Desistiu do Ilmo. e do Exmo. snr., resolveu começar simplesmente por Senhores: "Senhores donos do laboratório que faz a Pomada de São Lázaro. Encontrei penando na rua uma cadelinha com uma orelha purgando de fazer dó...". Levou uma semana inteira para chegar a esse começo de conversa e inutilizou não sei quantas páginas de um caderno escolar.

O estado de Picolina — mamãe lhe dera esse nome e ela abanava o rabo ao ouvi-lo, até parecia que sempre se chamara assim — melhorava e ela já fora levada para dentro de casa. A gratidão da bondosa enfermeira aos donos da

São Lázaro já não tinha tamanho. "Preciso acabar de escrever esta carta...", repetia, escondendo o borrão já bastante adiantado, para que as meninas não o lessem. Para ela era um ponto de honra terminar aquela carta, dando seu testemunho sincero e grato.

Mas... um belo dia, pela manhã, para desgosto e frustração de mamãe, Picolina foi encontrada morta em seu caixote, a orelha praticamente curada. Morrera de velhice.

MINISTRO

Agora, só me restava Ministro. Ministro era o nome de meu gato. Aliás, ele não era propriamente meu gato e sim o gato da família.

Não sei quem o batizou, mas quem o fez não acertou na escolha do nome, pois Ministro não tinha ar importante, muito pelo contrário. Seu nome podia ter sido: Praxedes, Pafúncio, Belezoca ou Meu Bem; nenhuma diferença teria feito, pois ele jamais atendeu pelo nome. Aliás, não atendia a ninguém. O único som a atraí-lo era o do facão de cortar carne sobre a tábua, na cozinha. Ia se chegando mansamente e aguardava — sem pedir, sem miar; talvez lhe sobrasse, daquele movimento, uma boa pelanca ou até, quem sabe, um pedaço de carne. Mas, mesmo que não sobrasse nada, ele não reclamava, virava as costas, dava o fora mansamente, do mesmo jeito que havia chegado.

Ministro era um gato magro e alto, amarelo-malhado, mais para feio do que para bonito. Eu o considerava a única pessoa livre de nossa casa, não respeitando leis nem horários, não obedecendo a ninguém, dono de seu nariz. Não tinha hora para dormir nem para acordar, dormia onde e quando melhor lhe apetecia.

De noite, de preferência nas noites de lua cheia, vagava pelos telhados a mariscar. Ouvia-se então seu brado de ataque: um miado longo e doloroso a preceder o embate. Devia ser bom na queda, pois o bairro andava minado de gatinhos amarelos...

Às vezes voltava pela manhã, todo rebentado mas satisfeito. Eu creio que voltava satisfeito, pois lavava-se todinho, lambendo a pata e passando-a pelo corpo. Aliás, ele usava a pata somente nos lugares onde sua língua não podia alcançar, como atrás das orelhas, por exemplo. Um gato sério. A única brincadeira que Ministro se permitia, às vezes, era a de esticar discretamente a pata tentando alcançar o novelo de lã do crochê de mamãe, quando, por acaso, caía ao chão rolando para o seu lado. E só.

Para não dizer que nunca lhe aconteceu nada de mais, uma vez aconteceu. Certa noite, ao tentar caçar pombinhos num quintal da vizinhança, levou um tiro de sal, que o atingiu na cauda. Apareceu sangrando e passou muitos dias com o rabo besuntado de pomada, enfaixado e manchado de tintura de iodo dos curativos diários feitos por dona Angelina.

Nem sei por que não falei antes em Ministro, tendo sido ele um personagem com quem privei durante toda a minha infância. Sua presença era quase neutra mas, inegavelmente, fazia parte do *décor* da casa.

Creio que ao nascer já o encontrei à minha espera. Viveu anos e anos em nossa companhia, sem nos dar tristezas nem alegrias, mas completando o todo de nossa vida familiar.

Hoje, passados tantos anos, eu o recordo com carinho e com saudade. Saudade de meu gato, que, aliás, não era propriamente meu mas sim de minha família. E seria ele, realmente, da família?

ADEUS, MARIA NEGRA!

A casa se movimentava em função do próximo casamento de Maria Negra. Não fora difícil fazer o acerto com Luiz, o sedutor. O pobre tremia que nem vara verde ao ser chamado às falas por papai. Não tentou fugir à responsabilidade, estava disposto a reparar o mal. Seu ordenado era pequeno mas teriam lugar para morar. Sua mãe, viúva, tomava conta de uma chácara na avenida Rebouças, onde viviam, e, "onde comem dois, comem três...".

A alegria voltou a sorrir nos lábios de Maria Negra e até o mal-estar da gravidez melhorou bastante.

Na loja Dos Irmãos Três, de seu Salim — na impossibilidade de registrar o nome de sua casa comercial com o nome de um dos mais famosos magazines de tecidos de São Paulo, Casa dos Três Irmãos, seu Salim invertera a ordem das palavras —, dona Angelina comprou uma peça de cretone, algumas toalhas de banho e outras de rosto. Ela mesma cortou o cretone e embainhou os lençóis à máquina, fez as fronhas. Não ia deixar a moça sair de casa com uma mão na frente e outra atrás.

De repente dei-me conta de que tudo estava errado. Qual o motivo do meu entusiasmo? Não refletira sobre o assunto: com o casamento, dentro de alguns dias, Maria Negra nos deixaria, iria embora... Eu devia estar triste e não alegre.

Nas vésperas da cerimônia, mamãe tomou a última providência: foi ao armazém de seu Henrique Nanni e fez um grande sortimento de mantimentos; pelo menos nos primeiros tempos, Maria Negra não passaria necessidades...

Todos incorporados, a noiva, mamãe e as três filhas, fomos levar o enxoval e os alimentos para a nova residência de Maria Negra. À última hora mamãe pediu ajuda aos meninos, pois havia coisas demais a carregar e automóveis não desciam a avenida Rebouças.

Andamos uma boa meia hora, por trancos e barrancos, antes de chegar ao nosso destino. A velha futura sogra de Maria Negra tinha ar doentio, aspecto de mulher sofrida.

A chácara era toda plantada de árvores frutíferas, predominando as laranjeiras e os pessegueiros. Mamãe verificava tudo com atenção. Encantou-se com a horta de couves e chicórias. Havia também muito pé de mandioca. Luiz, ao falar com papai, chamara a atenção para a fartura de mandioca que lhes garantia parte da alimentação. Achei engraçada, um tanto pernóstica, a maneira como ele se referiu a "um frangozinho de vez em quando".

Casa miserável, uma tapera: dois quartinhos acanhados, cozinha caindo aos pedaços e a privada fora, lá longe. Mamãe fazia tanta careta ao constatar aquela miséria! Não conseguia disfarçar... Cochichou para Wanda, ao ficarem um momento a sós:

— Coitada da Maria! Com tanta prosa, agora é que ela vai conhecer o que é bom!...

CASA VAZIA

Que tristeza, que desolação, que casa mais vazia! Maria Negra partira e nos deixara a todos órfãos de sua presença enérgica e carinhosa.

Ficou decidido que ela não seria substituída por outra empregada. As meninas já estavam crescidas e podiam muito bem dar conta do recado.

As tarefas foram distribuídas: mamãe continuaria a cuidar das roupas (e já era muito) e do jardim. Wanda seria efetivada como mestre-cuca, tendo Vera de ajudante. Ambas cuidariam de todos os serviços da casa e eu — também entrei na dança — auxiliaria nos trabalhos leves. Fui encarregada de arrumar a sala de jantar pela manhã, arrumar a mesa do almoço — Tito arrumaria a do jantar. Faria as compras no armazém de seu Henrique — mil vezes por dia para cima e para baixo, pois em lugar de comprar tudo de uma vez, iam se lembrando aos poucos. Repetiram um ditado que me fazia morrer de ódio: "Serviço de criança é pouco, mas quem não aproveita é louco!". Eu ainda fora encarregada de enxaguar e enxugar os talheres do almoço e do jantar. Não me incumbiram dos pratos e das travessas com medo que os quebrasse. Ainda bem! Francamente, não gostei dessas novas obrigações. Detestava, ao contrário de minhas irmãs, tão trabalhadeiras, os serviços caseiros. Certamente havia puxado à mamãe.

O ARMAZÉM DE SEU HENRIQUE

Wanda inventava pratos novos, vivia às voltas com receitas. Eu já andava cansada de tanto ir e vir ao armazém de seu Henrique, embora o ambiente lá fosse agradável, às vezes até divertido. O filho mais velho de seu Henrique, Hugo, jogava futebol no Palestra Itália, e na venda se reuniam, na hora do almoço, fanáticos do "rude esporte bretão" para discutirem, acaloradamente, os jogos passados e os que estavam por ser realizados. Eu não entendia muito de futebol, mas torcia pelo Palestra Itália por dois motivos: por causa de Hugo e pelo ordenado recebido semanalmente de seu Pistorezi, cliente e amigo de papai, que me pagava quatrocentos réis todos os domingos para que eu torcesse por seu time.

Num domingo pela manhã eu brincava de esconde-esconde na rua, com umas meninas. Bem escondidinha atrás de um portão velho, ninguém conseguindo me achar, quando de repente, por uma fresta, divisei seu Pistorezi passando pelo lado oposto da minha calçada. Não titubeei, era domingo, dia de receber meu ordenado. Saí do esconderijo e corri para ele. As meninas feito bombas, a gritar que haviam me descoberto, e eu nem ligando. Parei a marcha de seu Pistorezi com a frase indispensável para fazer jus à moeda: "Viva o Palestra Itália!". Ele riu satisfeito, meteu a mão no bolso, e lá me fui com os quatrocentos réis à Confeitaria Bussaco, gastá-los em balas, abandonando a brincadeira.

Hugo e eu éramos amigos. Tivera uma paixonite aguda por Wanda, antes de seu namoro com Zé Soares. Wanda retribuíra os olhares, lia os bilhetes de amor levados por mim, guardava os presentinhos que o jovem lhe mandava, até o dia em que foram soprar aos seus ouvidos que seu galã andava arrastando as asas a uma pianista de cinema. Sem pensar duas vezes, a bela traída juntou mimos e bilhetes, escreveu duas lacônicas linhas numa folha de papel, despachando o inconstante; lá me fui, saia levantada na frente, servindo de bolsa, os trecos lá dentro, o "bilhete azul" na mão. Na presença de seu Henrique, que se encontrava na ocasião, de Antônio e de Fúlvio, irmãos de Hugo, despejei a encomenda, que trazia dentro da saia, sobre um saco aberto de feijão; *bibelots*, cortes de vestidos, e outras miudezas misturando-se ao cereal.

Terrivelmente encabulado, e sobretudo triste, Hugo ainda tentou provar sua inocência, mas não foi ouvido.

Minha tarefa de correio sem selo, no entanto, não parou aí. Fui portadora, tempos depois, de missiva de amor e ciúme do inconformado Hugo, ao saber que a ingrata andava de linha com um cara da festa do Calvário.

Mão esquerda enfaixada, a carta fora escrita com sangue,

sangue de um talho feito a navalha, por ele mesmo, como prova de amor. As letras rosadas eram quase ilegíveis. Acompanhavam a missiva versos de uma canção composta pelo próprio Hugo, para ser cantada com música de uma valsa muito em voga:

Ingrata, eu sempre te amei
nunca pensei na traição...

Não adiantou carta de sangue, não adiantou valsa de amor e sofrimento, a obstinada não voltou atrás.

ENFRENTANDO PAPAI

Já era quase meio-dia quando Wanda mandou que eu fosse buscar azeitonas no armazém de seu Henrique; preparava um prato de berinjelas para o almoço, receita nova, especial, dada por Ida Strambi. Sobre as berinjelas — cozidas e amassadas —, enfeitando a travessa, seriam distribuídas rodelas de cebola e no meio de cada rodela uma azeitona preta. Em casa havia azeitonas verdes, mas essas não serviam, não combinava o verde com verde, não sobressaía. Wanda era exigente, "a aparência vale muito na apresentação de um prato".

Ao chegar ao armazém, encontrei o ambiente em plena ebulição: vários fanáticos empenhados numa discussão sobre futebol. Comentavam a atuação de Friedenreich no último jogo, a maioria louvando "o maior goleador de todos os tempos, maravilhoso, absoluto...", uns poucos discordando aos gritos... Na esperança de que o bate-boca terminasse em bofetões, instalei-me comodamente sobre uma pilha de sacos de arroz e aguardei sem pressa.

A família já almoçava quando regressei com meu pacotinho de azeitonas pretas. Apavorei-me. Papai era estrito em certas coisas: não admitia, por exemplo, que alguém estivesse ausente nas horas de refeição. Além de levar enorme pito, o faltoso ficava sem comer.

Fui recebida com um berro de papai:

— A senhora não sabe que na hora do almoço deve estar em casa?

Quis explicar-lhe — o quê, nem sei — mas ele não permitiu:

— Cale a boca! Quando eu falo não admito respostas...

— Mas, papai!

— Cale a boca, já disse...

— Mas...

— Cale-se!...

Senti-me invadida por um sentimento de revolta, veio-me à cabeça uma frase anarquista que ele gostava muito de recitar. Não vacilei, levantei-me da mesa, encostei-me à porta e larguei o verbo, com a mesma entonação com que havia aprendido, com o mesmo dedo em riste que ele empregava:

— *Quando la forza e la ragion contrasta, vince la forza, la ragion non basta!* — e escapuli-me pela casa adentro.

Preparada para receber a primeira surra de meu pai, fiquei esperando lá no quarto de mamãe. Eu abusara desta vez, excedera-me, enfrentando-o. Quem teria a coragem de afrontá-lo daquela maneira? Nem mesmo mamãe!

Não demorou muito, apareceu Vera, ainda assombrada com o que acontecia:

— Papai mandou chamar você para ir almoçar, disse que a comida está esfriando.

A princípio não acreditei no recado. Não estaria Vera me preparando uma armadilha? Papai não estava furioso? Não dissera nada?

— Armadilha, coisa nenhuma! Papai está todo sem graça, entupido, não reclamou, ficou mais é sem jeito com a tua resposta. Puxa! Nunca pensei! Que atrevida!

MAMÃE VOLTA AO ASSUNTO

Demorou um pouco mas aconteceu. Somente depois de tudo passado mamãe se lembrou de reclamar o fortificante desaparecido. Não entendia como haviam conseguido abrir a porta do guarda-vestidos.

Wanda resolveu confessar o "crime", mentindo que encontrara a porta do móvel aberta por esquecimento de mamãe. Assim ficaria garantido que ela não mudaria o esconderijo da chave, teríamos novas oportunidades.

Aproveitei a ocasião para perguntar a papai sobre a tia Hiena. Ele andava muito manso comigo, depois do incidente. Fazia-me as vontades, parecia querer reabilitar-se.

Nos reunimos em volta dele, gostávamos de ouvi-lo contar histórias e casos. Suas narrativas tinham muita graça, prendiam. Soubemos então que vovô, anarquista convicto, resolvera dar esse nome à filha visando mais uma afirmação de seus princípios anticlericais.

Fora ao cartório, lá em Florença, onde a menina havia nascido e onde a família vivia, para registrá-la:

— Que nome quer dar à sua filha? — perguntou o escrivão.

— Hiena! — declarou o rebelde.

O homem pensou não ter compreendido, perguntou novamente:

— Qual é o nome?

— Hiena! — repetiu o pai da criança, entusiasmado com a reação do tipo; a polêmica desejada estava garantida.

O escrivão ainda tentou dissuadi-lo, não se conformando com tão estapafúrdia decisão:

— Mas, meu senhor! Como pode dar a uma criança inocente o nome de um animal tão repugnante?

— Se o papa pode ser Leão, por que minha filha não pode ser Hiena? — revidou o velho Gattai que, na época, pouco mais tinha que trinta anos de idade.

A menina foi registrada com o nome de Hiena e Hiena ficou sendo até morrer.

A informação de Wanda no dia da esbórnia (sobre o destino da tia), entre um trago e outro do fortificante de mamãe, não merecia crédito.

Perguntei a papai por seu paradeiro, por onde andava ela?

Mudando o tom de voz, quase em surdina, papai satisfez minha curiosidade:

— Morreu de fome. — Fez uma pausa para concluir. — Aqui no Brasil, antes de completar um ano de idade.

SEU ERNESTO CONTA UMA HISTÓRIA

Embalado com o interesse da filha caçula pelo passado da família, papai resolveu contar mais uma vez a história de como os Gattai tinham vindo parar no Brasil. Já a havia contado repetidas vezes mas para mim seria a primeira.

À medida que falava, outros ouvintes iam se aproximando. Até Remo desistiu de um encontro, interessado na narrativa. Nono Eugênio, que habitualmente dormia com as galinhas, esta noite deitou-se mais tarde. Tudo o que ouvia dos lábios do genro não era novidade para ele, mas gostava de retornar ao passado; ele também lutara e sofrera muito desde que saíra de sua terra natal, Pieve de Cadore. Havia quantos anos?

Chegara ao Brasil alguns anos depois da família Gattai. Vendo o interesse do nono por aquele passado distante, senti curiosidade de conhecer também a história da família de minha mãe. Logo, logo, na primeira oportunidade, vovô seria abordado, nos contaria tudo.

A COLÔNIA CECÍLIA

A viagem da família Gattai começara, em realidade, dois anos antes de embarcarem no *Città di Roma*, em Gênova. Meu avô tivera a oportunidade de ler um livreto intitulado: *Il Comune in Riva al Mare*, escrito por um certo dr. Giovanni Rossi — que assinava com o pseudônimo de Cárdias —, misto de cientista, botânico e músico. No folheto que tanto fascinara meu avô, Cárdias idealizava a fundação de uma "colônia socialista experimental", num país da América Latina — não especificava qual —, uma sociedade sem leis, sem religião, sem propriedade privada, onde a família fosse constituída de forma mais humana, assegurando às mulheres os mesmos direitos civis e políticos que aos homens.

Cárdias ainda ia mais adiante: nas últimas páginas de seu estudo, de seu plano, fazia um apelo às pessoas que estivessem de acordo com suas teorias e quisessem acompanhá-lo a qualquer parte da terra, por mais distante, desde que pudessem levar à prática todas as experiências e as ideias contidas no livro, para se apresentarem.

Por fim, Francisco Arnaldo Gattai encontrava alguém com dinamismo e inteligência, disposto a tornar realidade um sonho, seu e de outros camaradas, também discípulos dos ensinamentos de Bakunin e Kropotkin, à procura de um "caminho novo para a humanidade faminta, esfarrapada, ensanguentada, talvez esquecida de Deus".

Buscaria uma oportunidade de encontrar-se com Cárdias. Começava a divisar perspectivas para o futuro de sua família.

Enquanto Argía, sua mulher, amamentava o filho, leu-lhe o precioso documento. Que pensava ela desses planos? Queria saber sua opinião. Deviam aceitar o convite do dr. Giovanni Rossi? Tinham quatro filhos, um ainda a sugar o peito da mãe.

DR. GIOVANNI ROSSI OU CÁRDIAS

Com palavras simples e acessíveis, papai nos explicou quem era o dr. Giovanni Rossi, mais conhecido por Cárdias, o homem que idealizara todo o plano da colônia experimental em terras distantes. Nascera poeta e herdara da família incontestável vocação musical. Mas, deixando de lado poesia e música, inquieto, preocupado com os problemas sociais, preferiu os estudos práticos, formando-se em agronomia, dedicando-se ao jornalismo e aos problemas sociais e filosóficos. Em suas idas a Milão, costumava hospedar-se com um parente, músico, o maestro Rossi, cuja casa era frequentada por músicos de renome, entre eles um certo Carlos Gomes, brasileiro, autor de óperas. Encontraram-se os dois, Giovanni Rossi e Carlos Gomes, na ocasião em que o músico brasileiro se entregava com entusiasmo à partitura de mais uma ópera, *Lo schiavo*, que pretendia tocar para o imperador do Brasil, cuja chegada a Milão estava sendo aguardada.

Carlos Gomes falou a Giovanni Rossi de sua terra, do outro lado do mar, cheia de belezas naturais e de suas riquezas. O músico falava da grandeza de seu país com emoção e saudade.

Cárdias o escutou fascinado! Essa era a terra que buscava, ideal para sua experiência. Não havia dúvidas. Pôs de lado imediatamente o projeto, ainda embrionário, de tentar o Uruguai. O Brasil o chamava.

Entusiasmou-se ainda mais ao saber da próxima chegada de d. Pedro II a Milão. Carlos Gomes, seu protegido, o conhecia bem, e o admirava muito. Fez-lhe os maiores elogios: "Um rei sábio, um pai para o nosso povo, amigo dos inventores, dos músicos, dos poetas".

Cheio de esperanças, Cárdias resolveu escrever uma carta ao imperador do Brasil. Não tinha nem nunca tivera admiração por imperadores, mas se aquele quisesse se interessar por seu projeto... Na longa carta explicou com detalhes seus planos a d. Pedro II, pedindo que lhe permitisse provar a seriedade da experiência e solicitando terras e apoio para a ida dos idealistas para o Brasil.

Essa carta, levada por ele mesmo, foi entregue, em mãos, ao conde da Mota Maia, médico do imperador, no hotel onde a comitiva real se hospedava.

Algum tempo depois, já no Brasil, d. Pedro leu por acaso o pequeno livro de Cárdias. Interessou-se pelas ideias e pelo arrojo do autor. Mostrou o pequeno tomo ao conde da Mota Maia que então se recordou do jovem que havia procurado o imperador no Hotel Milão, levando-lhe uma carta. O pseudônimo era o mesmo. D. Pedro lembrou-se vagamente do fato.

Impressionado com o apelo das últimas páginas do livro, convocando voluntários para a experiência e dando seu nome completo e endereço, Pedro II não teve dúvidas, mandou que respondessem à sua carta: felicitava-o por seu trabalho e oferecia-lhe a terra solicitada para a colônia experimental.

Estabeleceu-se, então, uma correspondência entre o jovem idealista e o imperador. Depois de várias *démarches*, Cárdias recebeu de d. Pedro II a posse de trezentos alqueires de terras, incultas e desertas, num local entre Palmeira e Santa Bárbara, no Paraná, e, ainda, a promessa de ajuda e apoio para o empreendimento.

Tudo acertado, a doação das terras já feita, Cárdias botou mãos à obra dando início ao recrutamento dos voluntários, através dos jornais e em reuniões públicas. Frisava bem que aquela era uma aventura somente para idealistas endurecidos na luta, dispostos a realizar uma grande experiência social, sem medir sacrifícios.

Os candidatos foram surgindo e seu número aumentou rapidamente.

Entre os primeiros que se apresentaram estava Francisco Arnaldo Gattai, meu avô, que entrara em contato havia muito com Cárdias. Agora, já nascera o quinto filho do casal, a menina Hiena. Com a mulher, estudara a situação: não seria arriscado partirem para a aventura, carregando cinco crianças?

Argía Fagnoni Gattai, minha avó, não era mulher de recuar diante de obstáculos. Aos trinta anos de idade, carregada de filhos, não teve medo de enfrentar o desconhecido. Amava o marido, sabia o que representava para ele aquela viagem. Não iria desapontá-lo. Costumava amamentar os filhos até seus dois anos de idade — esse era o intervalo matemático entre um filho e outro —, criando-os fortes e sadios. Jamais lhe faltara leite; por Hiena não precisavam temer. A mãe lhe garantiria a alimentação, pelo menos durante a travessia marítima.

Entre os cento e cinquenta — talvez um pouco mais — pioneiros que integravam o grupo, havia gente de várias profissões e classes sociais: médicos, engenheiros, artistas, professores, camponeses e operários — em meio a esses últimos, meu avô. Mas havia também outros que conseguiram se infiltrar, alguns criminosos condenados por diversos delitos.

COMEÇO DE VIAGEM

O grupo de idealistas embarcou no navio *Città di Roma* em fevereiro de 1890; o regime imperial no Brasil havia sido derrubado a 15 de novembro de 1889. D. Pedro II fora deposto e desterrado, a República proclamada. Os fundadores da colônia socialista experimental não podiam mais contar com a ajuda e o apoio prometido pelo imperador. Contariam apenas com seus próprios esforços, com a vontade de vencer, mas nada os faria recuar.

No porão do *Città di Roma*, junto às caldeiras, viram-se amontoados os pioneiros que, em breve, estariam integrando uma comunidade de princípios puros: a Colônia Cecília. Iam cheios de esperanças, suportariam corajosamente as condições infames da viagem.

Uma luz artificial, fraca, era tudo o que havia para iluminar o porão; nem a mais leve brisa do mar chegava até ali para atenuar o calor sufocante.

As crianças, inquietas, inconformadas com a escura prisão, tentavam a toda hora, burlando a vigilância dos mais velhos, subir a escada escorregadia e íngreme que as conduziria ao sol.

No segundo dia de viagem já não havia onde pisar. Poças de vômitos espalhavam-se por todo lado. O navio jogava demais e a maioria dos passageiros enjoava. Argía Gattai estava sempre entre os que mais sofriam. Não conseguia alimentar-se, vomitava o que já não trazia no estômago. Com o correr dos dias a situação dos Gattai foi se agravando: grudada aos peitos da mãe — ora num, ora noutro —, Hiena só os largava para reclamar, chorando desesperadamente. Onde estariam aquelas tetas fartas, transbordantes? Elas iam diminuindo, murchando, cada vez menos a quantidade de leite para saciar sua fome... Ninguém dormia com o pranto doloroso da menina mas ninguém reclamava.

Um médico do grupo chegou-se, aproximou-se e sem examinar a criança diagnosticou: fome.

E se conseguissem um pouco de leite em cima? O médico desaconselhou: o leite de bordo não era bom, nas condições de fraqueza em que a criança se encontrava poderia provocar-lhe diarreia. A única providência a tomar, urgentemente, era conseguir com o comandante do navio permissão para remover mãe e filha para cima, onde pudessem respirar ar puro. Talvez, quem sabe, seu leite voltasse?

Estirada numa espreguiçadeira, na popa do navio, com a criança grudada ao peito — perninhas e braços finos, olheiras fundas —, a mulher passava o dia. Havia quanto tempo viajavam? Quando chegariam? Deviam ter decorrido muitos dias desde a partida de Gênova. Inda bem que as quatro crianças continuavam com saúde. Guerrando, o mais velho dos filhos, beirando os dez anos, fora encarregado de cuidar dos menores, o pai ocupado com a mulher e a filha doente.

À noite, a mãe e a menina voltavam para a fornalha e o choro recomeçava. Hiena já não mamava com tanta avidez. O leite quase secara, sugava em vão.

Tio Guerrando jamais se esquecera dos tormentos da terrível viagem; quando era ele a narrar a odisseia dos pais, o fazia com tanto sentimento que, sem me dar conta, comparei aquele porão quente e escuro ao Inferno de Dante.

SERVIÇO DE IMIGRAÇÃO E SAÚDE

No porto de Santos formou-se a maior confusão na hora do desembarque. Homens para um lado, mulheres para o outro.

Em salas separadas os imigrantes foram despidos, as roupas do corpo e as que traziam nas trouxas levadas para a rotineira desinfecção. Ali permaneceram durante horas a fio, nus, à espera de que lhes devolvessem os pertences, que os liberassem.

Ninguém reclamava, nem havia a quem reclamar. O jeito era esperar com paciência e resignação.

Por fim, depois de infinita demora, roupas e pertences foram devolvidos, devidamente carimbados pelo posto. Apertados em seus trajes encolhidos pelo banho de desinfecção, cheirando a remédio, amarfanhados, os imigrantes, conduzidos em fila, passaram pelo departamento médico, numa última vistoria antes de serem liberados.

Dali mesmo, foram encaminhados e embarcados novamente num pequeno navio que os conduziria ao Paraná. (Tio Guerrando não estava muito certo do novo porto de desembarque, mas achava que era o de Paranaguá.)

O estado da menina não melhorara, o leite materno acabou inteiramente, deram-lhe então leite de vaca. Como prevenira o médico, manifestou-se em seguida violenta diarreia acompanhada de vômitos.

Os pioneiros partiram rumo às terras que os esperavam, a família Gattai permaneceu na cidade. Companheiros compadecidos ofereceram-se para levar as quatro crianças; facilitaria a vida dos pais, às voltas com a menina doente.

— Ficaremos juntos. Não suportaríamos a ausência de nossos filhos, morreríamos de preocupação... — explicou nono Gattai, agradecendo o oferecimento.

E lá ficaram eles, naquele porto estranho, buscando por todos os meios salvar a vida da filha.

BANDEIRA VERMELHA E PRETA

Num carroção de quatro rodas, com suas trouxas de roupa e alguns pertences, passou a família Gattai por Santa Bárbara: marido, mulher e quatro filhos.

Ao verem passar a carroça, algumas crianças gritaram chamando pelas mães: "Venham ver que estão chegando mais ciganos!...". Havia pouco mais de um mês passara por lá grande leva de homens, nas mesmas condições que esses. Ciganos, certamente, pensaram os moradores do pequeno vilarejo, trancando as portas das modestas casas cobertas com folhas de zinco, no medo de serem roubados.

Ao alto de uma colina, por entre os pinheirais, divisava-se, hasteada ao alto de uma palmeira, enorme bandeira vermelha e preta. Era a bandeira da Colônia Cecília saudando a chegada dos novos pioneiros.

Ao divisar a bandeira da colônia, nono Gattai olhou mais abaixo e exclamou: "Lá estão eles!". Ali estava o acampamento: um grande barracão erguido junto a um córrego, pequenas barracas em construção, homens movimentando-se para cima e para baixo, um pedaço de terra já limpa para o cultivo ao lado de um pequeno bosque.

Nona Argía voltou a cabeça em direção ao dedo estirado do marido. Seus olhos distantes não divisaram nada. Sua alegria, sua esperança, seu entusiasmo ainda permaneciam lá longe, enterrados ao lado do corpinho da filha. Durante toda a viagem não dera uma única palavra, nem para amaldiçoar, nem para acusar. Não derramou uma única lágrima, completamente apática. O marido, disfarçando a tristeza pela morte da filha, procurara distrair a mulher chamando-lhe a atenção para mil e uma coisas durante a longa e dura viagem pela estrada. Sem obter resultados.

Avistando a carroça da família Gattai, os homens do acampamento partiram ao seu encontro. Os Gattai foram alojados provisoriamente no barracão construído pela primeira leva. À chegada todos trabalharam para levantar o galpão onde se abrigarem. Nos dias que se seguiram cada família tratou de construir a sua própria morada. O barracão ficara para depósito e emergências como aquela.

As quatro crianças, ao se verem livres da incômoda carroça, correram em disparada para o regato de águas cristalinas. Ninguém as impediu de se banharem de roupa e tudo. Estavam necessitadas de ar puro, de água e, sobretudo, de liberdade.

FIM DA COLÔNIA CECÍLIA

— E foi assim que a família Gattai chegou ao Brasil. — Com essa frase papai dava por encerrada sua história.

Estávamos, no entanto, tão impressionados com o relato, que desejávamos ouvir mais. Papai, percebendo nossa emoção, buscou desanuviar o ambiente:

— Vocês estão vendo? Sabiam que eram tão importantes? Pois, para que vocês estivessem aqui hoje, foi preciso a intervenção do filósofo Giovanni Rossi, do maestro Carlos Gomes e de d. Pedro II, imperador do Brasil. Que tal? — riu do nosso espanto.

Mas eu não estava ainda satisfeita, queria saber mais. O que havia acontecido à Colônia Cecília?

— Manteve-se ainda durante alguns anos, com grandes esforços e muito trabalho, mas resultou em nada, não pôde manter-se.

Era difícil a papai explicar detalhes de fatos que ele mesmo ignorava. Titio Guerrando, que vivera esses episódios e ainda se lembrava de muita coisa, também pouco sabia sobre os motivos que levaram ao fracasso da experiência. De positivo mesmo, sabiam que muita gente desistira ao aparecerem as primeiras dificuldades. Outros idealistas, que foram chegando no correr do tempo para se incorporar à colônia, tampouco resistiram às péssimas condições nela reinantes. Alguns mais teimosos tiveram que arranjar emprego fora das terras, nas construções de estradas de ferro, para não morrer de fome. Mas tudo culminou com a intimação das autoridades republicanas que, não estando de acordo com a doação feita pelo imperador deposto, exigiam dos colonos que, ou comprassem as terras que ocupavam e pagassem os impostos atrasados ou as abandonassem. Havia ainda a versão anticlerical de tio Guerrando: ele contava que, bem próximo à colônia, fora construída uma igreja católica com o objetivo exclusivo de hostilizar e boicotar os anarquistas, e que, já na época da colheita, o padre vizinho soltou suas vacas, que rapidamente destruíram todas as plantações, liquidando assim a última esperança dos remanescentes da Colônia Cecília.

Os Gattai lá permaneceram dois anos, mais ou menos. O último a abandonar o barco, tempos depois, foi o comandante Cárdias, ao ver-se impossibilitado de prosseguir sozinho na sua experiência.

Aprendi muita coisa sobre a Colônia Cecília, mais com tio Guerrando do que com papai. Tio Guerrando, menino crescido durante a aventura, lembrava-se de detalhes vividos pela família.

Foi no livro do escritor Afonso Schmidt, *Colônia Cecília*, publicado em 1942 em São Paulo, que encontrei algumas respostas às minhas indagações, inteirei-me da extensão da aventura anarquista. A família Gattai é citada entre os sonhadores que acompanharam o dr. Giovanni Rossi ao Brasil, no livro de Schmidt: "Na casa dos Gattai ardia fogo, uma fumaça azul saía alegremente pela única janela".

PARECIDA MAS DIFERENTE

Papai terminara sua narrativa. Nos voltamos em seguida para nono Gênio, queríamos que nos contasse também como ele e sua família haviam chegado ao Brasil.

— Hoje não — respondeu nono —, já é muito tarde, passei de minha hora de dormir. Amanhã eu conto. *Buona notte*.

Arrisquei ainda uma pergunta antes que ele saísse da sala:

— O senhor também era anarquista, nono?

— Não, não era anarquista nem monarquista. Nossa família não entendia nada de política. Éramos gente de igreja, todos católicos. Nossa história é muito parecida com a dos Gattai mas completamente diferente...

Caímos na gargalhada, papai foi quem mais riu. Como podia ser isso: parecida e diferente?

Um pouco ressabiado com a reação causada por sua afirmativa, nono resolveu roubar mais uns minutos de seu precioso sono e justificou-se em poucas palavras:

— Nós também viajamos com cinco filhos menores e atravessamos o oceano no porão de um navio. Nós também perdemos uma menina no Brasil, a mais nova dos cinco. Era Carolina, tinha pouco mais de dois anos quando morreu. — Fez uma pausa, continuou de cabeça baixa: — Só que a nossa morreu por falta de recursos...

Papai esboçou um leve sorriso ao ouvir a afirmação do sogro, para quem era muito duro admitir e ainda mais difícil pronunciar a frase: "Morreu de fome!".

Soubemos tudo sobre a viagem da família Dal Col, no dia seguinte, quando nono cumpriu a promessa e nos contou a história.

Vovô viera da Itália com toda a família, contratado como colono para colher café numa fazenda em Cândido Mota, em São Paulo. Embarcaram em Gênova com destino a Santos, por volta de 1894: Eugênio Da Col, o pai; Josefina Pierobon Dala Costa Da Col, a mãe; Ângelo (Angelim), dez anos; Marguerita, oito anos; Luiz (Gigio), seis anos; Angela (Angelina), quatro anos, e Carolina, dois anos.

Nona Pina passou a viagem toda rezando, pedindo a Deus que permitisse chegarem com vida em terra. Tinha verdadeiro pavor de que um dos seus pudesse morrer em alto-mar e fosse atirado aos peixes. Carolina ressentiu-se muito da viagem, estranhou a alimentação pesada do navio, adoeceu, mas desembarcaram todos vivos no porto de Santos.

A família fora contratada por intermédio de compatriotas do Cadore, chegados antes ao Brasil. Diziam viver satisfeitos aqui e entusiasmavam os de lá através de cartas tentadoras: "Venham! O Brasil é a terra do futuro, a terra da *cuccagna*... pagam bom dinheiro aos colonos, facilitam a viagem...".

Com os Da Col, no mesmo navio, viajaram outras famílias da região, todos na mesma esperança de vida melhor nesse país promissor. Viajaram já contratados, a subsistência garantida.

Em Santos, eram aguardados por gente da fazenda, para a qual foram transportados, comprimidos como gado num vagão de carga.

Ao chegar à fazenda, Eugênio Da Col deu-se conta, em seguida, de que não existia ali aquela *cuccagna*, aquela fartura tão propalada. Tudo que ele idealizara não passava de fantasia; as informações recebidas não correspondiam à realidade: o que havia, isto sim, era trabalho árduo e estafante, começando antes do nascer do sol; homens e crianças cumpriam o mesmo horário de serviço. Colhiam café debaixo de sol ardente, os três filhos mais velhos os acompanhando, sob a vigilância de um capataz odioso. Vivendo em condições precárias, ganhavam o suficiente para não morrer de fome.

A escravidão já fora abolida no Brasil, havia tempos, mas nas fazendas de café seu ranço perdurava.

Notificados, certa vez, de que deviam reunir-se, à hora do almoço, para não perder tempo de trabalho, junto a uma frondosa árvore, ao chegar ao local marcado para o encontro, os colonos se depararam com um quadro deprimente: um trabalhador negro amarrado à árvore. A princípio Eugênio Da Col não entendeu nada do que estava acontecendo, nem do que ia acontecer, até divisar o capataz que vinha se chegando, chicote na mão. Seria possível, uma coisa daquelas? Tinham sido convocados, então, para assistir ao espancamento do homem? Não houve explicações. Para quê? Estava claro: os novatos deviam aprender como se comportar, quem não andasse na linha, não obedecesse cegamente ao capataz, receberia a mesma recompensa que o negro ia receber. Um exemplo para não ser esquecido.

O negro amarrado, suando, esperava a punição que não devia tardar; todos o fitavam, calados.

De repente, o capataz levantou o braço, a larga tira de couro no ar, pronta para o castigo. Então era aquilo mesmo? Revoltado, cego de indignação, o jovem colono Eugênio Da Col não resistiu; não seria ele quem presenciaria impassível ato tão covarde e selvagem. Impossível conter-se!

Com um rápido salto, atirou-se sobre o carrasco, arrebatando-lhe o látego das mãos. Apanhado de surpresa, diante da ousadia do italiano, perplexo, o capataz acovardou-se. O chicote, sua arma, sua defesa a garantir-lhe a valentia, estava em poder do "carcamano"; valeria a pena reagir? Revoltado, fora de si, esbravejando contra o capataz em seu dialeto dos Montes Dolomitas, o rebelde pedia aos companheiros que se unissem para defender o negro. Todos o miravam calados. Será que não compreendiam suas palavras, seus gestos? Certamente sim, mas ninguém se atrevia a tomar uma atitude frontal de revolta. Católico convicto, ele fazia o que lhe ditava o coração, o que lhe aconselhavam os princípios cristãos...

De repente, como num passe de mágica, o negro viu-se livre das cordas que o prendiam à árvore. O capataz apavorou-se. Quem teria desatado os nós? Quem teria? O topetudo não fora, estava ali em sua frente, gesticulando, gritando frases incompreensíveis, ameaçador, de chicote em punho... O melhor era desaparecer o quanto antes, rapidamente: "Esses brutos poderiam reagir contra ele. A prudência mandava não facilitar".

Nessa mesma tarde, a família Da Col foi posta na estrada, porteira trancada para "esses rebeldes imundos". Estavam despedidos. Nem pagaram o que lhes deviam. "Precisavam ressarcir-se do custo do transporte de Santos até a fazenda..." E fim.

Pela estrada deserta e infinita, seguiu a família, levando as trouxas de roupas e alguns pertences que puderam carregar, além da honradez, da coragem e da fé em Deus.

Tinham endereços de conterrâneos na capital de São Paulo, onde chegaram depois de arrastar-se numa longa e triste caminhada, passando fome, subsistindo devido à ajuda de corações generosos. Carolina, debilitada desde a viagem de navio, precisava ser carregada o tempo todo, ora no colo de um, ora no de outro. Seu estômago delicado não suportava o angu de farinha de mandioca com água, alimento básico — muitas vezes único — que os mantinha de pé.

— Carolina morreu logo que chegamos à capital. Deus nos ajudou porque nona Pina jamais se conformaria em enterrar seu anjinho de olhos azuis à beira de uma estrada deserta — concluiu nono Gênio; chorava ao recordar-se.

Os Da Col passaram a viver no Brás, onde já moravam velhos amigos cadorinos, operários, ex-colonos. Um deles, vindo ao Brasil em busca de fortuna, como os outros, a encontrara: Natal Boni, dono de uma serraria no Belém. Deu emprego ao conterrâneo e amigo de infância; passou a ser patrão do bom operário Eugênio, excelente carpinteiro. A amizade de infância ficou para trás. Patrão rico esquece o passado.

Essa foi a história que nono Gênio nos contou, de sua família. Parecida com a da família Gattai, mas completamente diferente.

RENOVAÇÃO

Papai andava feliz da vida. As coisas lhe corriam bem, a Sociedade Anônima Gattai em franco progresso. Acabava de alugar uma bela loja na rua Xavier de Toledo, em frente à Light, para exposição dos automóveis, dos Alfa Romeo, já a caminho do Brasil.

As modificações que a casa sofria, depois que Wanda tomara as rédeas, também alegravam o pai. Contente sobretudo com a mesa, a apresentar novidades, pratos deliciosos feitos pela filha. Ele também gostava de cozinhar e muitas vezes preparava comidas exóticas, sempre à base de vinhos — o Marsala, por exemplo, para a caça (gostava de caçar) —, dava aulas de culinária às filhas.

Mamãe assistia a todo esse movimento, meio tímida e bastante humilhada: ela nunca fora boa dona de casa, coitada! Sonhadora, sensível, nascera para tarefas intelectuais. A vida não lhe permitiu se realizar. Gostava de bichos, cuidava de plantas, falava com as flores. Sabia da lua, de estrelas, do céu. Enlevava-se com a música. Jamais cursara escolas, mas era íntima do italiano Dante Alighieri e do brasileiro Castro Alves. Sabia versos de não acabar, recitava trechos de *Iracema*, sofria com *Os miseráveis*, empolgava-se com o *Acuso!* de Zola. Decididamente não nascera para o forno e o fogão, não adiantava tentar...

Wanda representava em casa a renovação, a ordem, a segurança, como se não lhe bastasse a beleza. Olhos verdes, pele rosada, fina, cabelos escuros, rosto em formato de escudo, dentes para anúncio de dentifrício... A beleza de Wanda era um de meus orgulhos. Eu a achava, francamente, mais bonita, muito mais!, do que Zezé Leone, a mais bela do Brasil, a primeira miss, cujo retrato aparecera, havia anos, em todos os jornais e revistas. As moças de nossa rua, na ocasião, entusiasmadas com o concurso e com a eleição da mais bela, de fita métrica em punho comparavam suas polegadas com as da eleita. Wanda não fugiu à regra, entrou na concorrência, ela também se mediu, medidas coincidentes, quase todas. Se Wanda desfilasse num concurso, eu pensava, ela seria não apenas a mais bela do Brasil, mas sim a mais linda do universo.

Outras providências para a arrumação da casa foram tomadas por minha irmã, que pretendia modificar tudo. Iniciou pela sala de jantar: teve de lutar com mamãe a fim de conseguir a retirada do enorme saco de pão, sempre cheio — acumulado dia a dia, o pão mais velho ficando embaixo, acabando em rabanadas e farinha de rosca —, pendurado por um prego no batente da porta de ligação da cozinha com a sala de jantar. Mamãe reclamava: "Essa implicante está com a mania de tirar as coisas do lugar... que mal faz aquele saco ali? Tão cômodo, tão arejado, tão livre de bolor, tão à mão!...". Mas acabou cedendo. Wanda pelejara também para dar fim aos tarecos — juntados através de anos por dona Angelina, em pacotes e sacos —, armazenados em cima e atrás de cada armário da casa. "Tudo tem sua utilidade" — ensinava mamãe. Nada era jogado fora e em seu estoque havia de um tudo: pedaços de pau e de ferro de todos os tamanhos e feitios, arames, fivelas, argolas, pregos, parafusos, molas e espetos, caixas, papelões e sacos vazios, papéis dobrados etc. e tal. Mamãe estava sempre às ordens para atender a qualquer emergência. Nesses momentos, atirava às fuças do necessitado provérbio de sua autoria: "Tem, procura e acha. Não tem, procura e não acha!". Com esse ditado fechou a questão em torno de seus badulaques. Não transigiria em hipótese alguma, não abriria mão de seu "pronto-socorro", não jogaria nada fora, absolutamente nada! Essa foi uma das derrotas da filha, em sua operação limpeza. Derrota parcial, pois a moça não era de se conformar. Conseguiu desocupar um armário velho encostado na garagem e para lá transferiu as "tranqueiras" da mãe.

Havia ainda muitas batalhas a enfrentar. A mais difícil de todas seria tentada logo depois: a retirada do quadro — uma alegoria anarquista, já mencionada antes — pendurado na parede da sala de jantar. Na opinião de Wanda, aquele quadro era um verdadeiro horror! Morria de vergonha cada vez que aparecia visita nova em casa.

Certa ocasião, retirou-o da parede ao saber que papai convidara um padre de Pirapora, um alemão, para almoçar. Irmão Frederico, segundo papai, era um boa-praça, alegre, simpático. Trouxera um automóvel para consertar (seu Ernesto o conhecera em Pirapora, havia pouco tempo), nos honraria com sua presença no almoço do dia seguinte.

Ao entrar na sala, acompanhado do padre, ao bater os olhos na parede vazia, papai estremeceu: ordenou, quase aos gritos, que devolvessem imediatamente o quadro ao seu lugar, o que foi feito.

Eu conhecia de cor e salteado todos os detalhes daquela alegoria, acompanhara o roteiro das explicações sobre ela tantas vezes, que se papai se lembrasse de fazer uma sabatina sobre o quadro, assim como fazia com as óperas italianas, ficaria novamente feliz com a sabedoria da filha.

Certamente por despeito, em represália aos profanadores de sua relíquia, papai resolveu explicar ao padre alemão o significado da alegoria.

"Mas que loucura é essa de papai? Onde é que ele está com a cabeça?", diziam a meia-voz Wanda e Vera, revoltadas, inteiramente sem jeito. "Que vergonha, meu Deus!" Mamãe também se sentia extremamente encabulada, assombrada com o atrevimento do marido: "O que é que esse padre não vai pensar da gente?".

Papai, muito na dele, começou:

— Irmão Frederico, repare aqui, no lado direito desse quadro, o padre de pé segurando um punhal sujo de sangue...

A figura do padre em questão era aterradora: chapéu de abas largas enterrado até os olhos, dentes enormes e separados, a baba a escorrer-lhe da boca, o punhal semiescondido, a lâmina voltada para cima, o sangue deslizando. Atrás do padre, várias crianças de luto, chorando.

Seu Ernesto explicou ao irmão Frederico, com a maior sem-cerimônia, que o grupo representava a Santa Inquisição e suas vítimas. Prosseguindo, indicava com o dedo:

— Agora, no lado esquerdo, o senhor está vendo? Todos esses mortos e feridos, amontoados em meio dos escombros? Essa cena significa o horror da guerra! E aqui, acima da guerra

— continuava papai —, repare na tocha vermelha empunhada pela mulher, a tocha vermelha de fogo a iluminar a parte superior do quadro, a paisagem distante. Pois essa tocha é, irmão Frederico, nada mais, nada menos do que o ideal anarquista iluminando o mundo! E essa mulher nua de cabelos longos até o chão, bem no centro do quadro, de braços abertos, segurando em cada mão um pedaço de corrente partida, é a verdade que um dia restituirá a liberdade a todos os povos rompendo as correntes da escravidão!

A essa altura dos acontecimentos, papai emocionou-se, pescoço e rosto ficaram arrepiados. Estava sério naquele dia — nem fez as pilhérias costumeiras em relação à mulher pelada —, parecia estar a fim de converter o padre alemão, catequizá-lo para o anarquismo. O padre ouvia tudo com paciência e resignação, um leve sorriso a aflorar-lhe os lábios. Irmão Frederico era homem educado.

Ainda faltava um último detalhe, mas esse nem necessitava de explicação. Papai apontou o medalhão, ao alto, à esquerda, retrato de Francisco Ferrer.

Da cozinha chegava um aroma peculiar, bafo de comida feita a capricho para despertar apetite, fazer esquecer os horrores da guerra e da Santa Inquisição. Sobre a mesa, a jarra de vinho, com a qual brindaríamos o nosso distinto hóspede.

Wanda estava pretendendo coisa demais! Tirar o quadro da parede? Desta vez tinha que se empenhar em luta com o pai, osso duro de roer.

SACCO E VANZETTI

Assunto palpitante, o processo de Sacco e Vanzetti, dois anarquistas italianos, condenados à morte nos Estados Unidos, dava motivo aos jornais para vasto noticiário e a grande número de artigos que papai e mamãe liam atentamente.

Certa noite estranhamos ver nossos pais preparados para saírem sozinhos. Reclamamos, também queríamos ir. Papai, que não perdia ocasião para doutrinar os filhos, nos explicou que iam a uma reunião nas Classes Laboriosas que trataria de um assunto sério e urgente. Contou-nos então a história de Nicola Sacco e Bartolomeu Vanzetti que estavam para ser executados na cadeira elétrica, nos Estados Unidos, por crimes que não haviam cometido: roubo, assalto à mão armada e assassinato de dois homens. Havia mais de três anos que se encontravam encarcerados, embora houvesse provas suficientes — até de sobra — da inocência dos dois. Os condenados aguardavam, no corredor da morte, o momento da execução. Acrescentou que se eles ainda não haviam sido executados — assassinados, dizia ele — era porque existia um movimento mundial cada vez maior de protesto, organizado por pessoas idôneas, pertencentes a todos os partidos de todas as tendências filosóficas — não apenas os anarquistas. Que no Brasil também se trabalhava nesse sentido, e naquele momento os anarquistas de São Paulo estavam convocando, em regime de urgência, os cidadãos de todos os setores e princípios liberais, os democratas, para organizarem o lançamento de uma campanha nacional, sem tréguas, contra o hediondo crime prestes a ser cometido.

Por isso nós não poderíamos ir com eles aquela noite. Só iria gente grande. Não era uma noite festiva. Era noite de luta.

MARIA NEGRA DÁ À LUZ

Ainda dormíamos quando bateram palmas ao portão. Quem seria àquela hora? Um pouco assustada, mamãe levantou-se para ver.

Luiz, marido de Maria Negra, todo aflito, vinha avisar que a mulher já estava sentindo as dores. Havíamos ido recentemente à sua casa, levando mantimentos e roupinhas para a criança às vésperas de nascer, e mamãe a achara muito abatida: rosto encovado, barriga enorme, pernas inchadas, olheiras fundas. Fomos surpreendê-la debruçada sobre uma tina de roupa, lavando para freguesas. Luiz trazia e levava as trouxas. Ela necessitava ajudar nas despesas da casa, o ordenado do marido não aumentara. Mamãe aborreceu-se muito ao vê-la naquele estado. Por que lavar roupa para fora? Por que não avisara que precisava de mais ajuda? Maria Negra já não era a mesma; cadê a petulância, o orgulho? A sogra, uma pobre-diaba, sempre a pitar um cigarrinho de palha, não abria a boca para dizer palavra; abria-a de vez em quando para dar cusparadas escuras de fumo de corda, mascado. A nora agora arcava sozinha com toda a responsabilidade da casa, inclusive a da enxada, cavoucando a terra para a plantação.

— Ela já está perdendo as águas? — perguntou mamãe a Luiz.

Diante da resposta afirmativa, mamãe tratou de vestir-se rapidamente e partiu para a casa de dona Emília Bulcão, já prevenida para fazer o parto. (Todas as despesas por conta de seu Ernesto.)

Somente depois do almoço, mamãe voltou, trazendo a novidade: um menino! O parto fora fácil, mas a parturiente estava muito debilitada, precisando de cuidados especiais.

Wanda e Vera, assanhadíssimas, se tocaram em seguida para a avenida Rebouças, ansiosas por ver a criança, levando uma cesta cheia de coisas. Mamãe recomendou-lhes que não se demorassem, pois nessa noite iríamos todos a uma conferência nas Classes Laboriosas.

Que pedissem desculpas à Maria Negra por ela não voltar; precisava pôr a roupa dos filhos em ordem para a noite.

AS CLASSES LABORIOSAS

Meus pais eram muito chegados a uma reunião política. Seu Ernesto, sempre atento aos avisos nos jornais, em busca de conferências e atos de solidariedade, não perdia um. Arrastava com ele a filharada toda, menos Remo, jovem irresistível do bairro e adjacências, mais interessado em conquistar corações do que em assistir, sentado durante horas a fio, a discursos maçantes. Antes que o convidassem, sumia como que por encanto, evaporava. De maneira que somente as três meninas e Tito se incorporavam à caravana político-cultural.

Naquela noite o conde Fróla — esse era o nome do conferencista — falaria às massas trabalhadoras e aos intelectuais de São Paulo, nas Classes Laboriosas, salão de festas e conferências, situado no primeiro andar de um sobrado da rua do Carmo, no centro da cidade. Certamente ele trataria do caso Sacco e Vanzetti. Este conde, segundo papai nos explicou, era ardoroso antifascista, um crânio! Seu título nobiliárquico não interferia em suas ideias avançadas.

A garotada transformava essas reuniões políticas em divertimentos. Ambiente festivo, todo mundo levava os filhos, costume — ou necessidade — das pessoas pobres que, em geral, não têm com quem deixá-los quando precisam sair. Compareciam crianças de todas as idades, inclusive nenês de peito, que mamavam durante as conferências, o seio servindo de tampão para calar-lhes as bocas quando ameaçavam chorar.

As noitadas eram divididas em duas partes e, para mim, a primeira era a melhor: vendiam-se jornais — *A Lanterna*, jornalzinho anticlerical, e *La Difesa*, jornal socialista; faziam-se rifas de objetos e de livros, tudo em benefício dos próprios jornais e para o aluguel do salão. Vera e eu integrávamos o corpo de vendedoras. Havia dois grupos na emulação das vendas e nas participações artísticas: o das italianas e o das espanholas. Nós, logicamente, fazíamos parte do primeiro grupo, embora nos sentíssemos completamente brasileiras. Mas era assim que nos designavam.

Bastante relacionada e atrevida, vedete pelas minhas participações na parte lítero-musical, como declamadora, eu vendia um colosso!

Os versos que Wanda me ensinava para tal ocasião eram em geral poesias de Guerra Junqueiro, sonoras, anticlericais e enormes.

Um grupo de meninas espanholas fazia sucesso no palco, cantando uma velha canção anarquista:

Donde vas con paquetes e listas
que tan pronto te veo correr
voy al congreso de los anarquistas
que reclaman un derecho: vivir!

Elas cantavam e o público fazia coro no final, todos repetiam o *vivir!* a plenos pulmões. Nunca consegui encontrar nada tão vibrante capaz de fazer face a essa ardente canção, de derrotar as espanholas.

Certa ocasião, Vera, que ficava de pé na primeira fila junto ao palco, declarou-me que não ouvira uma única palavra da minha declamação, recitada em meio a falatórios e grande balbúrdia. Fiquei bastante decepcionada. Ora essa! Eu me esforçando ao máximo, a fim de não esquecer os versos, de não engasgar, de emocionar a plateia, de conquistar aplausos... Daí por diante saberia como agir, usaria de outra técnica, empregaria um bom estratagema: capricharia mais nos gestos, o texto seria relegado a um segundo — ou terceiro — plano. Se esquecesse as palavras, paciência, inventaria outras na hora...

Esse novo método valeu-me críticas veementes de Tito e um bom carão de mamãe: "Pra que aquele exagero todo, olhos virados, olhos fechados, braços pra cima, braços pra baixo?".

Todo mundo pagava Gasosa e Sissi para mim no barzinho ao lado do salão. Nesses dias quase me afogava em refrigerantes.

Antes do início da segunda parte, um secretário subia ao palco para ler a lista das arrecadações e os nomes dos campeões — os grupos que mais haviam se destacado nas vendas.

Mamãe ficava encabulada quando me elogiavam. Tomava logo uma atitude defensiva — parecia que a estavam insultando —: "Qual nada! Imaginem só! Engraçadinha? Viva? O que é isso, por favor! Não tem nada disso! Ela é igual a qualquer menina. Saliente e atrevida é o que ela é. Isso sim! Vera, por exemplo... a senhora conhece. Vera, a do meio? Essa sim, é que é despachada!...". Desconfio que ela sentia receio de que a achassem convencida, caso concordasse com os elogios dirigidos à filha caçula.

Durante uma festa de Primeiro de Maio (ah! que maravilha as festas de Primeiro de Maio, essas sim eram cutubas!), Vera, a despachada, com um molecote de sua idade (que andava de olho nela e ela nele desde a última festa), saíram dançando o hino da *Internacional*, o próprio, nada mais, nada menos. Dessa vez mamãe quase morre de vergonha. "Que desrespeito, *Madonna mia santíssima!*" O parzinho só parou depois de advertido, quando já havia quase atravessado o salão, no passo de dança muito em voga no momento, o passo de camelo. Nesse dia, recebi um beliscão no braço por ter mudado a letra da *Internacional* (o hino nessa noite estava sem sorte). Em lugar de cantar "De pé, ó vítimas da fome!", eu cantara, sem o menor intuito de fazer paródia, apenas cantara como entendia: "O pé da vítima da fome".

O grande mártir dessas conferências era José do Rosário Soares, que aparecia clandestinamente — papai andava de olho vivo, vigiando a filha; continuava intransigente, achando que ainda era cedo para namoros. José era completamente estranho àquele ambiente. Sentia-se ali como peixe fora d'água, engolindo sem digerir todas aquelas doidices que presenciava. Tudo às avessas, tudo ao contrário do que já ouvira falar sobre anarquismo... Ali ninguém falava em bombas destruidoras, e ainda por cima eram contra a violência... Não pretendia esquentar os miolos buscando entender essas contradições. Seu único ideal era a namorada, por quem se sacrificava a ponto de permanecer ali isolado, raras vezes sentado, quase sempre de pé, durante horas a fio. Ficava olhando à distância e, sobretudo, fiscalizava sua amada; não podia facilitar, ela era bonita demais, mil olhos lhe caíam em cima.

Presença infalível nessas reuniões, a de um velhinho italiano, cego, o mais entusiasta entre todos em suas reivindicações. Sempre que conseguia burlar a vigilância dos organizadores da festa subia ao palco, com a desenvoltura de um gato, e deitava falação. De todos os oradores o único que eu ouvia com prazer. Ninguém, no entanto, o levava a sério. Sua maior mágoa era ter que pagar contas de água:

— Por que temos que pagar a água se a natureza nos oferece o líquido de graça? — perguntava, sempre em italiano. — A água, companheiros, deve ser um bem de todos, a água não tem dono! — Fazia a afirmação em tom exaltado para em seguida mudar o diapasão e perguntar quase num sussurro: — Se os passarinhos podem tomar livremente a sua água, por que é que nós temos que pagá-la? *Non é forse vero?* Não estou com a razão?

Exaltava-se a tal ponto que eu chegava a olhar para os lados procurando localizar algum cobrador de contas de água por lá...

Na maioria das vezes eu não conseguia acompanhar o raciocínio dos oradores. Prestava mais atenção às pilhas de páginas escritas, em frente ao conferencista, sobre a mesa, de leitura interminável. O pior era que alguns não se restringiam ao que estava escrito, tecendo considerações de improviso sobre o que tinham acabado de ler, além das pausas para encarar o público e sentir a sua reação.

Quando tentava concentrar-me, cutucada por mamãe — nos melhores pedaços —, não entendia coisa alguma. Enquanto eles falavam, cansada de excitação da primeira parte, muitas vezes ferrava no sono. Se não dormia, meu divertimento era reparar nos trajes e nas maneiras das pessoas. Mamãe se indignava com "a mania dessa menina de criticar os outros. Fica reparando em tudo, falta de educação! Imita as pessoas, coisa mais feia! Perigosa como ela só! Uma *cancionéla!*"; lá vinha mamãe inventando palavras... Ela bem conhecia o termo "caçoísta", mas preferia enriquecer o vocabulário.

Os espanhóis eram os mais divertidos e primavam no trajar: apareciam com chapéus de fandanguistas e coletes de veludo transpassados, curtos na cintura, faixa larga de cetim, desencravados não sei de onde. Eram os mais fanáticos, os que mais aplaudiam e aparteavam. Os apartes, esses sim, valiam a pena. Sempre muito inflamados, feitos em vários idiomas ao mesmo tempo, cada qual usando o seu, embora, normalmente, todos falassem o português bastante bem.

O CONDE FRÓLA

Naquela noite papai nos deu pressa. Com um orador daqueles, o salão estaria repleto logo cedo. Todo mundo já arrumado esperando por mamãe, o carro em movimento na porta e ela ainda tomando providências. Mamãe era sempre a última a estar pronta. Papai reclamava deixando a pobre desatinada, atrasando-a ainda mais.

Pronto, lá vinha ela, sobraçando alguns cobertores. Caímos na gargalhada. Até papai, que estava irritado com a demora, riu de bom gosto. Na afobação, havia colocado o chapéu todo torto: o pompom de plumas de avestruz, em vez de estar atrás ou do lado, não lembro, brilhava bem na frente, em sua testa. Coisa mais divertida! Dona Angelina jamais usava os vistosos chapéus do Mappin nesses encontros; elegantes demais para reuniões de operários, usá-los seria uma afronta. O modesto chapeuzinho separado para esses dias era quase um gorro, de veludo preto, sem abas — "a aba atrapalha os que estão atrás, tira-lhes a visão, falta de educação ir a cinemas e teatros com chapéus de abas largas, copas altas" —, grudado à cabeça, tendo como enfeite único o tal pompom, quase discreto.

Mamãe não sabia do que ríamos, ficou zangada, "não sou palhaço de ninguém...", só depois de prevenida, sem recorrer à ajuda de espelho, torceu o chapéu na cabeça, "não preciso de muito luxo para me arrumar".

Papai estava com a razão. Ao chegarmos, uma hora antes do previsto para a abertura das portas, já havia um mundo de gente na rua, quase impedindo o trânsito. Foi aquela corrida desesperada para pegarmos lugar! Eu saí na disparada para os lados do bar, morria de sede, como acontecia sempre que ia a qualquer parte, fora de casa. Mamãe, perdida, chamando os filhos para que viessem colocar uma senha na cadeira. Voltei correndo, deixei meu chapeuzinho cor-de-rosa ao lado de mamãe e saí na disparada, sumindo em meio à multidão; minhas irmãs também usaram seus chapéus para guardar os lugares.

Muitas caras diferentes apareceram essa noite, pessoas que jamais haviam pisado nas Classes Laboriosas. Tito ria a um canto apontando seu Luciano mais adiante, com sua indefectível bengala. Repetiríamos mais uma vez a brincadeira que gostávamos de fazer com ele. Combinávamos com algumas meninas, como eu, vendedoras de jornais, íamos uma de cada vez oferecer a seu Luciano, assinante dos dois jornais que vendíamos e que jamais compraria outro exemplar. A primeira oferta — eu gostava de ser a primeira, quando ele ainda estava cerimonioso — ele recusava pedindo desculpas, explicando que já possuía os exemplares em casa, dava um sorriso de despedida. Em seguida era abordado pela segunda menina — as outras observando de longe —, a mesma desculpa era repetida, e, quando chegava a vez do quarto ou quinto assalto, o velho, já cheio, perdia as estribeiras, deblaterava: "*Porco di un Bacco Barilaccio!*". O pobre jamais desconfiou da nossa brincadeira de mau gosto.

Naquela noite vendemos não apenas jornais mas também bilhetes de tômbola, pois seriam sorteados vários brindes. Tomei refrigerantes à beça, todo mundo pagando para mim. Havia tanta criança, tanta correria para cima e para baixo, que até parecia festa de Primeiro de Maio. Só faltavam mesmo a música para dar alegria e os números de canto e recitativos.

O conferencista atrasou-se um pouco, o povo, que havia chegado cedo, começava a impacientar-se. Eu, contente, gostando da farra, mas mamãe, coitada, caía de cansaço, depois daquela madrugada de expectativa ao lado de Maria Negra.

O velhinho cego, aproveitando a confusão, pediu a uma pessoa a seu lado que o acompanhasse, subiu ao palco e repetiu toda a sua lengalenga, tendo sempre como tema a água, a bendita água. De repente assaltou-me uma ideia: que tal se o conde Fróla, tão importante, o ouvisse, e tomasse providências, resolvendo o problema que tanto agoniava o velho?

Finalmente, o conde Fróla chegou. Homem forte, rosto redondo, sanguíneo, o crânio calvo luzia como um queijo-do-reino.

Reconheci alguns homens da comitiva que o acompanhava ao palco. Eram todos figuras importantes: professores e jornalistas renomados. Entre eles estava Edgard Leuenroth, José Oiticica, Alexandre Cerchiai, Ângelo Bandoni e Oreste Ristori. Todos eles haviam sido amigos de meu avô Gattai.

Edgard Leuenroth era o orador preferido de mamãe. Sua figura me impressionava: magro, rosto de cera, quase transparente, testa alta, cabelos penteados à Mascagni, grisalhos. Comparecia de vez em quando às reuniões para falar, ouvido em silêncio, com o maior respeito. Nessa hora ninguém abria a boca.

Certa vez, no entreato de uma conferência sua, tentei vender-lhe um jornalzinho; ele sorriu, segurou meu queixo carinhosamente. Não vendi o jornal mas fiquei toda vaidosa com o carinho recebido. Papai, que assistia à cena de longe, encabulou com o atrevimento da filha: "Vender um jornal ao próprio conferencista, que menina!".

Ângelo Bandoni frequentava muito nossa casa. Falava sempre em tom oratório, cantava, declamava, discutia qualquer assunto, estava por dentro de tudo, um poço de sabedoria! Era autor de uma paródia ao hino fascista:

Con il terrore
Con il fascismo
non si vince il comunismo...

Distribuía a letra de sua autoria entre os amigos e filhos dos amigos; sempre que aparecia, organizava um coro para cantar essa sua versão. Adorava fazer conferências, a qualquer pretexto saía com um improviso. Era professor, eu nunca soube de quê. Nunca entendi também por que ele, já velho, arauto de ideias avançadas, pintava o cabelo de vermelho-acaju. Uma faixa branca nas raízes dos cabelos o denunciava.

Oreste Ristori, ah! esse sim! Como eu gostava do velho Ristori! Apoiava-se na eterna bengala pois tinha as duas pernas cambaias, completamente tortas em arco, resultado de feito heroico, celebrado por todos.

Ristori sentou-se ao lado do conde Fróla. Fiquei decepcionada quando vi o tal do conde sem a esperada coroa. Voltei-me para Tito, ao meu lado. Ele me observava rindo, divertindo-se às minhas custas. Diabo de moleque mais mentiroso! Ele me garantira que o conde apareceria de coroa e eu, coió, acreditara nessa lorota! Sapequei-lhe um beliscão e ele recuou para cima de papai com medo de minhas garras.

Além de uma rápida passada de braço em frente aos dois beligerantes, colocando-os em seus devidos lugares, papai nos fuzilou com um olhar: "Aquela não era hora nem local para bagunça. Tivéssemos mais respeito!". Eu não me conformava! Aquele Tito! Falava pouco mas astuciava muito!

Abrindo a sessão, um jornalista fez o elogio do ilustre visitante.

Por fim, Fróla tomou da palavra. Falava de improviso, difícil saber se seria longo ou não. A sala veio abaixo de tantos aplausos. Orador tarimbado, transmitia com facilidade o seu pensamento, dando inflexão à voz, falando pausadamente, gesticulando pouco. Como já era esperado, tratou do assunto Sacco e Vanzetti, informou a respeito dos movimentos mundiais em prol dos inocentes. Aplausos intermináveis o interrompiam cada vez que pronunciava os nomes dos prisioneiros, fazendo retardar enormemente a conferência. Mas falou sobretudo do regime fascista na Itália, "implantado por Mussolini" — vaias de não acabar — "verdadeiro atentado à dignidade humana...".

Regressamos muito tarde nessa noite; cheguei em casa dormindo. Morta de sono, despi-me atirando roupas e chapéu sobre o baú, ao lado da janela.

Precisei levantar cedo, tomara refrigerantes demais. Nosso único banheiro ficava nos fundos da casa, junto à cozinha. Para alcançá-lo devíamos atravessar o quarto dos meninos e a sala de jantar. Por isso havia sempre à nossa disposição, no quarto, ao lado do baú, um urinol.

Certamente, naquela madrugada, eu não havia sido a primeira a acordar. Wanda ou Vera, talvez as duas, o haviam feito e confundido o vaso noturno com o meu chapéu caído ao chão, de boca para cima. E ali jazia ele, todo encharcado, uma ilha rodeada de urina. A guirlanda de flores do campo, que lhe circundava a copa, transformara-se numa fieira de trapinhos disformes, desbotados. A tinta das flores espalhava-se num festival de arco-íris. De rosa, meu chapeuzinho virara furta-cor. Perdi para sempre o chapéu de minha vida, que tanto me fizera sofrer mas que me fizera também sorrir de vaidade.

Inda bem que naquele domingo eu iria à procissão do Divino Espírito Santo, na igreja da Bela Vista. Não tive muito tempo para chorar o chapéu perdido. Precisava lutar para conseguir que Vera me incorporasse à sua turma.

A FESTA DA IGREJA

Conhecia o plano de Vera e de suas amigas: acompanhariam a procissão, ficariam para a quermesse e depois assistiriam aos fogos de artifício. Para mim, essa festa da igreja da Bela Vista, próxima de nossa casa, tinha mais uma atração: o teatrinho de marionetes, o *João Minhoca*, para o qual eu sempre conseguia entradas grátis, em troca das vendas que fazia de talões de rifas em benefício da igreja.

Gostava de ver os anjos desfilando na procissão. As meninas todas de cetim branco com asas de penas de ganso, verdadeiras, uma galanteza! Ah! quem me dera ser um anjo!

Na manhã daquele domingo apareceu Júlia Laterza, amiga do peito de Vera. As duas tinham sempre segredos. Corri para ver o que combinavam. Ao notar a minha presença, Júlia passou a falar na língua do pê:

— Épélapá jápá sapábepê quepê...

Não a deixei terminar a frase:

— Sei sim e vou com vocês!

Minha cotação andava baixa junto às duas depois que inocentemente contara à mamãe que o Zeca, filho do dono da Confeitaria Primavera, em companhia de outros rapazolas empregados do pai, sempre que as duas passavam em frente à dita confeitaria, dirigiam-se à Júlia aos berros: "Júlia! Fonfom!". Faziam gestos, fingindo apertar os seios — como se eles os tivessem —, imitando a buzina do automóvel. Júlia era bem fornida, peituda, chamava a atenção da rapaziada... Mamãe proibiu Vera de passar pela calçada da confeitaria, "meninos cafajestes aqueles...". Depois dessa minha indiscrição e de outras mais, elas fugiam de mim como o diabo foge da cruz: "Sai daí, menina linguaruda!".

Júlia não desistiu, passou da língua do pê para a língua do xis:

— Vaxmox saxirx àsx trêx horax?

Desta vez não pesquei nada. Ela falara muito depressa. O jeito era grudar em minha irmã, não a largar, única chance de ir à festa.

Com Wanda nem quis conversa. Ela ficava com Zé Soares, os dois juntinhos, parados no lugar mais escuro que encontrassem, pouco se importando com o que se passasse em volta. Com Olguinha Strambi, minha amiga, não podia contar; nem mamãe, nem dona Josefina consentiriam que duas meninas, duas espoletas, saíssem soltas para uma festa de rua. Minha situação não era brilhante, as perspectivas apresentavam-se negras.

A turma das grandes teimava em não me aceitar, fugia de mim. Indispunha-me com elas ao fazer revelações à mamãe dos segredos das mais velhas, acarretando-lhes com isso restrições e mal-estar. O caso da "Júlia Fonfom" não era fato isolado, somava-se a outros; eu denunciara a existência de um caderno secreto, propriedade de Vera. Esse caderno escolar, velho pelo manuseio, levava na capa, em letras de fôrma, o título chamativo de *Livros das sortes*. As mocinhas da redondeza apareciam para consultá-lo. Vera tivera o trabalho de copiá-lo não sei de onde, caprichara na caligrafia. Dina, Júlia, Rossinela, Hilda, Victória e tantas outras eram freguesas constantes do misterioso caderno; uma vez por mês surgiam querendo saber de sua sorte, o que lhes reservava o destino nos seguintes trinta dias:

— Vera, veja aí o que é que há para o dia 23, quarta-feira.

Vera, solícita, consultava o questionário, as folhas grudadas umas às outras, as pontas das páginas dobradas e gastas. Apontava com o dedo:

— Aqui está, 23, quarta; junho, não? "Não penses mais no ingrato"; ou: "Ele voltará rastejando"; ou: "Teu amante pensa em ti"; ou: "Receberás um presente da pessoa amada...".

Eu assistia muitas vezes às consultas, sem no entanto entender do que se tratava. Não percebia que a sorte, válida por um mês apenas, se relacionava com a data do primeiro dia de menstruação. Aliás, eu nem podia mesmo perceber nada, pois somente vim a inteirar-me deste assunto aos dez anos, por experiência própria. Levei um susto muito grande na primeira aparição e desesperei-me ao ouvir o conselho de mamãe: que eu tivesse paciência pois, daí por diante, receberia essa visita todos os meses. Chorei muito, achei horrível aguentar tal calamidade pela vida afora. Foi Vera, então, quem veio em meu socorro, tentando consolar-me, transportando-me do desespero aos braços da vaidade:

— Você agora já é moça, sua boba! Pode até consultar o meu livro da sorte!

Mas, voltando atrás, um belo dia, aproveitando-me da ausência da mana, surrupiei seu caderno e propus a Tito brincarmos de sorte. Ele topou, eu diria as datas que me viessem à cabeça, ele procuraria e leria as respostas. Nos sentamos debaixo de uma árvore e começou a pagodeira; folheamos o questionário, da primeira à última página, rindo muito, tentando decifrar frases que não entendíamos. Uma delas ficou entalada, pois Tito pronunciava mal a palavra "grávida", colocando o acento tônico no *i* — "gravída" —; resolvemos consultar mamãe, que no momento fazia flores de penas de galinha. Cheguei junto a ela e, sem nenhum preâmbulo, à queima-roupa, perguntei-lhe: "O que é gravída com teu amante, mãe?". Apanhada de surpresa, saindo da distração em que se encontrava, mamãe teve um sobressalto:

— O quê? Grávida com quem?

Vera foi chamada para explicações, levou um sabão: "Essas sortes, menina, não são para moças de família. Jogue essa porcaria fora". A ordem não foi cumprida. Vera não era louca de desfazer-se do livro tão precioso, útil a toda uma coletividade juvenil, carente de sonhos. Fuzilou-me com o olhar, não pôde vingar-se no momento. Mas eu pagaria caro, aguardasse.

Houve ainda outro caso, entre tantos, a me indispor com Vera: o incidente com Tanúcio Celentano, garotão do bairro, filho do proprietário da serraria.

Coube a mim ser emissária de um bilhete galante e de um saquinho de balas, do dito Tanúcio para Vera, que nutria por ele verdadeiro horror. Havia algum tempo o menino teimava em lhe fazer a corte, dirigindo-lhe graçolas e assobiando fiu-fiu ao vê-la passar. Talvez umas balinhas adoçassem um pouco a fera... Vera exasperou-se diante do bilhete atrevido: "Eu namorar esse sujeito? Deus me livre! Volte no mesmo pé" — ordenou-me, ríspida — "devolva o bilhete e diga que as balas ele entrouxe no rabo! Vá depressa, não quero conversa com aquele moleque".

Suspirei desconcertada, desiludida, pois estava de olhos compridos nas balas, ah! as balas que eu adorava, de travesseirinhos, com casquinha crocante! Não me atrevi a desobedecer, apanhei a encomenda, iniciei a volta sem muita convicção. Ao dobrar a esquina, porém, fora do alcance de seus olhos, não resistindo à tentação, incorporei as balas; sem dizer uma única palavra ao menino, devolvi-lhe o bilhete e saí correndo.

Tanúcio Celentano não era tipo de levar desaforos para casa. Arregimentou alguns companheiros e, todos em coro, puseram-se a berrar diante de nosso portão, arreliando: "Gostou das balas, hein? Bilhete, não! Balas, sim! Bilhete, não! Balas, sim!...".

Durante muito tempo, Vera foi obrigada a desviar caminhos, dar voltas imensas para evitar encontros desagradáveis com a malta.

Claro que fui logo descoberta. Desmascarada, ouvi em silêncio o esbregue e as ameaças; desta vez era culpada, não havia a menor dúvida.

MADAME POÇAS LEITÃO

A punição não tardou a chegar. Por um momento de fraqueza (como poderia eu ter resistido às balas?), e por outros deslizes mais, fui alijada de um dos programas de que mais gostava: espiar e fazer troça das aulas de dança de madame Poças Leitão, no salão de baile do Trianon, embaixo do Belvedere, na avenida Paulista (onde se ergue hoje o Museu de Arte de São Paulo).

As aulas de madame Poças Leitão eram ministradas a rapazinhos e a mocinhas de família bem, gente distinta, em dias úteis à tarde. Eu adorava acompanhar a turma que ia para lá se divertir sempre que podia. Descia-se por uma escada lateral externa — entrada de serviço —, empurrava-se um portão de grades de ferro, aberto nos dias úteis e trancado aos domingos, quando havia bailes. Duas basculantes de vidro transparentes permitiam-nos uma visão perfeita do salão. Disputávamos os melhores postos de observação entre risos e cotoveladas.

A professora, madame Poças Leitão, francesa com forte acento — quando não se expressava na própria língua materna —, iniciava sempre suas aulas por uma revisão preliminar da limpeza e elegância dos alunos: "Cabelos bem penteados? Camisa limpa? Colarinho engomado? Nó da gravata bem-feito? Axilas perfumadas? Sapatos engraxados? Muito bem. Agora todos perfilados!".

Os jovens alinhavam-se de um lado, as mocinhas em frente, separados por alguns passos de distância: "*Un, deux, trois!* Um, dois, três!". Madame marcando com energia o compasso. "Os jovens *en avant!*" Obedientes, os rapazes avançavam em direção às meninas, paravam, mão esquerda às costas, dorso curvado, mão direita estendida convidando o par. A dama, por sua vez, oferecia ao cavalheiro as pontas dos dedos e lá se iam os pares em fila dando voltas pelo salão, sob o olhar exigente da professora, antes de começar a dança propriamente dita. Essas preliminares nos pareciam muito divertidas e soltávamos piadas a respeito: "E é preciso tanta farofa pra dançar?". As risadas se desdobravam, os dançarinos eram imitados nos degraus de pedra da entrada de serviço.

Os pares enlaçados aguardavam diretivas: "Dois passos à direita, dois passos à esquerda... *droite... gauche...*". Madame Poças Leitão dando o exemplo.

A turma de Vera era craque em qualquer tipo de dança, mudando o compasso da valsa para o maxixe com o maior desembaraço. Nunca precisaram de aulas, aprendiam instintivamente todos os ritmos. Vera se destacava no passo de camelo, dança de ritmo moderno, coqueluche nos salões daquele tempo. Em festinhas particulares ou nos salões das Classes Laboriosas (com amarga recordação para mamãe), aos primeiros acordes da música:

Sae Cartola
sae Cartola
camisa de peito duro
sapato pedindo sola

lá se ia Vera com seu par — ou, na falta deste, uma amiga também servia —, pernas longas e finas, boas para o passo largo e ligeiro, quase marcha militar, atravessando o salão de ponta a ponta, chegando sempre antes de qualquer um. A vencedora das maratonas do passo de camelo!

Eu já havia pago caro, não indo à última incursão ao Trianon, não reclamara, curtindo calada a penitência. Sentia-me, pois, reabilitada, quite, livre para me encostar novamente às mais velhas e disso não abriria mão. Iria com Vera e sua turma à festa da igreja da Bela Vista, custasse o que custasse! Mesmo na condição de indesejável.

TEORIAS DE SEU ERNESTO SOBRE RELIGIÃO

Liberal, papai não se incomodava que fôssemos a quermesses de igrejas. Sua posição em face da religião era honesta e coerente: não acreditava em nada, não acreditava na continuação da vida após a morte, mas não impunha seus pontos de vista:

— Religião é coisa íntima, de cada um — dizia. — Por isso não posso cometer a violência de impor uma religião, uma determinada doutrina aos meus filhos, apenas para atender às exigências da sociedade em que vivemos. Quando meus filhos crescerem, cada qual escolherá seu caminho: ou não ter religião alguma ou escolher a religião que preferir, a que achar mais certa. Minha obrigação é deixar que eles próprios façam suas comparações, tirem suas conclusões. Eu não me ofenderei, nem ficarei magoado se cada um de vocês, meus filhos, se batizar, não importa em que religião, quando forem maiores e souberem escolher. Quando crescerem não poderão me acusar de tê-los encaminhado para uma determinada religião nem de tê-los obrigado a me seguir em meu ateísmo.

Por isso papai não fazia a menor restrição a que acompanhássemos procissões; para ele tudo fazia parte de um aprendizado. Para nós, meninas, as festas de igreja eram inocente distração, uma festa como outra qualquer.

ANARQUISTA *MA NON TROPPO*

Em relação ao Carnaval, porém, as coisas mudavam de figura, papai não mantinha a mesma atitude desprendida. Festa de igreja era uma coisa, Carnaval outra, muito diferente. O liberalismo de seu Ernesto acabava:

— Vocês sabem o que significa a palavra *carnevale*? — perguntava-nos. — Não sabem? Pois eu explico: separem a palavra em dois e verão o resultado: *carne-vale*. Entenderam? Nesses dias de folia o que vale é a carne.

Não adiantava a gente dizer que a palavra era Carnaval e não *carnevale*. Não o demovíamos de sua teimosia.

Sofríamos o diabo nesses três dias. Morávamos a um quarteirão da avenida Paulista, o foco da animação onde se arrastava o corso de automóveis, superlotados de jovens, sentados sobre as capotas arriadas com as pernas balançando para fora, atirando serpentinas de um carro a outro, travando batalhas de confetes e lança-perfumes... As calçadas regurgitando de gente fantasiada, cantando e pulando, desabafando os recalques de um ano inteiro. Nesses três dias de

Carnaval a avenida Paulista perdia seu ar austero, explodia em risos e alegria.

Em casa, de prontidão, papai não arredava pé, guardião atento. Para os meninos nenhuma restrição; nós, as meninas, podíamos ir à avenida, até ganhávamos um lança-perfume por dia, mas com uma condição: aparecer em casa a cada meia hora. Nunca entendi quais os cálculos que ele fazia para nos livrar de perigos. E qual seria o perigo? O que poderia nos acontecer se passássemos da meia hora? Inda bem que papai tinha consciência e permanecia debruçado na janela a tarde toda nos poupando assim o tempo de entrarmos em casa para "marcar o ponto". Chegávamos à esquina e de lá, sem perder tempo em atravessar a rua, gritávamos para chamar-lhe a atenção: "Pai! Olhe! Nós estamos aqui!". Dávamos um adeus e voltávamos correndo para as batalhas de lança-perfume, para o aperto.

Inconformada com a incoerência do pai — suas ideias tão liberais, a favor da emancipação da mulher —, Wanda resolveu interpelá-lo numa véspera de Carnaval, quando as restrições já começavam a ser recitadas:

— Me diga uma coisa, pai. Como é que o senhor, um anarquista, fica prendendo as filhas, proibindo-as de participar do Carnaval?

Seu Ernesto não se apertou, disse que ele era anarquista mas que a maioria — ou a totalidade — dos carnavalescos não era. No dia em que o anarquismo triunfasse no Brasil, aí então ele soltaria as rédeas. Soltaria mesmo? Tínhamos nossas dúvidas. Nem por anarquista, ele descuidava da virtude das filhas. Filha de seu Gattai devia casar virgem. Seu anarquismo tinha limitações, graças a Deus!

DONA CAROLINA BULCÃO

Um dia ouvi mamãe combinando com papai a minha ida para a escola. Eles debatiam seus assuntos particulares pela manhã, na cama, ao despertar. Quando a porta do quarto ficava entreaberta, escutávamos tudo o que diziam.

Eu estava com quase oito anos; havia aprendido todas as letras do alfabeto assistindo às aulas de Wanda à Maria Negra, andava sempre com *O Estado de S. Paulo* em punho, perguntando coisas a um e a outro. Lia frases inteiras.

— Já está na hora — mamãe dizia e repetia. — Já passou até da hora. Dona Carolina mandou um recado ontem, quer saber se vamos deixar a menina continuar analfabeta para o resto da vida. Fiquei até sem jeito!

Dona Carolina Bulcão, filha mais velha de dona Emília Bulcão, a parteira, era professora leiga de uma das escolas Sete de Setembro, espalhadas pela cidade.

Vizinhos antigos, sempre mantivemos com a família Bulcão relações cordiais. Agora aquele recado, meio desaforado, de dona Carolina havia baratinado mamãe. Realmente, ela não tinha pensado que passara o tempo de matricular sua filha na escola. A menina era tão sabida, aprendia com facilidade, sem ninguém ensinar... Quanto mais tarde fosse à escola, melhor: menos tempo de escravidão entre quatro paredes, de humilhações e castigos corporais aplicados pelas professoras, hábito da época: bolos nas mãos, puxões de orelhas, joelhos sobre grãos de milho ou de feijão atrás de uma porta... Havia o exemplo de Olguinha: no primeiro dia em que foi à escola assistiu ao espancamento de um colega. No dia seguinte recusou-se a voltar. Não queria arriscar, não estava disposta a suportar brutalidades. Havia um ano que dona Josefina pelejava para que a menina retornasse aos estudos, sem resultado. Olga começava a suar frio, sempre que falavam em escola, entrava em pânico. Cláudio também regressara várias vezes da aula, de orelhas vermelhas, joelhos inchados. Com Tito, acontecera chegar em casa trazido pelo servente da escola, seguro pela orelha.

Meus pais acreditavam na escola da vida. A única que haviam cursado. Talvez por isso eu atingia os oito anos sem ter sentado em banco de sala de aula.

A Escola Sete de Setembro, dirigida por dona Carolina, funcionava numa sala de frente, alugada a uma velhinha que vivia nos dois cômodos de trás. Ficava a três quarteirões de nossa casa, poderia ir e voltar sozinha. Além de tudo, nunca se ouvira contar que dona Carolina maltratasse as crianças. Ficou, pois, resolvido que eu seria matriculada dentro de alguns dias, logo após o purgante. Porque já estava na hora de tomar o purgante.

PAUSA PARA UM PURGANTE

Uma vez por mês, nós tomávamos um purgante: Sciroppo Pagliano. Esse remédio italiano era a coisa mais desesperadoramente horrível que existia. Grosso, enjoado, raspava na garganta. Três pessoas eram convocadas para me imobilizar — papai inclusive —, ao lado de um copo de laranjada e açúcar. Alguém apertava meu nariz, mamãe enfiava nervosamente a colher com o purgante em minha boca, ao mesmo tempo em que gritava, num mistura de línguas:

— Súbito, súbito, rápido! Açúcar! *Zucchero!* Laranja!

Chegava a engasgar com a colherada de açúcar introduzida em minha boca; se não agissem a tempo, eu vomitava tudo. Purgante mais miserável! Mas, de efeito garantido, garantidíssimo, dos mais violentos. Passava-se o dia todo de molho, sem sair do quarto, tomando apenas caldo de galinha e laranjada. No dia seguinte tudo voltava ao normal. Até hoje sinto repugnância ao lembrar o gosto pavoroso do Pagliano.

Verdadeira mania de papai, esse purgante! Dizia que ele purificava o sangue, que com essa "cura" — um purgante por mês — a pessoa nunca adoecia. Realmente, talvez por coincidência, jamais ficávamos doentes, nunca vi um médico entrar em minha casa, nunca fui levada a consultórios médicos, nem a dentistas; não tive sarampo, nem coqueluche, doenças normais da infância. Apanhei apenas caxumba, de uma criança que veio nos visitar. Senti-me feliz, nessa ocasião, a cara inchada, toda besuntada de pomada Iquitiol, preta e fedorenta. Um cachecol comprido me abafava, enrolado do alto da cabeça ao queixo. Eu, por trás dos vidros da janela, levantava a cortina de renda, olhando a rua, fazendo inveja às meninas vizinhas. Durante um certo tempo fui liberada de segurar a vela de Wanda e José — não podia sair à noite —, recebi muito carinho e muitas atenções de mamãe, uma beleza! Essa foi minha única doença até a idade de dez anos.

A PROFESSORA

Tipo minhom, magra, dona Carolina não era feia nem bonita mas tinha certo encanto. Os cabelos, louro-avermelhados, sedosos e abundantes mereciam de sua dona cuidados especiais. Ela os penteava de maneira ousada, deixando que madeixas finas e soltas caíssem naturalmente sobre o rosto; grande coque na nuca, preso por pentes e enormes grampos de tartaruga. Sua miopia obrigava-a a usar óculos mas ela escolhera aqueles menos vistosos, apenas as lentes, pequenas, sem aro. De boca rasgada, lábios finos, dentes perfeitos sempre à mostra. Pele muito alva, ainda mais clara pelo uso, exagerado, do pó-de-arroz, única maquiagem permitida às mulheres sérias da época. Diziam que dona Carolina aplicava o pó-de-arroz com o rosto ainda úmido, para que o pó aderisse melhor, tornando-o branco-alvaiade.

Certa vez, dona Carolina convidou seus alunos para um chá em sua casa, festejaria nesse dia o seu aniversário. Mamãe não se atrapalhou na escolha do presente que eu levaria para a professora: uma latinha de pó-de-arroz Lady — útil e barato. Aconteceu que as mães dos outros trinta e tantos alunos de dona Carolina também não se atrapalharam, tiveram a mesma ideia que dona Angelina, e, sobre a cama da professora, forrada de colcha branca, bordada, para receber presentes, amontoaram-se nesse dia trinta e tantas latinhas de pó-de-arroz Lady.

Apesar de muito vaidosa, nem assim fazia uso do negro pó de rolha queimada, utilizado por jovens mais atrevidas, com o objetivo de acentuar as olheiras ao estilo de Francesca Bertini, Theda Bara e outras atrizes famosas.

Não posso fazer um cálculo exato de sua idade mas, certamente, ela devia beirar os trinta anos — considerada já por todos uma solteirona, sem perspectivas de amor ou casamento.

Havia noites de juntar gente na calçada, em frente à sua janela aberta, para ouvi-la em suas canções românticas, acompanhando-se ao bandolim:

Senhor!
Tréguas aos meus ais!
Mata-me essa dor
Vem dar fim ao meu penar.

Pessoa alegre, mesmo na sala de aula dona Carolina não mudava de humor; gostava de conversar, contar anedotas e casos. Comentava conosco todos os crimes e assassinatos que lia nos jornais, tomava partido, se inflamava. O tempo tornava-se escasso para o estudo propriamente dito.

Defronte da escola morava a família de Cármine Celentano, dono da serraria do bairro. Ida Celentano, a mais moça das meninas, estudava piano, aluna do conservatório. A jovem tinha jeito e alegrava nossas aulas com seus exercícios diários. As músicas sucediam-se, a melodia saía da janela aberta dos Celentano, atravessava a rua, entrava direta nos finos ouvidos de dona Carolina que, algumas vezes, interrompia a aula, anunciando, erudita, o seu título: "Marcha turca", "Sonata ao luar", "Sobre as ondas"... Às vezes acompanhava a música com um meneio de cabeça ou um passo de dança. Eu esperava ansiosa, todas as manhãs, que Ida abrisse a janela: enternecia-me o som do piano. Ah! se pudesse, um dia, saber tocar... Mas piano era instrumento para gente rica, não estava ao meu alcance.

Minha professora não batia nos alunos nem os punha de joelhos sobre milho ou feijão; tentava manter a disciplina da classe utilizando-se de réguas — mantinha sobre a mesa pelo menos uma dezena de réguas, todas enfileiradas — que atirava na cabeça da criança faltosa, com uma técnica muito especial: segurava numa das pontas da régua, fazia pontaria e... jamais errava o alvo.

Às dez horas, infalivelmente, ela saía da sala para tomar lanche com a velhinha que lhe alugava a sala. Deixava Georgina, filha de árabes, sua afilhada de batismo e protegida, de pé no quadro-negro, com um giz na mão a assentar o nome dos alunos "sem polidez". A primeira vez que li esse termo escrito na lousa — escrito por dona Carolina — fiquei curiosa. Ao conhecer-lhe o sentido tomei-me de antipatia pela palavra "polidez".

Ninguém ligava à fiscalização de Georgina, todo mundo falava e ria; ela escrevia os nomes dos "sem polidez" no quadro-negro. Muitas vezes até faltava espaço, tantos eram. Ao retornar à sala, encontrando a pedra lotada, a professora indignava-se, ameaçava Deus e o mundo, não queria mais ver aquela anarquia em sua escola, crianças que não aprendiam educação em casa etc...

A primeira vez que ouvi dona Carolina empregar a palavra "anarquia" para designar desordem, fiquei chocada. Será possível? Será que ela está se referindo a mim?

Ao chegar em casa, nesse dia, relatei o acontecido à mamãe. Ao contrário do que esperava, mamãe não se indignou, riu da minha ingenuidade, explicou-me então que a maioria das pessoas pensava assim, usando a palavra anarquia naquele sentido, nada sabendo sobre a verdade do anarquismo. Se a maioria soubesse — suspirava —, se entendesse, não haveria mais problemas no mundo. O difícil, o mais difícil de tudo era explicar, fazer as pessoas compreenderem a coisa mais primária, mais simples: "O povo unido pode mover o mundo... mas não existe união, não existe compreensão, a ignorância domina...".

Mamãe sonhava:

— Quanto mais belo seria o mundo se fosse abolido o poder do dinheiro, minha filha! Um mundo em que todos pudessem se educar. Em que não existissem misérias! — Eu pensei em Maria Negra. — Um mundo sem armas, sem guerras. Em que existisse apenas amor!

Fiquei muito impressionada, sobretudo ao saber da possibilidade, embora remota, de ser abolido o dinheiro. Seria possível uma coisa dessas? Não ser preciso pagar mais nada? Imaginei logo a cena: eu entrando na Confeitaria Bussaco, de seu Manuel, ou na Primavera, a melhor confeitaria do bairro, daquele antipático do Zeca, dizendo simplesmente: alô!, a quem estivesse, abrindo as vitrinas, servindo-me à vontade daqueles doces deliciosos, empapados de licor e mel (punha-me água na boca só em pensar); depois tchau! Passem bem, eu volto logo!

COLEGAS NOVOS

Dona Carolina nos comunicou um dia, ao chegarmos à sala de aula:

— Amanhã teremos dois coleguinhas novos. São dois meninos recém-chegados de Portugal. Eles ainda não sabem falar direito a nossa língua, mas são meninos inteligentes e educados. Eu peço a vocês, por favor, que não caçoem; eles têm um sotaque carregado, falam muito engraçado, mas a gente precisa ter educação.

Levou tempo na recomendação, deu alguns exemplos sobre cordialidade e boas maneiras. Bateu tanto na tecla da polidez que acabamos — toda a classe — na maior curiosidade de conhecer as duas aves raras.

No dia seguinte, como havia sido anunciado, apareceram os dois irmãozinhos, Alberto e Domingos Carvalho da Silva. Muito encabulados com tantos olhos a devorá-los, foram se ambientando aos poucos. Eu não ri nem uma vez deles embora achasse graça de sua maneira de falar. Fiquei contente de entender quase tudo o que diziam.

Um belo dia, na hora dos recitativos, dona Carolina perguntou aos irmãos Carvalho da Silva se sabiam recitar. Domingos declarou que sim e até que, "por acaso", conhecia uma poesia muito bonita.

No meio da sala, o menino deu um verdadeiro show de declamação! O poema referia-se a um analfabeto que havia recebido uma carta e aflito fazia conjecturas sobre o conteúdo da mesma; seria da mãe ausente? Teria ela morrido?... Domingos gesticulava, suava, chegou a chorar de emoção, parecia que tudo o que os versos diziam era realidade. Extasiada diante de tão grande artista, senti-me, ao mesmo tempo, arrasada e encantada. Daí por diante eu, que até então era arroz-de-festa, a tal nos recitativos e gestos, passei para a sombra de Domingos Carvalho da Silva.

Os dois irmãos não ficaram muito tempo nessa escola e sumiram de minha vista. Encontrei Domingos, muitos anos mais tarde, não o famoso declamador que eu supunha ele viria a ser, mas como poeta, ótimo poeta. Quanto a Alberto, é hoje cientista conhecido.

A CAVERNA MISTERIOSA

Na carteira diante da minha sentava-se Déa, irmã mais nova da professora, pouco mais velha do que eu. Lindos cabelos cacheados! Cachos compridos, pendurados em profusão, enroladinhos, canudos que me tentavam, o tempo todo. Mansamente, enfiava meu lápis dentro deles. Déa detestava que mexessem em seus cabelos, revidava com violência e lá vinha régua voando da mesa de dona Carolina, para as duas.

Déa Bulcão foi quem me deu as primeiras informações sobre nascimentos de crianças. Dentro da valise bojuda que a mãe carregava — me explicava ela —, encontrava-se a criança que dona Emília levaria para a mãe que a encomendara, apanhada pela parteira numa gruta escura, misteriosa. Por isso ninguém podia escolher o sexo do filho antes dele nascer. A criança era colhida nas trevas da noite. Onde ficava a gruta? "Não me pergunte que eu não posso responder!" — dizia Déa com ar superior. Sua mãe havia feito um juramento, como todas as parteiras, de não dar a ninguém o endereço da mina de crianças, da gruta misteriosa. Eu pensava muito sobre este assunto. Algumas vezes segui os passos de dona Emília, andando lado a lado, junto à valise encantada, quem sabe talvez pudesse ouvir o bebê chorar lá dentro? Cheguei a aconselhar a filha da parteira a abrir a maleta enquanto a mãe dormia. Ela jamais concordou. Nunca soube se a menina acreditava no que me dizia ou se arquitetara aquela história toda divertindo-se às minhas custas.

JULHO DE 1924

Gostava da escola. Em pouco tempo aprendi hinos, poesias patrióticas, jogos diversos e até a ler e escrever. Dona Carolina, chegada a festas, vivia inventando novidades.

Ao chegar à escola, certa manhã, fui avisada de que não haveria aula pois estourara uma revolução na cidade. Voltei apressada, doida para contar a novidade. Cheguei tarde, todos lá em casa já estavam no maior alvoroço, cientes do acontecimento. Mamãe demonstrava sua aflição andando de um lado para outro, como barata tonta. Ninguém conhecia detalhes da tal revolução, mas falava-se no nome de Isidoro Dias Lopes, chefe da revolta.

Por fim, mamãe tomou uma decisão: apanhou a caderneta da venda — pagávamos as contas no fim de cada mês, tudo o que comprávamos era assentado na caderneta — e saiu acompanhada dos três filhos mais velhos, para ajudá-la a trazer os mantimentos que ela se dispunha a armazenar, com o objetivo de se garantir para qualquer eventualidade. A venda de seu Henrique, na avenida Rebouças, àquela hora da manhã, já havia cerrado as portas, ficando apenas um vão aberto. Só permitiam a entrada a fregueses antigos; ainda assim, mamãe teve dificuldade em conseguir romper o cerco do povo aglomerado na calçada, ameaçando assaltar o empório.

Papai era quem mais se preocupava; logo agora que começara a tomar pé na vida... Os carros haviam chegado recentemente — dois já estavam vendidos mas a firma pedira aos compradores que os deixassem em exposição, enquanto preparava os papéis para o emplacamento. Assim aproveitaria mais uns dias a propaganda feita pelos próprios automóveis; em frente às vitrinas havia sempre gente a contemplar os quatro belos carros, tão cheios de novidades! Outros Alfa, já encomendados, estavam a caminho do Brasil. E agora? Em plena revolução, num clima de incerteza, quem iria comprar carro novo?

Outra preocupação assaltou papai de repente, essa ainda mais aflitiva. Como não havia pensado antes? E se Remo fosse convocado? Para papai o filho continuava a ser uma criança, mas, não! Remo já era homem, apto a empunhar o fuzil... Nem ia tocar nesse assunto com Angelina, coitada!

Em nosso bairro não havia movimento militar. Apenas boatos, os mais desencontrados. A última notícia, que corria de boca em boca, era de que no Brás tinham levantado barricadas nas ruas, bombas explodiam, havendo tiroteios com mortos e feridos. As fábricas haviam fechado, o povo assaltava postos de abastecimento.

Ao ouvir falar em bombas e mortos no Brás, mamãe entrou em crise: "O que será da minha irmã?". Havia mais de uma semana que não tínhamos notícias da família de tia Margarida.

O HERÓI DA FAMÍLIA

Depois de muita confabulação, ficou decidido que Remo iria tentar uma ida à casa de titia, pelo menos, colher nas imediações notícias mais concretas sobre a situação no Brás. Colocou-se uma faixa branca em seu braço, obrigatória para quem saísse à noite. Os lampiões a gás, da iluminação, estavam apagados havia dias. Nas ruas tudo era escuro e deserto.

Enquanto aguardava a volta de Remo, mamãe, aflita, arrependia-se mil vezes de haver permitido que o filho se aventurasse, atravessando trincheiras, embrenhando-se na zona perigosa...

Depois de longa e interminável espera, Remo chegou. Nos reunimos todos à sua volta, ávidos de notícias.

Circunspecto, inflado de responsabilidade, Remo traçou um panorama da situação no Brás que, segundo ele, era realmente séria. Tia Margarida e tio Gino — o pobre do tio Gino, neurastênico por natureza, vivendo sempre agoniado — estavam na maior agonia. Havia uma trincheira quase em frente à casa deles. As fábricas fechadas, ninguém recebia o salário, nenhum armazém vendia mais pelo sistema de cadernetas, agora era só na ficha e assim mesmo já estava difícil encontrar-se o que comprar. Se a revolução se prolongasse por mais algum tempo, em breve estariam passando fome. Essa era a situação. Tio Gino fizera um apelo dramático: fossem salvar sua família!

Papai ouviu tudo, rosto sério, e, antes de consultar a mulher, decidiu:

— Amanhã cedo vou buscar o pessoal. A gente se arranja por aqui, coloca alguns colchões no chão, repartimos a comida.

Remo ainda tinha o que contar de suas aventuras. Encontrara-se na volta com uma patrulha de homens fardados que gritaram ao vê-lo aproximar-se:

— Quem vem lá?

— É de paz! — respondera Remo, instruído para essa emergência, brandindo uma bandeirinha branca, que levara por precaução.

Impressionei-me muito, achei lindo e excitante o curto diálogo entre meu irmão e os patrulheiros. Pedi-lhe, mais tarde, que me repetisse tudo de novo. Levei um bruta carão; ele, muito importante, não ia perder tempo com fedelho.

A CASA REPLETA

Aquela foi uma noite de nervosismo. A perspectiva da vinda da família de tia Margarida para a nossa casa deixava-nos febris. Eu adorava Clélia, minha prima, que mesmo sendo mais velha, tratava-me como se fôssemos da mesma idade. Não era como aquelas enjoadas das amigas de Vera, que me olhavam do alto como se eu fosse, o quê? Vera também era ligada à Clélia, enquanto Wanda e Virgínia, ambas da mesma idade, entendiam-se bem. Cláudio — como já é sabido — fazia dupla com Tito e os pequenos não interessavam. Além da presença de Clélia em nossa casa, havia outro motivo, talvez mais forte, da minha satisfação: o retorno de Cláudio. Desde o acidente com o disco de mamãe, ele não passara as férias conosco, como de hábito. Resolução de tia Margarida. Mamãe o convidara, mas titia dissera não! "Não vai mais dar trabalho aos outros. Irá depois que criar juízo."

Agora ele viria, incorporado à família, diminuindo meus remorsos.

Mamãe apanhou novamente a caderneta e partiu para o

armazém. Agora, sim, precisava de muitos víveres, com aquela gente toda acampada em casa. Não conseguiu desta vez nem metade do que pretendia, pois o estoque de mercadorias estava quase esgotado e os atacadistas tinham suspendido as entregas. Por muito favor mamãe pôde comprar uns dois ou três bacalhaus grandes — alimento forte, substituiria a carne já escassa nos açougues. O que tínhamos na despensa daria para uns bons quinze dias. Quanto ao pão, mamãe não se preocupava tanto. As padarias vendiam apenas uma unidade por pessoa. Mandaria todas as crianças para a fila do Manzoni — a padaria mais próxima de casa —, embora fosse perigoso; havia brigas diariamente nas portas das padarias, todo mundo irritado, com medo de que lhe faltasse o alimento básico, a exigir que os padeiros tirassem a massa do forno antes mesmo de estar suficientemente assada.

Maria Negra nos fazia muita falta. Wanda era muito ativa, mas mesmo assim não podia dar conta da cozinha para aquele mundão de gente. Aflitíssima, mamãe não tirava esse problema da cabeça. Não queria sacrificar a filha. O jeito era criar coragem e pedir colaboração — certamente nem precisaria pedir — à Margarida. O oposto da irmã, ótima cozinheira, titia ajudaria na cozinha e as meninas na arrumação da casa. Aquele não era momento de se fazer cerimônia.

A casa entrou em ritmo de revolução. Mamãe tinha a mania — e por isso era constantemente criticada — de colocar vários colchões em cada cama. Agora, todos louvavam sua previdência: os colchões iriam prestar real serviço. Os quartos amplos já não tinham espaço para se andar; os colchões, uns juntos aos outros, forravam o assoalho, à espera dos hóspedes.

Já passava das duas horas e papai nada de chegar. Mamãe decidiu que sentássemos à mesa, embora ninguém sentisse fome. Todos atentos ao menor ruído de automóvel que se aproximasse. Por fim, quando acabávamos de almoçar, ouviu-se a buzina do carro de papai tocando insistentemente, avisando que chegara. Vera tomara posição estratégica junto à janela, deu um grito:

— Chegaram, minha gente! Parece um carro alegórico! Venham ver!

Os vizinhos saíram às janelas, o espetáculo valia a pena: a capota do carro arriada para caber tudo e todos; imensas trouxas de roupas e de objetos transbordavam em todas as direções. No alto dessa montanha, empoleiradas, as crianças no maior assanhamento agitavam bandeirinhas brancas, improvisadas com lenços em ponteiras de guarda-chuvas. Traziam a gaiola com passarinhos — os papa-capins de estimação de tio Gino. Com a família de tio vinham ainda duas crianças — Nena e Nêne —, filhos de vizinhos de tia Margarida, pessoas que papai mal conhecia. De espreita, atrás da janela, ao ver chegar o "salvador", dona Angélica, mãe das crianças, veio correndo. Ajoelhou-se, patética, aos pés de papai:

— Pelo amor de Deus, seu Ernesto! Salve também meus filhinhos! Pelo menos as crianças! — Chorava e dizia frases soltas, num ataque de histerismo.

Papai teve pena. Duas pessoas a mais não fariam diferença.

Nena era de minha idade, talvez um pouco mais velha; eu não ia muito com a cara dela, e, indo ao Brás, escondia-me para não vê-la. Menina mais burra, não havia jeito de aprender meu nome! Quando não o transformava em Zélida, me chamava de Coisa. Ai, que raiva! Não gostava de seus modos e muito menos de suas conversas de menina metida a sabichona. Certa vez Nena me perguntou:

— Ei, Zélida! Você já tem laranjinha?

Não entendi o que ela desejava saber:

— Laranjinha? Que laranjinha?

Nena soltou uma gargalhada de deboche diante de minha ignorância, de meu espanto:

— Puxa vida! Você é mesmo uma trouxa — disse-me com ar de malícia —, laranjinha nasce aqui, olhe! — mostrou-me o lugar dos seios. — Começa como um botão que dói pra burro, depois vai crescendo, vai crescendo até ficar peito de mulher…

— E você já tem isso? — perguntei-lhe admirada.

— Eu não, mas a filha de dona Tósca tem e me mostrou — disse orgulhosa.

Eu não sabia quem era dona Tósca nem a filha dela, a dona das tais laranjinhas. Fiquei baratinada com essa revelação, nunca havia pensado na transformação do corpo, passei a me apalpar de vez em quando.

Aquelas crianças do Brás eram muito avançadas. Sabiam coisas de arrepiar, diziam palavrões, cheias de malícia. Essa curta estada da turma lá em casa me perturbou, aprendi bastante, mais do que o habitual para uma menina de minha idade. Dário, o penúltimo filho de tia Margarida, formava dupla com Nêne, dois moleques que nem haviam ainda mudado os primeiros dentes e já maliciosos como eles só!

Querendo mostrar sabedoria, quis explicar à Nena de onde vinham as crianças, baseada na história de Déa Bulcão; só faltou morrer de rir e aproveitou a ocasião para contar-me coisas que me deixaram zonza.

Um dia, chegaram os quatro juntos: Nena, Nêne, Cláudio e Dário; estavam de boca fechada em atitude de esconder alguma coisa dentro dela. De repente, diante do meu espanto, deram uma cusparada de sangue, sujando todo o chão. Eu, que sempre tive pavor a sangue, horrorizei-me, devo ter ficado pálida. O que era aquilo?

Gargalharam do meu espanto, encantados com o efeito que a brincadeira me causara, e explicaram que esse era o jogo de enganar mãe: "A gente futuca bem a gengiva com um alfinete, suga bem o sangue, guarda ele na boca e depois cospe em frente da mãe da gente. Elas ficam malucas, quase morrem de susto. Experimente!". Deus me livre! Brincadeira mais sem graça!

Haviam chegado do Brás completamente gloriosos. Sabiam modinhas da revolução, viviam cantando:

Fala a metralha
responde o canhão
o Isidoro Lopes
vai ganhar a revolução!

E outras mais:

Isidoro não tem medo
Nem tampouco tem preguiça
Vai fazer do Artur Bernardes
Um pedaço de linguiça!

O REVOLTOSO DUDU

Papai andava nervoso. Aquela revolução dos tenentes, "revolução que não conduz a nada", não o entusiasmava. Não tomou partido, aliás, tomou, era contra aquilo tudo.

O boato de que os revolucionários estariam requisitando automóveis começou a circular. Os dois Alfa Romeo já vendidos continuavam em exposição na agência da Xavier de Toledo. Os quatro carros novos luzindo, lindos, na vitrina.

A oficina mecânica de papai, ao lado de casa, fora transformada em depósito de carros usados e em seção de pintura, depois que uma nova e grande garagem fora alugada pela Sociedade Anônima, na rua da Consolação, em frente ao cemitério.

Diante dos boatos insistentes, pelo sim, pelo não, papai achou prudente pôr os carros novos a salvo. Saiu com Remo, para retirá-los da agência, precisava evitar que fossem requisitados, o que seria uma catástrofe.

Não tardou muito, chegaram os dois, Remo na frente, o orgulho estampado na face, ao volante do carro estalando de novo — jamais pensara ele ter o consentimento, o privilégio, de dirigir um carrão daqueles —, papai, comboiando, logo atrás.

Os automóveis foram em seguida escondidos na seção de pintura, lugar camuflado no fundo da nossa garagem. Saíram novamente, às pressas, em busca dos que restavam. Chegaram à loja tarde demais! O pelotão revolucionário, comandado por Dudu, o valente e famoso Dudu, acabara de sair carregando os dois carros.

Arrasado, papai voltou para casa. Precisava tomar providências a fim de evitar que os outros automóveis fossem descobertos em seu esconderijo. Arranjou uma grossa corrente com cadeado, passou no portão da rua; tirou os fusíveis de iluminação da garagem, retirou as rodas de carros usados, ali guardados, colocando-os sobre cavaletes, apagou com tinta e pincel o letreiro indicando a seção de pintura, trabalhou o dia todo como um doido.

Nessa mesma noite, no momento em que nos sentávamos para jantar, em meio à maior balbúrdia das crianças, ouviram-se fortes pancadas, sacudindo o portão, balançando a corrente. Uma voz autoritária gritava:

— Abram esse portão! É a patrulha revolucionária!

— *Dio Cane! Dio Boia* — blasfemou seu Ernesto. — É o diabo do Dudu que vem completar a minha desgraça!

Os patrulheiros apressados sacudiam cada vez com maior violência o pesado portão, pareciam querer rebentar a corrente. Revestido de aparente calma, sem se apressar, papai foi atender os visitantes. Antes de chegar ao portão ouviu uma voz prepotente perguntar:

— Você tem carros aí? Precisamos de automóveis para ajudar a revolução. — Era Dudu, papai não se enganara, homem forte, um gigante.

— Não tenho carro nenhum em condições — respondeu-lhe papai, com o maior sangue-frio. — Os que estão aqui são de fregueses, carros desmontados para conserto.

O pelotão, composto de quatro homens, invadiu o barracão escuro. Cautelosamente, papai contava que havia ocorrido uma pane na eletricidade, quase ocasionando um incêndio, e que somente no dia seguinte poderia tomar providências. Papai dava as explicações enquanto eles, à luz de vela, verificavam se havia ou não carros disponíveis. De repente resolvi ser prestativa:

— Ali dentro tem dois novos — informei timidamente.

Felizmente ninguém prestou atenção em mim, ninguém me ouviu, a não ser papai, ao meu lado; pela primeira e única vez na vida, aplicou-me um beliscão, fazendo-me calar, sem mesmo reagir à dor. Compreendi imediatamente que havia metido o bedelho onde não havia sido chamada.

Apesar da minha intervenção, o comandante revolucionário saiu de mãos vazias, andando pelas próprias pernas.

TRINCHEIRA NA PORTA

Acordamos certa madrugada com um barulho estranho. Soldados tiravam os paralelepípedos do meio da rua, construíam uma trincheira bem em frente à nossa casa. O dia nem clareara e já estávamos de pé. Pânico generalizado entre os adultos, para as crianças a maior festa. Ninguém sabia nada do que estava acontecendo, nem do que podia acontecer. Os soldados não davam nenhuma informação concreta. Recomendavam apenas que entrássemos em nossas casas, pois a situação não estava para brincadeira. Papai, que andava nervosíssimo desde o dia em que levaram os carros, sempre na expectativa de que voltassem para nova revisão da garagem, explodiu nesta madrugada ao ver as crianças, no maior assanhamento, ajudando os soldados a carregar pedregulhos; ordenou aos berros que entrássemos imediatamente em casa sob pena de levarmos tremenda surra.

Na noite anterior, um aviãozinho sobrevoara o bairro em voo rasante. Tio Gino, que andava extremamente nervoso, descobrindo fantasmas ao meio-dia e farejando bombardeios aos menores ruídos, entrou em pânico ao ouvir naquela noite o ronco do motor do avião: tomando a iniciativa, exigia que o acompanhássemos para baixo da mesa da sala de jantar, nos acocorássemos, seguindo o seu exemplo, no improvisado abrigo antiaéreo. Completamente transtornado, dava ordens de comando:

— Todos para debaixo da mesa! *Sotto la tavola!* Debaixo da *tavola! Sotto la* mesa!

E agora? Aquela trincheira ali, bem debaixo de nosso nariz, ameaçava levar o pobre tio à loucura.

Cláudio e Dário, desprevenidos, tomaram um tabefe,

quando, ao passar junto ao pai, inocentes e distraídos, entoaram a modinha da revolução:

Fala a metralha
responde o canhão
o Isidoro Lopes
vai ganhar a revolução!...

Naquele mesmo dia apareceu em casa um freguês de papai, Federico Puccinelli, que ao constatar a situação aflitiva do mecânico e amigo, convidou-o e à sua família a abrigar-se em seu palacete.

A mansão dos Puccinelli, no elegante bairro do Jardim Europa, era toda rodeada de jardins, uma beleza!

Marido e mulher confabularam. Mamãe não estava muito inclinada a incomodar os outros, não queria dar trabalho a ninguém mas acabou cedendo, convencida de que essa seria a melhor solução para atenuar o problema que se agravava a cada dia. Não havia dúvidas, seria bom irmos para a casa dos Puccinelli. Não por medo da trincheira, ela até que era otimista, não acreditava que fossem travados tiroteios na alameda Santos. Preocupava-a sim a falta de víveres, que escasseavam assustadoramente.

O número de refugiados lá em casa aumentara de forma considerável havia dias. Logo depois da chegada do pessoal do Brás, apareceram, em prantos, dona Angélica e o marido, seu Pepe. Morriam de preocupação e de saudades dos filhos. Traziam roupas, na certeza de conseguir um cantinho lá em casa, onde se aboletar. E lá ficaram, lógico. Assim como também ficaram os Casella, velhos conhecidos da família: pai, mãe e duas filhas mocinhas, fugidos também do Brás, à procura de guarida. Não havia mais colchões a estender no chão. Os que tínhamos mal davam para a gente. Muitas vezes, durante a noite, acordei no assoalho, empurrada pelas espertinhas. Com a chegada de dona Angélica e de seu Pepe, e depois dos Casella, os meninos, inclusive Remo, passaram a dormir dentro de automóveis desmontados, desocupando espaços e colchões. O estoque de mantimentos desaparecia rapidamente, chegava ao fim.

— *Madonna mia santíssima!* Como vamos fazer? — suspirava mamãe, ao voltar do armazém de seu Henrique, a caderneta abanando na mão, as cestas vazias. Encontrara as portas da venda fechadas, as mercadorias haviam se esgotado. O jeito era arriscar a vida, enfrentando as aglomerações em frente aos postos de abastecimento, onde o povo exaltado reclamava alimentos, a ferro e fogo, onde explodiam discussões, insultos, brigas com feridos e presos.

Partimos para a casa dos Puccinelli, mamãe, papai, as três meninas. Tito e Remo ficaram com os hóspedes. A saída de cinco bocas — calculava dona Angelina — já ia aliviar um pouco a situação.

Na linda residência, cercados de todas as atenções pela esposa e pelas filhas do dono da casa, passamos menos de uma semana. Apesar do conforto que nunca experimentara antes e do carinho recebido, eu só tinha um desejo: voltar para minha casa.

Felizmente, quando menos se esperava, a revolução terminou. Isidoro derrotado, papai arruinado.

Os automóveis requisitados por Dudu desapareceram. Somente depois de muitos anos surgiu um deles na oficina de seu Ernesto, para conserto. Transformado num lixo, caindo aos pedaços, pertencia a uns ciganos que o haviam comprado num depósito de ferro-velho, no interior do estado. Do outro, jamais se teve notícias.

A CRISE

O país estava em crise. A palavra crise era a que mais se ouvia, em toda a parte. Ela conseguira me afligir. Não era por acaso a crise que andava preocupando tanto meu pai? Não fora ela quem fizera seu rosto alegre tornar-se pensativo e carregado? Sua oficina voltara a funcionar lá em casa — a nova, a garagem grande, fora fechada — mas andava às moscas. A época das vacas gordas, com garagem entulhada, sobrando automóveis até na rua, passara. Agora, o ruído de um carro entrando na oficina nos deixava a todos na maior expectativa. Mamãe desejando que o trabalho fosse grande, mas qual! Em geral vinham apenas para apertos de parafusos e um "muito obrigado" ao despedir-se. Positivamente ninguém dispunha de dinheiro, ninguém consertava os automóveis, ninguém os comprava.

Os Alfa Romeo permaneciam em exposição na Xavier de Toledo, o aluguel da loja, altíssimo, correndo e os carros ali encalhados, sem comprador; a Sociedade Anônima começara a degringolar desde a requisição dos carros pelos revolucionários e continuava de mal a pior. Creio que papai estava vivendo de empréstimos — coisa que o deprimia — pois não possuía nenhuma fonte de renda e as economias já haviam voado.

No armazém de seu Henrique também as coisas não iam bem: ele e os filhos andavam de cenho franzido. As vendas diminuíram muito e os fregueses, nós inclusive, encontravam dificuldades para saldar as contas no fim do mês. Contudo jamais cortaram nosso crédito.

Um dia, ao pedir a papai dinheiro para a carne e os legumes, num gesto brusco ele me entregou a carteira vazia. Deve ter sofrido muito depois com essa reação impensada, incompatível com sua maneira de ser. Saiu, voltou mais tarde e entregou-me — fez questão de entregar em minhas mãos — dez mil-réis: "Veja se dá para tentear por alguns dias...". Falava com muita humildade. Tive vontade de chorar.

Em casa andávamos inteiramente sem graça, jururus.

OS AMIGOS

Certa noite fomos despertados com uma serenata. Quem poderia ser? Bandolins, violões e canções napolitanas rompiam o silêncio com sua melodia. Ficamos ouvindo calados. Cantavam junto a nossa janela, no terraço. Só podiam ser os Sansone, o repertório deles era inconfundível: "Torna Sorrento", "Mare chiaro" e outras canções napolitanas, famosas.

Velho e querido amigo de papai, Luiz Sansone era pai de família numerosa, dono de uma pequena fábrica de brinquedos. Ele também, como todo mundo, passava por dificuldades, ninguém comprando brinquedos por causa da crise, nem assim dispensava as serenatas em companhia dos filhos.

Ao certificar-se de que era o amigo que ali estava a cantar, papai levantou-se e com ele toda a família. Luzes acesas, portas abertas, Sansone e os filhos entraram para tomar um copo de vinho. Mamãe não escondia sua gratidão pela presença dos amigos ali, naquela hora, com sua música e seu entusiasmo.

Até parecia que as nossas amizades, velhas e comprovadas, adivinhavam que o amigo passava por dificuldades e apareciam. Certamente não adivinhavam. Sabiam. Sabiam e vinham ao encontro do companheiro.

Naquele começo de madrugada não se falou em crise, Sansone contou coisas engraçadas, fez papai rir.

ORESTE RISTORI

E logo veio outro. Uma noite, quando terminávamos de tomar nossa sopa, apareceu, inteiramente de surpresa, o velho Ristori. Com ele, sua mulher Mercedes, mestiça de índia paraguaia.

O velho trazia o violão com o qual se acompanhava nas canções italianas e nos tangos argentinos que tanto gostava de cantar; chegara disposto a alegrar o ambiente.

Além da solidariedade na hora difícil, um objetivo concreto trouxera o velho Ristori à nossa casa. Vinha convocar papai e mamãe para uma reunião na Lega Lombarda: um encontro entre antifascistas e socialistas, organizado pelo movimento socialista de São Paulo. Estudariam na reunião a maneira de comemorar o primeiro aniversário da morte do grande líder socialista italiano, Giacomo Matteotti, assassinado por milicianos fascistas em Roma. Sua morte, aos trinta e nove anos de idade — por ter denunciado na Câmara os crimes, as violências e a corrupção do regímen de Mussolini —, causara consternação no mundo inteiro. Com o pretexto de comemoração, liberais e revolucionários de São Paulo queriam reacender a antiga chama, usando Matteotti como bandeira da luta antifascista.

Ristori falava indignado sobre os desmandos de Mussolini: "Já está passando da conta, um vira-casaca de merda que prende, condena e mata ex-companheiros do tempo em que militavam juntos nas fileiras socialistas". Ristori nos explicava: "O *mascalzone* usa métodos infames para torturar e humilhar os prisioneiros, obrigando-os a ingerir litros e litros de óleo de rícino!".

Velho lutador, Ristori não cansava nunca. Quantas vezes o ouvimos contar suas histórias? Podia repeti-las mil vezes, gostávamos sempre de escutá-las: tinha auditório permanente e atento lá em casa. Mas ele não se restringia às histórias de seu passado, falava também de outros revolucionários italianos: Cipolla, líder anarquista, assassinado pela polícia; Sacco e Vanzetti, os dois inocentes condenados à morte; Giacomo Matteotti, cujo aniversário de morte iríamos comemorar; Antonio Gramsci, prisioneiro do fascismo. Falava-nos sobre Giuseppe Garibaldi e sua mulher, a brasileira Anita, heróis de mil batalhas do passado. Contava-nos também de Miguel Costa, Luiz Carlos Prestes e Siqueira Campos, que à frente da Coluna Prestes cortavam o Brasil de ponta a ponta, desafiando autoridades constituídas que não conseguiam detê-los em sua marcha.

Ristori e Mercedes viviam em casa modesta num bairro popular. Em seu quintal, porém, a riqueza de um caramanchão florido e perfumado de glicínias acolhia os amigos que vinham para uma *chiacchierata* e para saborear o delicioso vinho de abacaxi, fabricado pelos dois. Recebia também visitas de jovens; Ristori adorava trocar ideias com gente moça, "com quem aprendo muito", juventude interessada em problemas sociais; vinham escutar a palavra experiente e honesta do mestre. Ouviam-no com atenção e respeito. Conversar com o velho, que privilégio! Quanto se aprendia!

Ir à casa de Ristori era programa muito de meu gosto. Acostumei-me a visitá-lo durante muitos anos, até a sua partida definitiva — e forçada — para a Itália. Esse velho alegre e jovial tinha um passado glorioso. Incansável, sempre revoltado contra as injustiças sociais, jamais se calava diante de desmandos. Por esse motivo fora preso algumas vezes.

Nós gostávamos de ouvir de sua boca episódios das aventuras rocambolescas, por ele vividas. Para mim muito melhores, mais saborosas do que as de Robinson Crusoé.

A melhor de suas histórias, a minha preferida, era a de sua fuga do navio quando o recambiavam para a Itália, para o degredo, em anos distantes.

No meio da noite, burlando a vigilância de seus carcereiros, subiu do porão, deslizando pelo tombadilho. Não havia luar, coisa boa, assim não seria visto; coisa ruim, difícil orientar-se na escuridão. Conseguiu, a custo, divisar ao longe sombra ligeiramente mais escura do que as negras águas daquele mar imenso. Provavelmente, seria terra... Certamente uma ilha perdida em meio ao oceano. A distância que o separava da sombra escura era grande, mas ele não podia de jeito nenhum vacilar. Aquele não era momento para indecisões nem medo. "Mil vezes morrer em liberdade do que apodrecer num cárcere!"

Antes que surgisse alguém, que fosse surpreendido, atirou-se ao mar; não vira, não pudera prever que mais abaixo, suspensos ao navio, havia barcos salva-vidas. O choque violento fraturou-lhe as pernas, dor horrível! A ânsia de liberdade, no entanto, era mais forte do que a dor, superou o sofrimento, ajudou-o a nadar durante toda a noite. Pela manhã foi encontrado sem sentidos, numa praia semideserta, por um nativo que o transportou para a sua choupana. Desse homem, um pescador, recebeu cuidado e abrigo.

Nessa ilha viveu longo tempo. Conseguira salvar-se mais uma vez, seguiria adiante, agora com as pernas irremediavelmente arqueadas, apoiando-se num bordão.

Foi Oreste Ristori, muitos anos depois, quem me falou pela primeira vez em Jorge Amado. Eu era jovem, andava na ânsia de leituras novas. Ristori era meu conselheiro, sabia das novidades literárias, do que eu devia ler, o que me convinha.

Um belo dia, ele apareceu em minha casa trazendo-me um magro volume, *Cacau*. Emprestou-me o livro com recomendação: o exemplar estava autografado, dedicado a ele e à Mercedes, que tomasse conta e devolvesse logo.

Conhecera o escritor havia pouco tempo: "Um jovem magrinho, vivo e inteligente", que o visitara em sua casa em companhia de um grupo de intelectuais, vindos do Rio de Janeiro. Juntos haviam tomado de seu vinho de abacaxi, conversado animadamente até às tantas da madrugada.

Interessei-me, fiz-lhe perguntas, quis saber detalhes sobre esse jovem "magrinho e inteligente", tão jovem e já autor de romance. Havia ele escrito outros livros ou aquele era o primeiro? Ainda estava em São Paulo? Ia vê-lo novamente? Achando graça do meu interesse, riu maliciosamente, segurou meu queixo: "*Carina mia*, ele já foi embora para o Rio... E quando volta? *Chi lo sa?*".

AINDA UMA SERESTA (ESTA DE AMOR)

Aquele fora o mês das serenatas. Voltamos a acordar ao som de bandolins e violinos. Desta vez os seresteiros cantavam da rua, não se atreveram a transpor o portão.

O cantor tinha pranto na voz:

Ai, Aurora, me deixaste no abandono
Eu que tanto e tanto te queria
Cruelmente, me traíste sem piedade
Ai, Aurora!
Eu te amo todavia!...

A essa altura entravam os instrumentos, o cantor tomava fôlego para prosseguir em seguida:

Que sofra muito, porém que nunca morra
Ai, Aurora! Eu te amo todavia!...

Ouvíamos a serenata ainda semiadormecidas, quando Vera rompeu o silêncio do quarto, saindo-se com esta: "Ora vejam só, essa é boa! Eu não sabia que a Wanda agora mudou de nome, que se chama Aurora!".

Havia acertado. O mentor da serenata outro não era senão o próprio José Soares. Andara de arrufos com a namorada e, não tendo lá essas vozes, arrebanhara alguns amigos que sabiam cantar e tocar violino e violão e sanfona, para ajudá-lo na empreitada de pedir arrego.

Wanda inventara cortar os cabelos, para acompanhar a moda. José Soares proibira, com a alegação de que até modinha sobre as melindrosas já haviam feito:

Uma diz que é moda
outra diz que não é
Se ela fosse séria
não cortava o cabelinho à bebé...

Para facilitar seu intento, a moça teve uma ideia: convencer dona Angelina a cortar os cabelos, pois se a mãe tem cabelos curtos por que não a filha? Arranjou argumentos definitivos: "Muito mais prático, higiênico, fortifica os cabelos... e mamãe, tão emancipada, cheia de ideias progressistas...", com esse último argumento acabou convencendo a mãe a cortar os cabelos.

Wanda armou-se em cabeleireira, de tesoura em punho, mamãe sentada com uma toalha sobre os ombros. Fui me chegando e destruindo o trabalho de minha irmã: "Eu quero é ver a cara de tia Margarida vendo a irmã de cabelinho à bebé!...".

Foi a conta. Levantando-se de um salto, dona Angelina desistiu; que a deixasse em paz, não ia cortar os cabelos coisíssima nenhuma, de jeito nenhum... Levei um bom tapa de Wanda e levaria outros, não saísse correndo.

Apesar do fracasso do plano, ela resolveu, assim mesmo, cortar o seu, deixando, no entanto, para tapear o namorado, um rabinho atrás que enrolado desaparecia. Zé Soares não foi nessa, enfureceu-se. Como se não bastasse o corte do cabelo, Wanda resolvera passar carmim nos lábios. Passava-o tão discretamente que não dava para se perceber. Ainda uma vez fui o pomo da discórdia: certa noite, enquanto, entediada, esperava que os namorados acabassem com os arrulhos, para me distrair, alegrar o ambiente, comecei a cantar:

Boca pintada
a do meu bem
assim tão perfumada ninguém tem
assim cheirosa
assim gostosa...

O violento cutucão que Wanda me deu para que eu acabasse com a cantoria a traiu; foi percebido pelo namorado que, sacando um lenço do bolso, passou-o sobre os lábios da moça descobrindo o "crime", acabando com as dúvidas.

Zé Soares sentia-se fraco, impotente para lutar de longe, impedir aqueles modernismos inventados pela namorada nos últimos tempos. Ela andava muito independente, não obedecia às suas vontades. Precisava ficar noivo o quanto antes, vigiar de perto, cortar-lhe as asas enquanto era tempo. Cansado de perambular pelas ruas, debaixo de chuva e debaixo de sol, à espera de poder trocar uma palavra com a amada, desesperava-se ao ver o lencinho branco atado às grades da janela, indicando que naquela noite ela não apareceria.

Wanda não se animava a enfrentar o pai. Bastava aquela crise maldita a lhe tirar o sono. Preferia esperar mais um pouco, deixar que as coisas melhorassem para então lhe falar sobre noivado.

Intrigado com a serenata de amor, papai perguntou: "Você sabe quem é, Angelina?". Claro que ela sabia. "Talvez seja algum pretendente à Wanda...", arriscou.

Com esse começo de conversa, seu Ernesto terminou inteirado de que a filha já tinha um pretendente, desejoso de noivar.

Ao contrário do que se temia, não houve reação negativa, a moça beirava os dezessete anos, talvez fosse melhor namorar em casa do que às escondidas. Estaria de acordo, caso o rapaz fosse pessoa de bem. Quem mais gostou da notícia do noivado fui eu. Enfim! Via-me livre da penosa obrigação de arrastar-me pelas ruas, caindo de sono, atrás dos dois.

ALFA ROMEO, CAMPEÃO DE SÃO PAULO

As coisas começavam a desanuviar-se, lentamente; os fregueses voltavam aos poucos. Apenas um problema continuava a perturbar seu Ernesto: não havia comprador para os carros novos à venda e papai se queixava.

Um dia, cansada de ouvir papai falar em "situação difícil", Wanda anunciou que estava disposta a procurar um emprego; mesmo que ganhasse pouco, sempre daria para ajudar a família. A prima não trabalhava?

Essa declaração da filha quase ofende seu Ernesto. Ele jamais consentiria que filha sua trabalhasse para ganhar dinheiro: "Lugar de mulher é em casa, aprendendo a cozinhar".

No fundo, papai devia ser um homem frustrado. Sua mulher não conseguiria jamais apegar-se à cozinha, coisa fundamental para o marido. Não conseguia também engordar. Sempre fora esbelta, quase magra. Ao referir-se a uma mulher bonita, jamais deixava de empregar o adjetivo "gorda": "Uma mulher bonita, gorda...". As filhas nem pensassem em fazer regime, com o conhecimento paterno: "Quem rói osso é cachorro, na falta de carne...". Mantinha-se vigilante: nenhuma das filhas casaria antes de aprender o ponto do sal, a medida dos temperos. Os maridos de suas filhas jamais teriam razões de queixas, jamais sentiriam falta de bons pratos. Levariam para suas casas esposas "bonitas, gordas e competentes na arte culinária".

Que Wanda o deixasse resolver sozinho seus problemas de dinheiro. Ela e os demais, esse era assunto seu, exclusivamente seu.

Foi daí que lhe surgiu a ideia das competições automobilísticas. A Bugatti entrava com força e vontade no mercado brasileiro, o Alfa Romeo precisava reagir. Reuniu-se a diretoria, ficou decidido que a sociedade competiria com um carro preparado e pilotado por Gattai, numa próxima prova automobilística, anunciada em São Paulo.

VOLTA ÀS GAZETAS

Depois de tantos anos, o nome de Ernesto Gattai voltava às páginas esportivas das gazetas de São Paulo onde já brilhou por ocasião de seu reide São Paulo-Santos-São Paulo.

Retornava agora ao volante de uma baratinha, carroceria toda feita e adaptada por ele ao possante motor do carro, capô de alumínio reluzente. Referiam-se ao automobilista como "O Pulso de Ferro", "O Rei do Volante"...

Concorriam vários pilotos: Cândido Cajado, Nascimento Filho — O Gato Bravo — e Lage, entre outros. Até uma mulher, Dulce Barreiros, tomaria parte em uma das provas, a prova da rampa, na avenida Brigadeiro Luís Antônio. Chico Landi — campeão anos mais tarde — ensaiava na ocasião os primeiros passos no automobilismo.

Os competidores eram muitos, mas o adversário perigoso, forte, era o Lage, piloto da Bugatti, patrocinado pelos Matarazzo.

Os aficionados de automóveis e corridas dividiam-se em dois partidos: os torcedores da Bugatti e os do Alfa Romeo. Caras novas surgiam na garagem, fãs e admiradores do carro e do piloto. A cada prova realizada — todas nas ruas da cidade — e vencida por Gattai em "sua possante Alfa Romeo", aumentavam as manchetes nas páginas de esporte dos jornais, que punham o corredor nas alturas: A PROVA DA RAMPA TEVE MAIS UMA VEZ COMO VENCEDOR GATTAI, O PULSO DE FERRO!

O duelo entre a Bugatti e o Alfa Romeo mantinha vivo o interesse pelas corridas. Pascoal Scavone, jovem rico, ardoroso entusiasta do automobilismo e das competições, admirador do Alfa e do volante Gattai, passou a frequentar assiduamente a oficina da alameda Santos, dando apoio e patrocinando o carro nas competições.

Com vitórias consecutivas, o Alfa Romeo andava em glória. Os negócios prosperavam novamente, os carros chegavam da Itália já vendidos. Em casa deixou-se de falar em crise. Em compensação, quase não víamos mais nosso pai. Os serões familiares em sua companhia eram raros. Ele andava dia e noite às voltas com automóveis, debruçado sobre seus motores, procurando melhorá-los cada vez mais.

TRANSFORMAÇÕES NA SALA DE JANTAR

O noivado de Wanda vinha torná-la cada vez mais exigente com o aspecto da casa. Devia receber pessoas da família do noivo, queria impressionar bem.

Resolveu começar pelo *étager* (seria mesmo esse o nome do móvel?) antigo, alto, a parte superior toda em vidro para guardar os cristais que nós não possuíamos — os nossos copos, jarras e compoteiras eram de vidro mesmo. A parte inferior, de madeira, com prateleiras e gavetas, para louças e talheres, coberta com tampo de mármore. Peça antiga, de estimação.

Wanda confabulou com seu Luciano, numa das noites em que veio ele jantar; marceneiro fino, prontificou-se gentilmente a fazer a separação das duas peças como a moça desejava. Não cobraria nem um tostão, apenas faria as refeições em nossa casa, diariamente — almoço e jantar —, enquanto durasse o trabalho.

Estávamos acostumados a ver seu Luciano bem-posto, de chapéu e bengala. Achamos graça quando nos apareceu para o trabalho, vestindo calças velhas e longo avental.

Papai horrorizou-se ao ver as duas peças separadas: "Onde é que vocês estão com a cabeça, estragar um móvel antigo, bonito desses?". Mas não encompridou a conversa, estava muito ocupado, sem tempo de ocupar-se com assuntos da casa.

Aproveitando a ocasião, sem consultar ninguém, seu Luciano resolveu, por conta própria, realizar uma pequena operação na mesa de jantar. Era alta, alta demais para a sua estrutura; sentia-se desconfortável todas as vezes que jantava conosco. Sem a menor cerimônia serrou-lhe alguns centímetros das pernas. Experimentou: "Agora sim, *per Bacco!*, ficará ótima!".

O mesmo não achou papai, ao sentar-se, naquele dia, para o almoço; estranhou: "*Ma che caspita é successo con questa tavola?*". O que teria acontecido à mesa? Suas pernas não cabiam... não entravam debaixo dela...

Muito encabulado, seu Luciano lhe revelou o mistério e desculpou-se: "*Veramente, non credevo...* não reparei, não pensei que suas pernas fossem tão compridas...". Prontificou-se a corrigir a falha, o que fez logo depois do almoço: repôs em seus lugares os tocos decepados, usando para isso cola e pregos. Assim deu novamente espaço às longas pernas do dono da casa. Mas a nossa bela mesa antiga ficou para sempre capenga.

Durante muito tempo, depois de terminados os trabalhos lá de casa, seu Luciano continuou sendo nosso comensal, pois o milagre da multiplicação do *étager* — de um móvel fazer dois — atraiu novos interessados. Choveram encomendas de moradores da rua, possuidores, como nós, de *étagères*, encantados com o trabalho do artesão. Trabalhava em casas vizinhas mas comia na nossa.

Wanda ria vitoriosa, feliz. Aguardava agora o momento oportuno de enfrentar o pai para derrotá-lo na batalha da retirada do quadro anarquista da parede. Ali, bem à vista, continuava ele, firme, impávido a provocá-la, a desafiá-la todos os dias. Mas, não desistiria, chegaria lá. Tinha fé.

SPALLA X BENEDITO

O esporte passara a ser o assunto dominante lá em casa. O automobilismo, claro, ocupava o primeiro lugar. O duelo entre a Bugatti e o Alfa Romeo prosseguia.

O futebol ganhava importância. Repetíamos os nomes dos jogadores mais conhecidos: Friedenreich, Atiê, Bartô, Feitiço, Ministrinho, novos ídolos da juventude. O mais famoso de todos, Friedenreich, era tio de Tula, menina loira das vizinhanças, que vinha sempre em casa. Ministrinho, sapateiro bate-sola, nosso vizinho de bairro, morava na rua Augusta, um mocinho simpático; parentesco e vizinhança que muito nos envaidecia. Remo era grande torcedor do Palestra. Não perdia partida, vivia lendo jornais de esportes, sempre a par de tudo, por dentro de tudo que se referisse ao futebol. Sabia das vitórias dos times e de marmeladas dos juízes. No Brás, os meninos de tia Margarida cantavam:

Juiz apita
a linha avança
é o beque que não dá confiança...

O boxe andava em pauta. Os jornais anunciavam a chegada de conhecido *boxeur* italiano, Ermínio Spalla, famoso campeão europeu. Viria defrontar-se com Benedito dos Santos, soldado da Guarda Civil de São Paulo, jovem e promissor *boxeur* porém de pouca experiência, pois participara apenas de cinco lutas. O encontro seria no estádio do Palestra Itália. Os bilhetes de entrada foram vendidos rapidamente, as paredes da cidade, forradas de cartazes, anunciavam a peleja. Fervilhavam comentários e palpites os mais desencontrados. Prevalecia a opinião dos que achavam que Benedito não passaria do primeiro round: havia sido transformado em defensor da honra da pátria contra o tarimbado lutador italiano... Spalla não teria dificuldade em vencer o brasileiro, na opinião geral. Mas os torcedores fanáticos do brasileiro discordavam. Dos comentários partiam para as discussões cada vez mais acirradas, tomando o caráter de uma guerra entre Brasil e Itália.

Papai não era partidário do boxe, "esporte violento e absurdo", e, indignado, achava que aquele encontro devia ser proibido, o negro Benedito não tinha físico para enfrentar o italiano.

Na escola não se estudava mais. Dona Carolina, exaltada, cantava loas ao patrício: "Benedito é o Dempsey paulista! Vai arrasar aquele italiano que só tem tamanho!". Déa ia mais longe, provocava as colegas filhas de italianos, antegozando a derrota de Spalla.

No dia da luta, a cidade parou. Não houve aula, dona Carolina não estava a fim de outra coisa que não fosse o desafio, à noite. Remo nem jantou, saiu muito cedo de casa, esperançoso de conseguir um cantinho na arquibancada.

Foi Remo quem nos fez o relato, ao voltar do estádio muito antes do esperado: Spalla massacrara Benedito, que, nos primeiros minutos da luta, fora retirado do ringue de maca, entre a vida e a morte:

— Com um violento soco no rosto, o negro caiu, o sangue esguichando pelo nariz. O povo só gritando: "Levante, Benedito, defende tua bandeira!". Completamente atordoado, Benedito levantou-se. Novo murro no nariz, mais sangue. O povo continuava: "Levante, Benedito, defende tua bandeira!". Ele ainda atendeu uma vez aos apelos da multidão, mas depois não se levantou mais, perdeu os sentidos.

Ao ouvir o filho narrar estas cenas, mamãe chorou de pena da vítima: "Que selvageria, *Madonna santa!*". Papai não se conteve: "...não foi uma luta, foi uma carnificina! *Schifosi, farabutti*... é a ganância do dinheiro! A vida do homem não vale nada para eles, os empresários...".

Pensei encontrar no dia seguinte, na escola, dona Carolina jururu e derrotada. Mas qual! Estava exaltada, excitadíssima: "Carcamano sujo, ladrão!". Defendia a tese de que dentro da luva de Spalla havia uma ferradura de cavalo.

Aproveitei uma pausa e dei meu palpite. Repeti tudo que

ouvira de papai na véspera. Nem terminara ainda de falar quando Déa voltou-se para mim, chispas a sair dos olhos: "Olhe aqui, sua italianinha de uma figa, quando teu pai morrer ele vai direto para o inferno! Ele não acredita nem em Deus!".

Senti um calor no rosto e cega de raiva avancei para Déa, arranquei-lhe um punhado de cabelos, ela arranhou meu rosto, ferrei-lhe uma mordida no braço.

A duras penas, a professora conseguiu apartar a briga. Eu chorava e repetia sem parar: "Meu pai não vai morrer, não!". Nunca havia pensado, jamais me passara pela mente que meu pai pudesse morrer um dia. Não podia admitir semelhante hipótese.

Larguei tudo na sala de aula, material escolar e até meu lanche. Saí correndo para casa, não voltaria mais àquela escola.

Não adiantou dona Carolina aparecer em casa à noite, com Déa pela mão: "...vamos fazer as pazes dessas duas briguentas... onde é que já se viu, duas meninas tão bonitas se atracarem como moleques de rua?... sempre tão amigas".

A histeria da manhã passara, a professora refeita, calma, ali estava, disposta a acalmar os ânimos. Dona Emília se aborrecera muito, ameaçara Déa de castigo caso não aprendesse a segurar a língua...

Eu ouvira um comentário de mamãe, pouco antes, dizendo que as crianças em geral repetem o que escutam em casa, ou seja, Déa devia ter expressado a opinião dos mais velhos a respeito do ateísmo de papai. Opinião sua ou alheia, pagara caro: Déa mostrava a quem quisesse ver o braço onde sobressaía um medalhão vermelho e inchado, a marca de meus dentes.

Ciente de que eu me recusava a voltar para a escola, dona Carolina ainda insistiu: gostava muito de mim, em menos de um ano eu fizera grande progresso, era boa aluna, uma pena abandonar a escola por uma bobagem daquelas.

Tratando a professora com amabilidade mamãe lhe disse contudo que eu é quem decidia. Sabendo o quanto eu ficara chocada, não me forçaria a voltar. Eu já havia decidido.

No número 14 da alameda Santos fora aberta uma nova Escola Sete de Setembro, das irmãs Lília e Theodora Mastrângelo. As mocinhas, formadas recentemente, passaram a lecionar na própria casa, ocupando a sala de frente. A família Mastrângelo sempre fora amiga da gente, nos dávamos bem. Quando mamãe sugeriu que eu passasse para a escola ao lado, não concordei. Não era por nada, não! Não tinha nenhuma restrição às jovens professoras, muito pelo contrário, delas só recebia amabilidades. Celeste, irmã mais nova, era minha amiga, Henrique, amigo de Remo, vivia lá em casa, Salvador enturmava com Tito... Eu não quis ser aluna de Lília — linda, graciosa, simpática — porque já havia traçado meu plano, decidida a partir para outra: estudar no Grupo Escolar da Consolação, onde meus irmãos haviam feito o curso primário. O grupo escolar ficava longe, nas imediações da Caio Prado, uma porção de ruas movimentadas a atravessar. O que para mamãe representava um obstáculo, para mim era o atrativo. Sentia-me crescida, capaz de enfrentar tranquilamente o trânsito perigoso, ansiosa de andar por minhas pernas. E assim fiz: sem dizer palavra a ninguém, parti sozinha para o Grupo Escolar da Consolação. No gabinete do diretor, Isidro Denser, pedi-lhe matrícula. Feita a prova de leitura e um pequeno ditado, fui matriculada no segundo ano. Não poderia, no entanto, iniciar os estudos antes do fim do ano letivo mas minha vaga estava assegurada para o reinício das classes.

Ao entregar o cartão da matrícula à mamãe, ouvi a exclamação já esperada:

— Que menina mais atrevida! Você foi se matricular sozinha? Que atrevimento!

VERANEIO

Papai agora já não tinha tempo para debruçar-se, calmamente, sobre o jornal todas as manhãs — como gostava de fazer — e ir até a última página. Passou a dividir a leitura do matutino em duas etapas: logo cedo inteirava-se dos telegramas principais, dava uma espiada nas manchetes. À noite, logo após o jantar, antes de qualquer outro compromisso, terminava a leitura.

Certa noite, jornal aberto na página de anúncios classificados, o dedo marcando um deles, chamou as filhas: "Leiam o que diz aí". Em seu rosto um sorriso entre a malícia e o mistério. O anúncio dizia: "Aluga-se, para temporada, lindo *bungalow* mobiliado, na praia do Guarujá, perto do restaurante Astúrias. Aluguel, 250$000 (duzentos e cinquenta mil-réis). Tratar avenida Rebouças número...".

Entreolhamo-nos sem entender nada. E daí? Papai continuava com seu ar enigmático. Fez-nos sofrer ainda um bom pedaço de tempo antes de abrir o jogo, de expor sua intenção: "Onde ficaria a casa do proprietário? Ali por perto ou lá embaixo no lamaçal?". Não havia a menor dúvida, ele estava pensando em alugar o "lindo *bungalow*". Nem podíamos acreditar nessa hipótese! Bom demais para ser verdade!

Passado o primeiro momento de estupefação, nos movimentamos; em três tempos descobrimos que o proprietário do *bungalow* era o dono da loja de ferragens, quase na avenida Paulista. Nessa mesma noite entrou-se em contato com ele. Tudo foi acertado rapidamente, nos deu as informações mais sedutoras sobre o imóvel. O aluguel não era barato mas entrava, folgadamente, no orçamento de seu Gattai, faturando alto nos últimos tempos, as corridas de automóvel lhe dando vitórias e prestígio à Sociedade Anônima.

Dentro em breve partiríamos, em férias, as nossas primeiras férias, três meses à beira-mar. Faltava apenas arrumar a bagagem.

Dona Regina foi convocada para a confecção das roupas de veraneio e sobretudo dos trajes de banho. Mamãe comprou uma porção de metros de brim azul-marinho, tecido grosso, encorpado, bom para tapar as formas das banhistas, sem perigo de transparências... Feitio sóbrio, escolhido num figurino francês: blusão comprido até os quadris, elástico apertando a cintura. Manguinhas curtas, calção bombacha preso abaixo dos joelhos. Para dar um toque de elegância e graça, dona Regina, costureira caprichosa, debruou tudo de branco e ainda aplicou, nas barras e nos decotes, três fileiras de cadarços brancos também: "À marinheira", disse a entendida modista. Não tendo sobrado tecido para o meu, "crianças não precisam de tanto luxo", sentenciava mamãe, improvisaram um calção de banho para mim, de uma camiseta de malha branca de Tito (aliás, bem transparente, principalmente quando molhada). Uniram as partes centrais da barra e, pronto! Eu estava servida.

O "lindo *bungalow*" não era tão lindo assim, mas tinha alpendre e ficava em frente ao mar, em plena praia. Era grande, muitos quartos, o suficiente para hospedar parentes e amigos. Em lugar de jardim, o mato circundava a casa, terreno pantanoso, poças de água parada por todo o lado.

Lugar completamente deserto, duas outras casas apenas nas imediações, o Restaurante Astúrias, distante, isolado, no alto de umas pedreiras. Praia larga de areia alva, água de mar mais límpida jamais vi, verde "como líquidas esmeraldas...", coisa mais linda, impossível!

Nono Eugênio fora programado para proteger as mulheres, ser o homem da casa durante a semana, pois papai e Remo só podiam passar conosco os sábados e domingos. Vovô levou a sério a incumbência: levantava-se antes do dia clarear, tomava seu banho de mar (de ceroulas), fazia uma boa caminhada em busca do pão e do leite. Acordávamos sempre com o cheirinho do café coado por ele. Cuidava muito das meninas, não permitindo que expusessem demasiado a cabeça ao sol; acabou comprando-nos chapéus de palha e ai daquele que ousasse ir à praia de cabeça descoberta!

Romântica, mamãe não entrava na água sem declamar José de Alencar, braços estendidos para o oceano: "Oh! Verdes mares bravios, da minha terra natal!...".

Vovô criara alma nova, estava remoçado. Resolveu fazer uma horta — em três meses havia tempo de sobra para colher muita verdura. Escolheu a dedo um pedaço de terra fora do pantanal, capinou, preparou canteiros e plantou mudas de tomate, alface e couve; semeou almeirão e cheiro-verde, conseguindo mudas e sementes na chácara de um japonês na praia do Guaiuba, a alguns quilômetros de nossa casa.

Aos sábados à noitinha, chegava papai e com ele Remo e José Soares. Trazia também hóspedes, tantos quantos coubessem no carro e que passariam a semana, revezando-se com os da semana anterior. Houve dias que me lembraram os tempos da revolução de 24: colchões e mais colchões espalhados pela casa toda e até no alpendre.

À noite papai tomava de seu bandolim. Não sendo um virtuose, quebrava o galho, cantava melhor do que tocava. Tinha voz bonita. No alpendre, rodeado da família e de amigos, feliz, ele entoava canções toscanas, os *stornelli*.

io degli stornelli
ne so tanti
chi ne sa più di me
si facci avanti...

Nós também cantávamos e havia uma moda sertaneja que nos divertia:

...quem comeu a galinha
não fui eu
foi meu irmão
ele comeu a moela
eu comi o coração.

Papai cantava outra modinha que não era do gosto de dona Angelina:

eu tenho uma namorada
que é mesmo uma papa-fina...

E assim passávamos serões inesquecíveis.

Primos e primas revezavam-se, enchiam a casa, mas meu coração vibrava de alegria quando chegava Clélia, minha prima preferida. Pena ela não poder demorar-se; começara a trabalhar na fábrica com a irmã. Todo mundo com vara e anzol, na disputa de quem pescasse mais... E não faltavam à mesa peixes e mariscos trazidos pela meninada: espaguetes e risotos com *vongole*! Ai, que delícia!

À noite, apenas nos deitávamos, começava a "serenata" dos pernilongos: os mosquitos invadiam nossos quartos, mas o sono e o cansaço — banhos de mar, sol forte, calor, longas caminhadas — não nos permitiam ouvi-los por muito tempo.

Num sábado, José Soares chegou sozinho, viajara de trem. Papai se desculpava, não poderia ir naquela semana, ocupadíssimo na regulagem do carro de corrida. Participaria de uma prova muito importante, de São Paulo a Tatuí, na semana seguinte. Ele fora duas vezes até Tatuí, examinar o estado da estrada — de terra batida —, estudar o caminho; voltaria lá ainda uma vez antes da disputa.

Mamãe não gostou da novidade. Preocupava-se sempre, todas as vezes que o marido entrava em competições. "Agora a gente aqui isolada, sem ao menos um telefone...", afligia-se mamãe.

FIM DE VERANEIO

O primeiro foi Tito, depois Vera, depois eu e depois nono Gênio. Um mal-estar terrível a dominar o corpo, um frio de não aquecer, um bater de dentes e queixo, incontrolável, depois a febre alta, altíssima, de perder o conhecimento das coisas.

Mamãe e Wanda inteiramente tontas, sem saber a quem e como socorrer.

Ao anunciar o "lindo *bungalow*" o proprietário se esquecera de avisar que a praia, linda, maravilhosa, não era saneada, que a malária andava solta por lá.

Ao chegar, no sábado seguinte, carregando mais uma vitória — ganhara a corrida —, em lugar de encontrar a alegria desejada, papai deparou-se com um quadro bastante triste.

Wanda procurara um médico no Grande Hotel de la Plage, muito distante de nossa casa — principalmente para quem devia andar a pé —, tentara telefonar para São Paulo sem conseguir. O médico nem se deu ao trabalho de examinar os enfermos, diagnosticou logo: impaludismo, febre intermitente. Receitou quinino, não havia outro tratamento a fazer.

Nossas crises manifestavam-se em dias alternados: passávamos um dia péssimo; o outro, tudo bem, apenas um ligeiro cansaço. Nós, os meninos, nos levantávamos levando vida quase normal, nesse dia de folga. Nono Gênio, sempre temendo dar trabalho, não se queixava, ficava quietinho em sua cama. O quinino nos aliviava um pouco, mas muito pouco.

Horrorizado com a situação, papai decidiu que voltássemos o quanto antes. Vários de seus fregueses eram ótimos médicos, nos atenderiam, não nos faltariam bons remédios. Começou por livrar-se dos hóspedes. Dois dos meninos de tio Guerrando, Bruno e Mauro, andavam jururus, prestes a cair também; melhor levá-los o quanto antes. Ele voltaria na manhã seguinte, com seu Amadeu, pois um carro só não dava para todo mundo e para as malas.

Pela manhã, cedo, ao entrar no quarto do pai para levar-lhe o leite e dar-lhe o remédio, mamãe estranhou encontrá-lo ainda adormecido. Chamou-o várias vezes sem obter resposta. Nono Gênio estava morto.

A Empresa Funerária Rodovalho encarregou-se da remoção do corpo para São Paulo. O nono iria descansar para sempre ao lado de sua mulher — de quem sentia tanta saudade — no Cemitério da Quarta Parada.

Em dois carros superlotados regressamos antes de completar o segundo mês de veraneio.

Não me despedi da casa e nem do mar que eu tanto amava. Mas, ao chegar ao portão, o carro à minha espera, voltei correndo para lançar um último olhar à horta de nono Gênio. Tomateiros floridos, couves e almeirão estavam de folhas murchas, caídas por falta de cuidados certamente.

RETOMADA

Ao voltar do Guarujá, encontrei minha alameda Santos diferente; ela já não era a mesma. Tornara-se sombria e estreita aos meus olhos, agora habituados a contemplar a imensa praia de areias alvas e o mar infinito.

Inacreditáveis, as modificações ocorridas em nossa ausência, nesse curto espaço de tempo! As novidades eram muitas.

Uma grande placa na fachada da farmácia de seu Adamastor chamou-me a atenção: farmácia ítalo-paulistana. Que significava aquilo? Soube em seguida, ao procurar Luiz, em busca de notícias de Maria Negra. Atendeu-me um senhor italiano, de baixa estatura, simpático, novo proprietário da farmácia. Seu Gustavo Falbo — esse era o seu nome — disse-me que Luiz já não trabalhava lá. Enquanto conversávamos apareceram três meninos, filhos do farmacêutico: Jajá, Fanfan e Carleto, três garotos mais a participar daí por diante do movimento da rua.

A Casa da Velha, nos fundos da garagem, fora demolida; pedreiros já trabalhavam na construção de outra casa.

Tio Guerrando mudara-se para a alameda Santos, agora seríamos vizinhos próximos.

A família Cica — família de Carmela, a violinista do cinema — também se mudara. O velho Cica comprara um sobrado na rua Caio Prado, onde instalara a família e uma pequena fábrica de calçados.

Em compensação, tínhamos vizinhos novos, os Macul, família árabe de vários filhos, em breve nossos amigos.

Minha casa estava sem graça, triste da ausência de nono Gênio. Mamãe andava chorando pelos cantos e papai não escondia seu desgosto; queria muito bem ao velho.

Continuávamos a ter febre e frio em dias alternados. Um

médico nos examinou, receitou-nos outras marcas de quinino — não adiantou nada. Um dia, seu Gustavo, ao notar o desacorçoamento de dona Angelina em relação ao estado de saúde dos filhos (que não havia jeito de melhorar), indicou o medicamento certo, o que iria liquidar de vez o nosso impaludismo, sem deixar vestígios. Se não me falha a memória, um remédio italiano chamado Quinino dello Státo.

Morta de saudades de Maria Negra, pedi a Tito que me acompanhasse à casa dela. Estávamos, havia muito, sem notícias da minha querida Maria. Luiz não aparecera mais depois que deixara a farmácia.

No portão da chácara, uma corrente com cadeado indicava que não havia ninguém por lá. Batemos palmas, inutilmente. Apareceu um vizinho e nos informou que "o pessoal todo" havia partido para o interior. "Que interior?" — perguntei-lhe. O homem não soube responder. Sabia apenas que não iam voltar.

RÁDIO DE GALENA E CONFISSÃO

Apareciam os primeiros rádios de galena; o nosso fora montado por Remo, habilidoso em assuntos de eletricidade. A transmissão dos programas, ouvidos através de um par de fones, era perfeita. A princípio, todo mundo queria ouvir rádio, participar da novidade, os fones disputadíssimos! Depois, passado o primeiro momento de entusiasmo, os fones tornaram-se, praticamente, propriedade de mamãe, que não os dispensava ao passar roupa a ferro. À noite, depois do jantar, colocava vários travesseiros sobre uma cadeira, banquinho embaixo onde pousar os pés, sentava-se diante do monte de roupa a ser passada, os fones aos ouvidos. Era divertido vê-la, ora rindo, ora se emocionando com programas, tristezas e alegrias refletindo-se em seu rosto.

Às vezes chamava um de nós, virava um dos auscultadores: "Venha ouvir, que beleza!". Encostávamos a cabeça junto à dela e escutávamos de sociedade. Mamãe não perdia, à tarde, um programa feminino, *Conversas de Tia Chiquinha*, cuja locutora usava o pseudônimo de Tia Chiquinha.

Certa noite, nós duas sozinhas na sala, ela pousou de repente o ferro no descanso, virou o fone, chamou-me. Encostei a cabeça e ouvi: uma orquestra tocava a "Serenata" de Schubert.

Ao terminar a música, mamãe suspirou: "Moleque endiabrado!". Referia-se a Cláudio, certamente.

Passados tantos anos, ela ainda não esquecera o incidente do disco. Nem ela, nem eu. Senti que era chegada a hora de revelar meu segredo. Pedi à mamãe que tirasse os fones do ouvido e comecei:

— Olhe, mãe, eu queria lhe contar uma coisa. Quem partiu o disco da senhora não foi Cláudio, não. Fui eu.

Antes que ela se refizesse da surpresa, sem perder o embalo, descarreguei o peso de minha consciência, contei tudo, tintim por tintim, sem omitir detalhes; falei de meus remorsos e do medo de ser punida. Botei tudo para fora. Ufa! Agora sentia-me aliviada, que viessem as recriminações.

Mamãe parecia não acreditar no que acabara de ouvir:

— Quer dizer, então, que você deixou o menino levar a culpa durante esse tempo todo? Foi isso, não foi? — explodiu mamãe. — Mas que horror! Estou muito desapontada com você, nem sei o que pensar! Nunca pensei que filha minha fosse capaz de tal coisa!

Vera entrou na sala, atraída pelo tom exaltado com que mamãe me falava.

— Vá chamar tua irmã — ordenou-lhe mamãe.

Wanda chegou. As duas de pé ouviam em silêncio a carraspana que me era dirigida: "Menina sonsa, sem coração, desalmada".

Antes que mamãe acrescentasse ainda outros adjetivos ao seu desabafo — e a tendência era essa —, Wanda a interrompeu, vindo em minha defesa (Vera a ajudava, fazendo eco às suas palavras): "Uma coisa tão antiga, mãe, acontecida há tanto tempo... Quantos anos mesmo? Quatro, não?". Vera reforçou: "Puxa! Quatro anos, hein!". Wanda retomou: "Eu não entendo, mãe, por que a senhora massacra a menina desse jeito por causa de um disco quebrado há tanto tempo... Quebrou, acabou! Paciência". Vera repetiu: "Eu também não entendo...". Olhando para o meu lado, com ar de pena e num suspiro, Wanda rematou sua defesa: "Coitada da menina!...". A palavra coitada tocou-me profundamente, senti até vontade de chorar... Minha irmã tão boa, nunca imaginara que ela gostasse tanto de mim... Aliás, Vera também era boa... Minhas irmãs tão solidárias comigo que lhes infernava a vida... Sentia remorsos e enorme gratidão pelas duas, jurando a mim mesma também ser uma boa irmã daí por diante... uma menina exemplar.

Impressionada com a violenta intervenção das filhas, mamãe ainda disse:

— Vocês duas são boas de bico... sempre contra mim... — mas não deu o assunto por encerrado, decidiu: — Amanhã, depois da aula, vamos à casa de tia Margarida liquidar este assunto. Você, senhorita, vai contar tudo e pedir desculpas ao Cláudio.

Eu sentia um alívio tão grande que aceitei com prazer a sentença.

No dia seguinte, ao chegarmos ao Brás, Cláudio ainda não havia regressado da escola. Nunca voltava diretamente para casa, ficava batendo bola na rua. Apareceu à noitinha, todo suado e sujo. Mamãe foi ao seu encontro, entrou logo no assunto:

— Nós viemos aqui por tua causa, Cláudio. Zélia quer falar com você.

Cara de espanto, Cláudio perguntava-se: o que teria feito, do que o acusavam? Não tinha lembrança de nada. Não estava entendendo bulhufas.

— Mas o que foi que eu fiz, tia?

— Nada, meu filho — a voz terna da tia, quase patética. — Você não fez nada. Por isso mesmo estamos aqui.

A charada se complicava. Situação divertida: Cláudio fitava-me aparvalhado, cada vez entendendo menos.

Não deixei que ele sofresse mais, resolvi abrir o jogo esforçando-me para não rir:

— Olhe, Cláudio, eu vim aqui para te pedir desculpas. Aquele disco da mamãe, lembra? O da "Serenata" de Schubert? Fui eu quem quebrou.

Mamãe tomou a palavra e repetiu a história toda que eu lhe contara, enfatizando os lances dramáticos do remorso a roer uma culpada e do inocente confessando um crime que não cometera...

Ao chegar a essa altura, Cláudio não se conteve, não deixou a tia prosseguir:

— Que história mais maluca! Essa não! Quem quebrou o disco fui eu mesmo. Lógico que fui eu! — repetiu convicto.

Cláudio mostrava-se quase ofendido. Foi logo esclarecendo tudo, dando sua versão, sem poupar detalhes para acabar de vez com as dúvidas:

— Eu me lembro como se fosse hoje. Entrei no quarto da titia, depois que tomei banho, de tardinha, queria espiar pela janela uma coisa na rua. Quando voltava, bati o olho no disco em cima da cama. Tive vontade de ver de perto aquele disco tão falado. Peguei nele e o peste escapuliu da capa ficando em mil cacos no chão. Me assustei. Titia ia ralhar comigo. Resolvi, então, botar os pedaços do disco dentro da capa e escondi tudo no baú, aquele onde vocês guardam os chapéus. Depois me arrependi, voltei de novo, tirei do baú e coloquei de novo em cima da cama. Quando a Zélia chegou, o serviço já estava feito por mim — concluiu com uma ponta de orgulho.

Dispunha-me a sair da sala, com Clélia que não parara de rir o tempo todo, pensando que o assunto estivesse encerrado, mas qual! Ledo engano! Cláudio voltava à carga, dirigindo-se a mim, insolente!

— Então, hein? Você achou que eu era tão trouxa assim? Pensou que eu ia confessar uma coisa que não tinha feito? Você é besta! Confessava uma ova! — Riu vitorioso. — Não sou o coió sem sorte que você pensa.

A história do disco, com seu novo episódio, de desagradável passou a engraçada, e sempre que houve oportunidade ela foi contada. Nessas ocasiões, nunca deixei de sentir o olhar severo de mamãe, por debaixo das sobrancelhas, numa censura muda.

DONA MARIA LUIZA VERGUEIRO

A última prova automobilística vencida por papai — São Paulo a Tatuí — passara em brancas nuvens para nós, isolados no Guarujá. A malária, instalada lá em casa, não nos permitira torcer no dia da corrida, nem mesmo vibrar com a vitória. Em seguida veio a morte de nono Gênio. Não chegamos a ver as páginas de esporte dos jornais, estampando fotos do campeão, nem os comentários sobre a disputa.

Agora, passado algum tempo, uma reunião festiva estava sendo organizada num salão do Parque Antártica, na Água Branca, para a entrega dos prêmios aos vencedores daquela prova e de outras anteriores. A data ainda não fora marcada e eu temia que caísse em dia útil; desejava muito participar da festa e, sobretudo, assistir à entrega dos prêmios. Eu não podia, aliás, não queria faltar à aula.

Meus primeiros meses escolares haviam sido bastante prejudicados pela febre intermitente que me impedia de frequentar regularmente a escola. Muitas vezes teimei, não obedeci à mamãe, fui à aula sentindo arrepios de frio, para voltar mais tarde, pela mão do servente, queimando de febre.

Dona Maria Luiza Vergueiro — minha nova professora no Grupo Escolar da Consolação — fora professora de minha irmã Wanda. Logo no primeiro dia de aula, ao fazer a chamada, parou um instante, mandou que eu me levantasse: "Parente de Wanda Gattai?". "Sim senhora, é minha irmã." "Pois espero que siga o exemplo dela!" Depois de tantos anos a mestra não a havia esquecido.

Dona Maria Luiza era o oposto de dona Carolina Bulcão: morena alta, simpática, enérgica, austera, de poucas brincadeiras, colocava os estudos em primeiro plano, não tinha conversa. Solteira — diziam-na solteirona —, casou-se anos depois.

A princípio, ao ver-me chegar doente às aulas, sentia pena, ao mesmo tempo em que se entusiasmava com o meu interesse pelo estudo; procurava ajudar-me explicando as lições que eu perdera. Com o passar do tempo, dona Maria Luiza foi se tomando de carinho por mim, carinho quase maternal. Trouxe de casa um termômetro e com ele tomava minha temperatura, diariamente. O remédio receitado por seu Gustavo começava a produzir efeito, a febre diminuía e dona Maria Luiza a achar que eu não colocara o termômetro no lugar certo; sentava-se ao meu lado, em minha carteira, apertava meu braço que sustinha o termômetro, para garantir a exatidão da temperatura.

De dona Maria Luiza recebi, como prêmios e presentes, os mais belos livros de histórias: *Contos dos irmãos Grimm*, *Histórias da carochinha*, *Contos de Andersen*, *Aventuras de Narizinho Arrebitado* e outros. Ela também emprestava-me livros e depois os comentava comigo.

Eu decidira que quando sarasse não faltaria às aulas por motivo de festas nem de passeios. Decisão, para mim, equivalia a juramento, sem possibilidade de marcha a ré.

Felizmente tudo deu certo, como eu tanto desejara: a reunião para a entrega dos prêmios seria realizada num dia feriado, à tarde.

BAILES DE CLUBES DE FUTEBOL

Instalada ao lado de casa, funcionava a sede do Esporte Clube Palmeiras — que nada tinha a ver com o Palmeiras de hoje, naquele tempo Palestra Itália. Clube modesto, o Palmeiras meu vizinho realizava todos os domingos, depois do jogo — quando havia jogo —, uma vesperal dançante, animada por um conjunto de jazz-band: os Batuta Godói, de seu Godói e quatro filhos, moradores do bairro.

Minhas irmãs, proibidas por mamãe, não podiam frequentar o tal baile. Quanto a mim, não havia restrições: "É criança, não me preocupa" — dizia dona Angelina.

Difícil era conseguir penetrar no salão. Havia uma ordem da diretoria do clube: "Proibida a entrada de crianças no recinto — para evitar bagunça".

Acotovelava-me na porta da entrada, procurava descobrir

José Picucci, diretor social e mestre-sala dos bailes. Rapaz magro, altíssimo, Picucci exercia a função de fiscal dos dançarinos, zelando pela moral do clube. Sua estatura de gigante facilitava-lhe a tarefa. Eu o conhecia bem pois ele namorava uma das moças Cica, Matilde; muitas vezes servi de pombo-correio entre os dois, levando e trazendo bilhetinhos. Grato pelos serviços prestados, sempre que o mestre-sala me via em meio aos curiosos, fazia-me entrar, arranjava-me até cadeira que colocava num canto recomendando: "Assista aí quietinha...". Picucci era temido por todos, principalmente pelos jovens propensos a ousadias. Afastava os moleques que, teimosos, galgavam as janelas para espiar o baile, espetando-os com alfinete. Olho vivo, descobria maldade nos mais inocentes encostos: perna com perna, rosto com rosto colados, mãos avançando... A primeira advertência constava da separação do par: braço metido entre os dois, estabelecendo distância, o dedo em riste, ameaçador. Os reincidentes eram expulsos do salão. Picucci me aconselhara: "Fique olhando os pés do pessoal para aprender". Segui seu conselho uma única vez; fiquei tonta de tanto olhar e desisti.

Num dos vesperais do Palmeiras, divertia-me com a nova dança a pegar fogo nos salões: o charleston; os dançarinos esforçando-se e ninguém conseguindo entrosar os difíceis passos com o ritmo, uma graça! Os Batuta Godói, castigando com "Valência", música com ritmo de charleston. No meio do salão, o velho Godói, chefe da banda, cantava e tentava ensinar os passos que nem ele sabia direito: "*Valência, tu mujer de ojos negros...*", e toma a cruzar os joelhos... Eu estava no maior interesse quando apareceu, sorrateiramente, meu irmão Tito. Vinha me chamar, a pedido de mamãe.

Desde a véspera, dona Regina costurava lá em casa, enfatiotando as mulheres para a festa do Parque Antártica, daí a dois ou três dias. Eu devia experimentar o vestido em prova; que fosse logo, sem perda de tempo.

RETORNO AO PARQUE ANTÁRTICA

A excitação de voltar depois de longa ausência ao Parque Antártica, onde papai seria festejado, tirara-me o sono. Certamente os papelotes apertados na cabeça — capricho de Wanda a querer encaracolar meus cabelos a todo custo — também contribuíram para a noite maldormida.

Wanda decidira cuidar da nossa elegância, levando a sério a tarefa, não se descuidando dos detalhes.

Cansada de lutar, mamãe entregara-se, sem discutir, às extravagâncias da voluntariosa filha. Vera, completamente independente, dispensou a tutela da irmã, sabia como arrumar-se. Quanto a mim, "criança não chia". Mas, mesmo que chiasse não reclamaria, pois era Wanda quem, ultimamente, se ocupava de minha aparência e eu estava satisfeita.

Naquela tarde, como sempre, papai foi o primeiro a se aprontar. Estava lindo, elegante em seu novo terno de casimira inglesa, gravata de seda italiana, colarinho engomado, impecável, um verdadeiro dândi.

Meu vestido novo, rosa pálido, de saia plissada — vestido de menina grande — ficara chique. Apesar de meus sapatos ainda estarem em bom estado, ganhei um novo par, exatamente os que eu namorava havia muito, na vitrina da Sapataria Del Nero, na Rebouças: pretos, rasos, de verniz. Um metro de fita chamalote, larga, aguardava, no espaldar de uma cadeira, o momento de ser transformada num grande laço a prender meus cachos. Os papelotes seriam retirados por último: "Quanto mais tempo, mais crespo fica o cabelo e dura mais..." — ditava a entendida Wanda.

Por fim, Wanda e mamãe saíram do quarto, a filha sentou a mãe numa cadeira, na sala: "Fique aí quietinha, não vá se desarrumar!". (Parecia José Picucci a me advertir no baile.) "Eu me visto num instante..."

Levei um choque ao ver minha mãe tão modificada, jovem e bela! Não é que ela estava parecida com Wanda? E eu que sempre a julgara velha! Minha irmã caprichara. A peste tinha arte nas mãos!

Os cabelos escuros de dona Angelina, contrastando com a pele fina e clara, afofados para cima, rematados ao alto por um toque de flores com véu preto — confecção artística de Wanda. Bucles pendiam naturalmente, ao longo de suas faces e na nuca. Vestia um sóbrio vestido preto, boá também preto, de curtas plumas de avestruz sobre cetim. Estreava nesse dia um conjunto de joias antigas, presente do marido (compradas em boas condições de uma tia chegada havia pouco da Itália): brincos, anel e broche de ouro com esmeraldas e pérolas.

Surpreendi um olhar embevecido, diferente — sobretudo diferente — de seu Ernesto, também pasmo, contemplando a mulher. Não fui eu apenas a reparar, pilheriamos: "Cuidado, seu Ernesto! Tome conta dela!...". Encabulado, papai desconversou: "Vamos acabar com as conversas, já estamos atrasados, vamos embora...".

Wanda não tardou a aparecer, não precisava esforçar-se para ficar bonita. Nesse dia, Zé Soares que se cuidasse! Sua vigilância devia ser redobrada.

TAÇAS E MEDALHAS

Logo que chegamos ao Parque Antártica, me dei conta de que o salão de recepção ficava distante do parque de diversões, desistindo assim da pretensão — oculta — de dar uns giros na roda-gigante, naquela tarde.

Organizadores e pilotos das provas, com suas famílias e amigos, repórteres e fotógrafos movimentavam-se pelo salão. Papai convidara tio Guerrando que levou consigo Norma e Irma, suas filhas.

Alegrou-me ter a companhia de Irma, pois me apegara muito à minha prima, desde a temporada no Guarujá, ainda mais com a mudança da família para a nossa rua. Assim como Clélia, Irma era mais velha do que eu mas me tratava como se fôssemos da mesma idade. Norma era amiga de Vera, passeavam e namoravam juntas, não necessitando de pau-de--cabeleira, o que me libertava do encargo.

Expostas numa estante, brilhavam as taças e as medalhas a serem entregues aos campeões.

Diante do bufê de salgadinhos e bebidas, Wanda recomendou-me cuidado, não fosse derramar guaraná no vestido. Àquelas alturas, o efeito dos papelotes terminara, meus caracóis já haviam desabado, transformando-se em cabelo de espiga de milho. O laço de chamalote teimava em cair, escorregando pelos fios sem consistência para, demasiadamente finos, manter aquele peso. Wanda de plantão, a suspendê-lo, eu doida para me livrar daquele trambolho.

Por fim começou a sessão propriamente dita; antes do início da entrega dos prêmios, um dos organizadores da festa tomou a palavra, leu um discurso elogiando o automobilismo — felizmente não se estendeu em sua oratória — e levantou a ideia de nova competição. Insatisfeito com o resultado da última prova, Lage, da Bugatti, pedia revanche ao vencedor. Repetiriam o percurso: São Paulo a Tatuí. Aplausos entusiásticos saudaram o futuro duelo.

Segurando uma enorme taça, o mesmo cidadão que discursara havia pouco chamou "Ernesto Gattai, primeiro prêmio...".

Segurando-me pela mão, papai atravessou o espaço que separava o público da estante com os troféus. Pediu-me que recebesse a taça... Morta de acanhamento e de emoção, os cantos dos lábios repuxando, vontade enorme de chorar, compartilhei dos aplausos ao herói.

No caminho de volta, tive que sustentar a taça com uma única mão, a outra apanhara a voo o laço de fita que finalmente acabava de cair.

Seu Gattai foi chamado mais algumas vezes para receber medalhas de outras provas que igualmente vencera. Essas, ele as recebeu sozinho. Eu me afastara para que não me vissem chorando: tivera muito, muito mais do que imaginara, do que desejara.

SÃO PAULO A TATUÍ NOVAMENTE

A data da corrida se aproximava. Desta vez não era apenas dona Angelina a preocupar-se. Papai aceitara o desafio, embora tivesse consciência das péssimas condições da estrada: "Uma verdadeira temeridade correr naquela estrada aberta, com animais a atravessá-la, cheia de ribanceiras e barrancos sem proteção de espécie alguma, um horror", comentava. Mas não podia deixar de aceitar, já que os outros concorrentes estavam de acordo. Não ia dar parte de covarde, de fraco.

Na última semana a anteceder a disputa, apareceu na garagem Mário Bonfanti, mecânico que trabalhara algum tempo com papai e que saíra para montar sua própria oficina mecânica. Visitava-nos de vez em quando e sempre que lhe surgia algum problema vinha consultar o antigo chefe. Papai gostava dele e ficou contente ao vê-lo chegar para oferecer seus préstimos. Passou a ir todos os dias à garagem, debruçado ele também sobre o motor do carro, na regulagem meticulosa para o grande dia. Sabia que o Gattai corria sempre sozinho, não gostava de levar ninguém com ele, mas arriscou: "Não seria bom levar um mecânico junto? Nessas estradas tão ruins, pode furar um pneu, em dois seria mais fácil trocá-lo...". A primeira reação do piloto foi brusca, não queria ninguém a seu lado, nunca precisara... Bonfanti continuou insistindo; argumentos válidos, conseguiu convencê-lo.

Pela manhã saíram os dois, guarda-pó branco, óculos largos contra a poeira da estrada; pela primeira vez papai usava um capacete de couro, presente de Pascoal Scavone. O carro, roncando, desapareceu de nossas vistas deixando apenas o ruído da descarga do motor a diminuir na distância até se apagar.

A largada seria por volta das dez horas, só teríamos notícias depois do almoço; mas elas não chegaram. Mamãe agarrou-se ao rádio de galena, quem sabe? Todos ansiosos em sua volta, na esperança de saber alguma coisa. Mas o rádio na hora só transmitia música e mamãe acabou desistindo.

Por volta das quatro horas, quando a aflição tomara conta de toda a família, começaram a aparecer os amigos. Rostos contritos, calados, nenhuma palavra... Remo saíra havia muito em busca de informações, não voltara. E foram chegando mais amigos, vizinhos, parentes que havia muito não apareciam... Dava para desconfiar, algo acontecera. A noite começava a cair, a casa cada vez mais cheia, veio Ristori com

Mercedes, naquela noite sem violão; apareceu Bandoni, o velho professor, homem dos improvisos, depois Sansone com sua mulher Anita e os filhos — sem serenata.

Um mal-estar, como nunca antes experimentara, fazia-me silenciar, fugir das pessoas que chegavam... quando, de repente, ouvi uma palavra murmurada, solta no ar: "morreu?". Afastei-me rapidamente sem querer ouvir a resposta à pergunta — seria uma pergunta, ou uma afirmação? — a me queimar os ouvidos e o coração. Do portão da rua ouvia-se a forte voz de Vera a informar, ou antes, a explicar a situação a curiosos do bairro: "Qualquer coisa aconteceu, qualquer coisa de grave aconteceu... nós ainda não sabemos nada, mas qualquer coisa de grave aconteceu, qualquer coisa aconteceu...". Vera repetia sem parar essa frase, certamente num desabafo, eu doida que ela entrasse e parasse com aquilo.

José Soares assumira o comando da casa. Atendeu repórteres e fotógrafos que chegavam com a notícia e em busca de informações para os jornais.

Os amigos já sabiam o que acontecera mas nada disseram. Foram os repórteres que nos relataram o desastre horrível que resultara na morte de Mário Bonfanti e deixara papai em estado desesperador. Com fraturas expostas na perna, no crânio e com esmagamento do tornozelo, encontrava-se em coma, no Hospital Santa Catarina, na avenida Paulista. O acidente ocorrera a mais da metade do percurso, quando à frente de todos, com grande distância, o carro capotara rolando numa ribanceira. Ninguém sabia a causa do desastre. Nem nunca se soube; papai não se lembrava de absolutamente nada. Apenas um detalhe: diziam que Mário Bonfanti fora encontrado já morto, segurando o freio de mão.

O vencedor da prova foi Lage, da Bugatti, o desafiante. O único dos concorrentes a não se deter diante do desastre. Os demais participantes da prova a interromperam. Nascimento Filho ajoelhou-se junto ao companheiro ferido e fez a promessa de levá-lo à igreja da Penha para acender uma vela, caso escapasse com vida.

VISITAS E RECEITA CULINÁRIA

Passaram-se alguns meses, antes que Nascimento Filho pudesse cumprir sua promessa.

Sob os cuidados do professor Luciano Gualberto, seu antigo cliente na oficina mecânica, papai permanecera cerca de dois meses internado no Sanatório Santa Catarina. Fora operado de emergência e os médicos aguardavam que seu organismo — em estado delicadíssimo — permitisse operações corretivas: os ossos da perna haviam sido colados em má posição, a pálpebra também, mal costurada, repuxada, impedindo que um dos olhos se fechasse.

Acabrunhado, triste pela morte do companheiro — Bonfanti deixara viúva, dona Ada, e uma filhinha, Renata —, durante algum tempo papai não sentia vontade de reagir, preferindo ficar sozinho, calado.

Ao voltar para casa, teve que esforçar-se para receber as visitas que se sucediam sem parar: parentes e amigos, pobres e ricos, cada um trazendo apoio e solidariedade.

Dona Maria Giorgi, acompanhada das filhas Amélia e Brasa, apareceu quando papai ainda se encontrava hospitalizado. Vinha saber se mamãe necessitava de alguma coisa, que contasse com ela para qualquer emergência. Sem saber o que oferecer às distintas visitas, mamãe ordenou-me que fosse, às pressas, buscar no armazém de seu Henrique uma lata de biscoitos para acompanhar o cafezinho. Não cheguei a sair da sala, fui barrada por Amélia que, percebendo o movimento, arrebatou-me a caderneta da mão, "Não precisam se incomodar...". Tia Joana, que jamais saía de São Caetano, onde vivia encafuada, labutando com chácara e gado, cuidando dos filhos, acompanhou o marido na visita ao cunhado: tio Angelim carregado de frutas, ela trazendo uma cestinha de ovos frescos, "bons para gemada". Tio Gígio não faltou com seus "passes" espíritas. Tia Margarida e tio Gino assíduos, na amizade e no conforto. Dona Ana Maria portuguesa, vendedora de frangos e galinhas nas portas das casas, nos comoveu ao aparecer num domingo, bem-vestida em seu traje de passeio, trazendo uma galinha de presente: "Dá uma boa canjinha...". A turma das Classes Laboriosas, sem faltar um. Todos os tios, irmãos de papai, nos primeiros tempos permaneciam lá em casa durante o dia e, às vezes, à noite. Tia Dina, tão meiga, a massagear docemente o pé aleijado do irmão; tio Remo, o caçula dos irmãos, e tia Clara, sua mulher, minha tia portuguesa, chegaram a fechar a loja de pneumáticos para fazer companhia ao irmão e cunhado. Tio Guerrando dava ordens na garagem, ali firme, de guardião. Tio Aurélio sempre reservado, tia Eugênia a entreter as visitas com seu entusiasmo.

Nos primeiros tempos do retorno de papai, a casa passara a viver em regime anarquista, a anarquia como a entendiam nossos pais: todos por um e um por todos. Apareciam constantemente misteriosos pacotes de mantimentos, um mundo de coisas, sem nome e sem endereço do remetente, nem mesmo uma palavra. Vizinhos e amigos tomavam a iniciativa da arrumação e da limpeza — lembro-me de ter encontrado uma vez Lília Mastrângelo, nossa vizinha e jovem professora, varrendo a sala de jantar. Wanda nem entrava mais na cozinha, as tias se revezavam no fogão, não faltou jamais comida para aquele mundo de gente.

Seu Ernesto, arrastando-se agora pela casa, apoiado ora numa cadeira, ora numa bengala com grossa base de borracha, procurava reagir, voltava-lhe a vontade de viver, não se entregaria. O essencial, o fundamental era recuperar a saúde o quanto antes. Para tanto, traçou um regímen alimentar que, a seu ver, levantaria suas forças em três tempos: comeria diariamente, no almoço e no jantar, *pastasciutta* e *spaghetti*, com molhos variados para quebrar a monotonia. Não havia comida mais barata e substanciosa do que o macarrão, principalmente quando acompanhado de um bom copo de vinho. Abrindo a adega, tomaria os vinhos que guardava havia muito tempo, vinhos finos, brancos e tintos, deliciosos. Ele estava necessitando de uma "cura", não estava? Da receita culinária constavam também as verduras; carnes, apenas de vez em quando. Os resultados foram excelentes: papai recuperava-se a olhos vistos.

O NECROLÓGIO

Numa bela noite, apareceu Ângelo Bandoni. Trazia no bolso do paletó volumoso catatau de folhas de papel almaço dobradas, um necrológio escrito na dor da primeira notícia, quando pensara ter perdido o camarada. Ele que sempre improvisara — e era famoso por isto — desta vez preferira escrever, pondo no papel o que lhe vinha do coração. Não podia dar um simples adeus ao companheiro, à beira da cova, no cemitério; ele merecia muito mais. Ao enterro compareceriam, certamente, expoentes da inteligência brasileira e italiana, jornalistas e escritores de "ideias avançadas" — muitos dos que haviam comparecido havia anos às exéquias do pranteado camarada Francisco Arnaldo Gattai, pai de Ernesto. Muita gente importante iria ouvir e apreciar o necrológio, bem elaborado e sincero, em louvor do caro amigo.

Tivera muito trabalho na redação, empregara frases fortes, terminava com o clássico "...e a terra que te cubra seja leve!...". O discurso saíra a seu gosto, mas... o homenageado não morrera, fora posto fora de perigo... seu estado já não inspirava cuidados.

No correr do tempo, Bandoni releu muitas vezes sua "obra-prima", encalhada numa gaveta; aproveitava então para burilá-la, mudando uma palavra aqui, um adjetivo ali...

Refletira muito, antes de tomar a decisão titubeara, mas nessa noite criara coragem; afinal de contas, que mal havia em ler um discurso — mais do que discurso, louvação calorosa — àquele para quem fora escrito? O amigo certamente ficaria muito satisfeito de se saber tão estimado... Não, não via mal nenhum...

Além da família reunida, havia, naquela noite, algumas visitas e dona Regina, que, sem ser visita, aparecia sempre, depois do trabalho. A audiência estava boa.

Bandoni tomou impulso, pediu silêncio. Levantou-se, puxou do bolso o calhamaço de papel, colocou os óculos e em tom oratório — no tom exato que deve ser pronunciado um necrológio — iniciou a leitura. Comovido com as próprias palavras, interrompia-se de vez em quando para enxugar suor e lágrimas, limpar as lentes embaçadas dos óculos, assoar o nariz. Mamãe, desmanchada em soluços, ouvia, comovida com tantos elogios e tantos adeuses — "De onde teria o danado do velho desencravado tantas e tais virtudes para seu marido?". Filhos, filhas e até as visitas acompanhavam-na no pranto. Dona Regina quase tem um chilique, em soluços e gemidos. Um velório a napolitana, não havia diferença, eu os conhecia de perto. O "falecido" assistia a tudo, silencioso, encabulado, ainda mais do que encabulado, incomodado, desejando que o orador terminasse o quanto antes seu elogioso necrológio, macabra homenagem.

PROMESSA CUMPRIDA

Ainda no leito do hospital, papai chamara um dia José Soares e Remo, pedindo-lhes que averiguassem junto à gerência, no escritório da Alfa Romeo, um assunto que o preocupava havia algum tempo.

Suspeitava da honestidade de um alto funcionário da firma. Seus escrúpulos, no entanto, o impediram de tirar a limpo o assunto. Tinha como norma jamais acusar alguém nem levantar suspeitas, sem ter absoluta certeza de sua culpabilidade: "Não há maior infâmia do que acusar um inocente", repetia sempre.

Deixara para esclarecer o assunto após a corrida a Tatuí. Não comentara nada com os sócios, nem com a família. Agora ali, imobilizado — quanto tempo ainda ficaria sem poder mexer-se? —, resolvera conversar com os dois jovens, sobretudo com José Soares, entendido em contabilidades e com acesso ao escritório da Alfa, para que dessem uma espiada. Não acreditava no sucesso da empreitada mas, pelo menos, ficariam a par do assunto. Sentia-se péssimo, não estava certo de sair com vida do hospital.

Agora em casa, aleijado de uma perna, cabeça toda remendada a lhe incomodar, fraco, inteirava-se de que a situação da sociedade era a pior possível. Não se surpreendeu, não se enganara, suas suspeitas tinham, pois, fundamento... Alguém lá dentro metera a mão na caixa.

Ao receber a notícia da decretação da falência da Sociedade Anônima Gattai, o maior prejudicado nada pôde fazer. Acabara de perder tudo que possuía. O maquinário comprado com seu dinheiro entrara na massa falida, seu nome manchado na praça. Um homem falido, sem saúde, sem dinheiro, sem meios de ganhá-lo. Restavam-lhe a família, os amigos e o casco da oficina, despojada até de ferramentas.

Antigos fregueses, ricos, apareceram, vinham tranquilizá-lo: "Não se preocupasse com dinheiro; o Gattai tinha crédito para montar quantas oficinas quisesse, era jovem ainda, cuidasse da saúde, procurasse se recuperar".

Nessa altura da situação apareceu Nascimento Filho, em busca do camarada, para juntos irem à Penha cumprir a promessa. Papai achou graça ao receber o convite do amigo. Ponderou:

— Vou à Penha agradecer o quê, Nascimento? Estar aleijado, falido, sem saber como sustentar minha família? Pense bem!

Nascimento Filho, que o conhecia, não se perturbou:

— Você está vivo, Gattai! Acha pouco?

O argumento de Nascimento não convenceu Gattai. Contudo acompanhou-o à Penha movido pelo sentimento de gratidão ao amigo.

O difícil foi encontrar a vela, a ser oferecida à Nossa Senhora da Penha, que devia ter o tamanho do beneficiado.

Com bom humor, Gattai propôs: "E se déssemos um pequeno golpe na santa? Medimos minha altura pela perna acidentada! Ela é agora dez centímetros mais curta que a outra...".

— Você não tem jeito, não, Gattai! Não tem salvação... — resmungou Nascimento, contendo a custo o riso.

VIZINHANÇA NOVA E ESTADO NOVO

Nossa vida mudava, tudo mudava em torno da família. Em frente à casa, num terreno baldio que servia de quintal às turcas, foram levantados dois sobradinhos. Num deles veio morar um casal de meia-idade, gente discreta, vizinhos de bom-dia, boa-tarde (nunca soubemos seus nomes), mal os víamos; no outro, a família Apolônio: mãe viúva, duas filhas moças e um filho casado, pai de duas crianças. Soube-se logo ser o cidadão inspetor da Polícia Política e Social. "Um tira", disse papai contrafeito. Ele nunca tivera tanta razão como ao se contrariar com a informação. Seria exatamente com nosso vizinho, Luiz Apolônio, que iria defrontar-se, alguns anos mais tarde, na implantação do Estado Novo, em 1937, no cárcere, preso pela polícia política, acusado de "comunista perigoso". Na época do Estado Novo, bastava uma denúncia ou simples suspeita para que uma casa de família fosse cercada por enorme aparato bélico, policiais apontando metralhadoras, os lares invadidos — a qualquer hora do dia ou da noite — por policiais armados, pais de família arrancados de seus leitos e arrastados para as masmorras, para o porão úmido e escuro da Delegacia da Ordem Política e Social, incomunicável. Foi o que aconteceu à minha família, foi o que aconteceu a meu pai. O chefe das "batidas", o perito nos interrogatórios era nosso ex-vizinho Luiz Apolônio. Provas de acusação: armas — a velha espingarda de caça, pendurada em seu lugar de sempre, atrás da porta —, farto material subversivo, constituído pelos volumes de nossa pequena e manuseada biblioteca. Livros de Victor Hugo: *Os trabalhadores do mar*, *Os miseráveis*, *Notre-Dame de Paris*; Émile Zola: *Acuso!*, *Thereza Raquin*, *Germinal*; de Pietro Guóri, *Dramas anarquistas*, relíquias sagradas de dona

Angelina — com a agravante de serem todos os volumes encadernados em vermelho, encadernações bastante desbotadas pelo tempo, mas na cor proibida; e o precioso arquivo de mamãe, guardado cuidadosamente, durante anos a fio, debaixo do colchão: artigos políticos, notícias ilustradas sobre prisões e expulsões do país de conhecidos e amigos, entre os quais o velho Oreste Ristori, enviado para as prisões de Mussolini, onde morreu.

MORADORES DA CASA DA VELHA

Nos fundos da garagem os novos vizinhos tinham categoria. O sobradão levantado no terreno da Casa da Velha fora ocupado por família numerosa: pai, mãe, vários filhos — moças e rapazes, jovens e risonhos. Homem simpático e amável, o pai era pastor de um templo protestante, recém-construído no local onde fora em outros tempos a quitanda de seu Antônio, na Consolação.

D. Salomão Ferraz que anos mais tarde se tornaria bispo da Igreja católica conquistara a confiança e o carinho dos habitantes do bairro, conseguindo, com sermões de amor e paz, encher sua igreja de fiéis. Eu também acorri ao chamamento, fui algumas vezes assistir ao culto, por curiosidade, pela novidade.

Fiz camaradagem com Ester, filha mais nova do pastor, que regulava comigo em idade. Passávamos horas esquecidas conversando por cima do muro do galinheiro que dava para seu quintal. Aprendera com Vera e Tito a fumar o talo grosso e seco, cortado em cigarrinhos, de um chuchuzeiro que cobria o muro a separar a nossa casa da do pastor; enquanto batia papo com Ester, tirava minhas baforadas.

Ao levar milho para as galinhas e colher ovos, costumava, às vezes, divertir-me imitando o canto do galo. Conseguia alvoroçar galos e galinhas de outros galinheiros, próximos e distantes, os galos a cantar fora de hora, todos ao mesmo tempo, num charivari ensurdecedor. Certo dia fui surpreendida por d. Salomão Ferraz que saíra à janela de seu quarto, atraído pela barulheira. Dei de cara com ele, no exato momento em que, de cabeça erguida, pescoço espichado — observara que os galos só cantam olhando para o céu, talvez para esticar a goela e liberar a voz —, largava o meu co-cori-có. Se o tranquilo pastor se sentira incomodado e aborrecido com o alarido das aves, ao pilhar-me em flagrante deve ter achado muita graça; pelo menos, daí por diante, todas as vezes que me via punha-se a rir, divertido.

SERVIÇO DE METEOROLOGIA

A convalescença de papai estendia-se, lenta. Havia mais de um ano do desastre e ele ainda sentia dores nas fraturas, principalmente em dias úmidos e frios. Seus membros transformados em barômetro marcavam a pressão atmosférica, prenunciavam as chuvas. Muitas vezes, dia firme, sol radioso, começava a sentir dores, anunciava: "Hoje vai chover". E chovia.

A notícia de suas infalíveis previsões correu de boca em boca e por vezes o consultavam: "Seu Ernesto, por favor, vai chover hoje à tarde? Temos que sair".

Como se não bastassem as fraturas e os padecimentos, ainda por cima papai perdera o olfato. Nunca mais o cheirinho gostoso dos bons pratos, nunca mais os perfumes...

Usando enormes sapatos ortopédicos, andando com dificuldade, comandava a oficina mecânica, sentado numa cadeira, ensinando e orientando, já que não podia permanecer muito tempo de pé, nem fazer esforços. Na oficina, novamente aparelhada, Remo, mais dois mecânicos e Tito davam conta do trabalho. Para os fregueses do Gattai, seu nome continuava limpo, a merecer crédito; nunca lhe faltou trabalho, ao contrário, tinha bastante.

LEITURA DO JORNAL

À noite, depois de feitas as lições da escola, eu passava a ler o jornal do dia em voz alta; papai não podia mais fixar a vista, sentia dores de cabeça. A única pessoa disponível para essa tarefa era eu: Wanda noivava, Vera saía com Norma e Irma a namorar, Tito ia para o curso noturno de desenho, Remo sumia apenas terminado o jantar. Aproveitando a ocasião, mamãe desistia às vezes do rádio para ouvir a leitura de artigos e notícias que a interessavam.

Eu lia o jornal de cabo a rabo, papai não fazia por menos, queria saber tudo, embora acontecesse surpreendê-lo muitas vezes cochilando. Para animar um pouco a leitura inventei ler as notícias da Itália com sotaque italiano; de Portugal, com acento português; da Alemanha, com sotaque alemão e assim por diante. Papai achou graça, divertiu-se com a brincadeira, e por isso eu a repetia de vez em quando. Sentia pena de meu pai, privado das coisas de que mais gostava, vivendo uma vida limitada, ele que era tão ativo! Sua espingarda de caça pendia atrás da porta, havia longo tempo sem uso, talvez para sempre. Ele adorava caçar. Agora, seus companheiros traziam os passarinhos como costumavam fazer quando papai também participava das caçadas — para serem limpos e preparados por nós (detestáveis penas espalhadas por todo lado, trabalhão danado, um horror!). Os caçadores regalavam-se nessas noites, em meio a histórias, verdadeiras ou não, que contavam, das aventuras do dia.

Com a leitura diária e sistemática do jornal, ia me ilustrando, ficava a par de muitas coisas que me abriam novos horizontes: arte, literatura, música, principalmente música, paixão de dona Angelina. Lia críticas e artigos sobre os sucessos de Bidu Sayão, com sua voz maravilhosa, mundo afora, levando longe o nome do Brasil. De Guiomar Novaes, a espetacular pianista brasileira, a fazer furor nos Estados Unidos. De Tito Schippa, em noite triunfal no Cine-Teatro Oberdã, no Brás. Dessa vez, embora muito o desejássemos, não pudemos ouvir o grande cantor italiano. Papai orgulhava-se de ter ouvido e visto Enrico Caruso, em 1916, em São Paulo.

Certa vez, folheando um livro de Guilherme de Almeida, *Messidor*, encontrei um poema que me agradou muito: "Esta vida". Uma das estrofes pareceu-me bem ao gosto de meus pais.

À noite, na hora da leitura do jornal, lancei a bomba: "Sabia, pai, que Guilherme de Almeida tem ideias avançadas?". Papai sabia que o famoso poeta era homem da alta sociedade paulista, nunca tinha ouvido nenhuma referência à novidade que a filha lhe trazia. Esboçou um ar de dúvida. Não perdi tempo, a página já estava marcada, sapequei a terceira estrofe do poema:

...um pobre me dizia: para o pobre a vida é o pão e o
[andrajo vil que o cobre.
Deus? Eu não creio nessa fantasia!
Deus me deu fome e sede a cada dia
mas nunca me deu pão nem me deu água.

Dormi contente aquela noite, certa de haver dado uma satisfação a meu pai.

Berta Lutz, por essa época, conclamava as mulheres à luta pela emancipação feminina. Mamãe e Wanda haviam recebido uma visita de Maria Préstia, filha mais velha de uma família italiana, numerosa, habitante antiga do bairro, convidando-as a tomar parte em manifestação feminista. Maria Préstia era exaltada discípula de Berta Lutz, mas parece que não conseguiu nada lá em casa. Mamãe, por fora do assunto e de pé atrás com os movimentos feministas, pois não se julgava oprimida, não queria lutar contra o marido.

Desde o acidente com seu Gattai, as competições automobilísticas não se repetiam. O futebol, dominando as páginas de esporte dos jornais, começava a interessar papai, que não perdia a descrição das principais partidas da semana.

IMIGRAÇÃO ITALIANA

Nova imigração italiana chegava a São Paulo. Essa, no entanto, bastante diferente daquela outra, do fim do século. agora homens e mulheres fugiam do regímen fascista de Mussolini, em busca de liberdade, dispostos a trabalhar e a lutar por uma vida mais digna.

Entre os novos imigrantes que apareceram em nossa casa, recomendados por outros amigos antifascistas, estava a família Covani, de Luca: pai, mãe e uma filha mocinha. Perseguido pelo fascismo, Cirio Covani largara tudo, antes que o prendessem. Não era homem de atividades políticas, nunca pertencera a nenhum partido. Apenas externara, certa vez, em público, sua repulsa à violência, aos métodos fascistas: óleo de rícino, prisões arbitrárias, etc...

Agora em São Paulo, procurava trabalho. Era pintor de automóveis. Papai lhe cedeu a seção de pintura de sua oficina, onde não lhe faltaria serviço.

De vez em quando, a família Covani aparecia à noite, para nos visitar. Nessas ocasiões, estranhamente, Remo não saía de casa. Não demorou descobrirmos que fora "amor à primeira vista" o que sentira pela jovem Clara Covani, com quem se casou anos depois.

FIM DE CAMINHO

Animado, aquele fim de ano. O diretor-geral da Instrução Pública de São Paulo estaria presente à solenidade de encerramento do ano letivo do Grupo Escolar da Consolação. A festa prometia ser uma beleza; não se organizara antes outra que se lhe comparasse. E ela tinha para mim uma significação toda especial: eu me despedia da escola.

Dona Paulina Nacarato, minha professora na quarta série, e dona Maria Luiza Vergueiro, na segunda e terceira, haviam sido professoras de Wanda e não a haviam esquecido. Tiveram em Irma, filha de tio Guerrando, mais recentemente, outra ótima aluna. Eu me esforçara ao máximo para manter o prestígio das meninas Gattai junto às mestras. Agora recebia a recompensa: oradora da turma, baliza no desfile das ginastas, cantaria "O pinhal", no palco armado no galpão, vestida de ninfa, com babados, véus e coroa de flores na cabeça. "O pinhal" era música difícil de ser cantada, cheia de agudos:

O pinhal geeeeeeme!
geme de dor
ante o machado
do lenhador...

Dona Angelina preocupou-se: "Você não vai fazer um fiasco, não, menina?", e suspirava: "Que atrevimento, aceitar uma incumbência dessas!".

O vestido, confeccionado por Wanda, ficou deslumbrante! Dentro dele eu parecia moça feita. Aliás, havia dois anos que eu crescia sem parar, tomava corpo. Na sala de aula, embora das mais novas, era a mais alta. Mamãe já andava desacorçoada de tanto baixar bainhas de saias, de ver tanta roupa perdida: "Não sei onde vamos parar...".

Em meio àquele movimento festivo, de ensaios e reuniões diárias, eu ocultava sob o rosto alegre uma enorme tristeza. Terminaria aí o quinhão de escola a que tivera direito. Daí por diante seria mais uma aluna da "escola que não tem férias", da escola da vida. Eu não era a única, entre as colegas que comigo terminavam a quarta série, a não continuar os estudos. A maioria, gente pobre e modesta, não estudaria mais. Muitas iriam trabalhar em seguida, outras aprenderiam um ofício. Os pais já se haviam sacrificado bastante, permitindo que terminassem o curso primário, sem trabalhar para ajudá-los durante aqueles anos. Algumas iriam tentar obter uma das poucas vagas existentes na Escola Normal da praça da República, escola do governo, gratuita, para o ensino ginasial e pedagógico, concorrendo, numa competição muito difícil, com centenas de candidatas.

Eu nem sequer sonhava entrar na disputa, conhecia de sobra a opinião de meu pai sobre a Escola Normal. Aliás, sua prevenção não era contra a escola, propriamente dita, mas sim, contra o ambiente em torno: "Perigoso" — alertava o pai vigilante —, "os gabirus por ali rondando, a desviar as meninas do bom caminho...". Opinião firme, talvez tivesse algum fundamento (quem sabe?), não arredava pé, não saía de seu ponto de vista. Inútil insistir.

Colégios particulares existiam aos montes, mas ora! esses não eram para o meu bico. Taxas e mensalidades altíssimas, sem contar os livros e o material escolar que custavam um horror de dinheiro. Seu Ernesto andava de bolsos vazios, a pagar com sacrifício, todos os meses, duplicatas da compra das máquinas e das ferramentas com que montara novamente a oficina. Tendo plena consciência da situação difícil que atravessávamos, não podia de jeito nenhum colocar diante de meu pai mais esse problema, pelo menos naquele momento; aguardaria, com paciência, ocasião mais oportuna, quando as finanças melhorassem para o nosso lado. Uma coisa, no entanto, era certa: haveria de estudar algum dia. Assim tinha decidido, e decisão para mim era — e continua sendo — juramento.

ESPERANÇAS DO BRASIL

Mal nos sentáramos para almoçar quando apareceu seu João, servente do grupo escolar. Trazia recado do diretor, convocando papai a comparecer comigo ao seu gabinete às três horas daquela tarde. O velho servente nada soube adiantar, pois nada mais sabia além do recado que já dera. Todos os olhares voltaram-se para mim, ao mesmo tempo. O que teria acontecido? O que andara fazendo? Eu não soube responder.

A festa da escola, havia pouco mais de uma semana, transcorrera bem, meu desempenho saíra a contento, a não ser uma restrição mordaz de Vera, que não me agradou: "Pra que diabo você olhou tanto pro meu lado, menina? Credo! Cheguei a pensar que você estava cantando só para mim…". Realmente, minha irmã tinha razão ao me criticar, mas, só o fez, naturalmente, por não ter me compreendido, fato que muito me admirou pois ela estava a par das coisas, estava mesmo envolvida no assunto ocorrido pouco antes.

Meu número de canto ia começar, dona Paulina, segurando meu braço, ordenava-me que entrasse em cena. Dona Augusta Nacarato, irmã de minha professora, acompanhadora dos números musicais ao piano, dera os primeiros acordes e as meninas fantasiadas de pinheiros de papel crepom verde já estavam a postos à espera da ninfa, quando surgiu de repente Raimundo, o galã das meninas da escola, admirado por todas elas, considerado o mais formoso de todos os meninos, um bonitão, um cutuba. Meteu-me nas mãos um papel dobrado, uma página de caderno escolar, preso com uma flor espetada, à guisa de alfinete — certamente colhera a flor por ali, num dos canteiros. Entregou-me o papel e sumiu. Sem saber o que fazer, com aquela bomba na mão, toda atarantada — nunca tinha recebido um bilhete de menino —, perturbada com a presença de dona Paulina que a tudo assistira e aflita me empurrava para o palco, rapidamente passei o papel para as mãos de Vera, que providencialmente ali estava, e entrei em cena, o coração aos pinotes. Vera não perdera o costume de postar-se de pé junto ao palco, sempre que se apresentava ocasião: "...bom lugar, vejo tudo, ouço tudo...", para poder melhor criticar depois. Aflita, temendo que minha irmã desdobrasse o papel e lesse a mensagem, eu não aguentava de curiosidade. Que surpresa era aquela? Raimundo jamais me dera confiança e nem eu a ele... até o achava pálido demais para o meu gosto...

Do palco, entre um agudo e outro, lançava furtivas olhadas para as bandas de Vera, queria que ela se sentisse fiscalizada e não se atrevesse a ler o meu bilhete. Mas parece que Vera não entendeu nada, não percebeu a minha inquietação. Por isso, a crítica implacável.

Nem bem terminara de cantar, dona Augusta Nacarato ainda nos penúltimos acordes, escapuli-me de fino em meio aos aplausos, voei do estrado num salto, arrebatei o papel ainda dobrado das mãos de minha irmã. Saí em busca de um refúgio — tão difícil em meio àquela festa — onde pudesse ler sozinha o bilhete. Atrás da casa do vigia, longe de olhares indiscretos, emocionada, retirei a flor com todo o cuidado para não rasgar o papel, abri a folha, li o seguinte:

No alto do carvalho erguia-se uma cruz
e pregado sobre ela
o corpo de Jesus.

Mais abaixo, no centro, um coração desenhado a lápis vermelho e dentro dele: "Zélha e Raimundo".

Podia esperar tudo, menos aqueles versos, que eu conhecia de cor e salteados. O que pretendia Raimundo dizer com aquilo? Reli os versos mais algumas vezes procurando entender, descobrir sua intenção. Mas, qual!, não encontrei nada, não entendi coisa nenhuma. Aliás, descobri que aquele menino não passava de um bobo alegre, apenas isso. Como se não bastasse aquela idiotice toda, ele mudara "Calvário" por "carvalho" e escrevera meu nome errado, fato esse ainda mais grave. Meu entusiasmo esvaziou-se, esfriou como que por encanto, transformou-se rapidamente em decepção. Raimundo nunca soube por que lhe virei o rosto, naquela mesma tarde, em ostensivo desprezo.

A falha no número de canto foi compensada, mais tarde, pelo discurso que proferi sem engasgar. Dirigi-me ao Exmo. sr. diretor-geral da Instrução Pública, embora o excelentíssimo estivesse ausente: não pudera comparecer. Dera ênfase às palavras de despedida às colegas e às professoras, "...colunas mestras de nossa existência!", comovendo dona Paulina, apesar de ser ela própria a autora do discurso que eu decorara. Mamãe também derramou algumas lágrimas, ao ver-me desfilar com elegância, segundo comentários colhidos de passagem. Agora, quando curtia em casa saudades da escola, um vazio enorme em torno, surgia aquela novidade.

— Você andou fazendo alguma bobagem na escola? — foi a primeira pergunta de papai, bastante incomodado com a convocação.

Não, eu não me lembrava de nada que pudesse ser considerado falta grave. Havia cometido pequena travessura ao sair da escola, no último dia de aula: estando na fila, ao passar por uma das jabuticabeiras do jardim, carregada até as raízes, não resistira à tentação, surrupiara uma e a metera rapidamente na boca. Poderia ter sido isso? Por toda a parte, na escola, havia tabuletas proibindo aos alunos colher frutas das árvores... eu colhera uma. Teria alguém soprado aos ouvidos de seu Olívio, o novo diretor?

Papai se indignou: "...Mas será possível, uma coisa dessas? que por uma frutinha besta essa gente venha perturbar a vida de um chefe de família? Se for esse o motivo" — dirigiu-se a mim — "teu diretor vai ouvir poucas e boas!".

O longo e inflamado discurso de meu pai, admitindo a absurda hipótese que eu levantara, impressionou-me, cheguei a me convencer de que o motivo da convocação não podia ser outro. Que vergonha ter de enfrentar o diretor! Cada um dava seu palpite, todos pessimistas, contra mim. Mamãe não desgrudava os olhos da filha, buscando descobrir o "segredo" em sua fisionomia. Tito ria, caçoando. Com uma piscadela significativa, Vera me fez sinal que saísse da sala. Não queria dar o seu palpite na vista dos pais: "Olhe! Eu acho que é o negócio do bilhete do Raimundo! Dona Paulina não viu ele entregar o bilhete?".

Às três horas em ponto, entrava o pai com a filha pela mão no gabinete do diretor.

Seu Olívio nos recebeu sorridente, estendendo a mão a papai. "Graças a Deus!" — pensei — "não deve ser coisa muito ruim..."

— Em primeiro lugar quero lhe felicitar — foi dizendo o diretor. — Sua filha acaba de ser destacada como a melhor aluna que tivemos em nossa escola, nestes três últimos anos.

Olhei para papai: um leve arrepio no rosto esfogueado. Sem saber o que dizer, encabulado perguntou:

— A Zélia?

— Claro que é a Zélia! — riu o diretor diante do pai aturdido. — Acabamos de fazer, sob a orientação da Secretaria de Educação, um levantamento em todos os grupos escolares da capital, para destacar, entre os alunos, os melhores em comportamento, aplicação e assiduidade. Esse plano visa a incentivar o estudo entre as crianças que frequentam as escolas públicas. Sua filha foi a vencedora em nossa escola. Como prêmio, seu retrato e uma pequena biografia serão publicados no *O Estado de S. Paulo*.

Tão surpresa fiquei que perdi a voz, uma esperança repentina a tomar conta de mim. E se além do glorioso retrato no jornal eles me dessem também matrícula grátis num ginásio? Tive uma vontade enorme de perguntar: "Vou poder continuar a estudar?". Minha voz não saiu, a timidez e a emoção me inibiram. Esperei ainda que seu Olívio estivesse guardando a surpresa para o final da conversa, mas qual! O prêmio era aquele mesmo: honraria, retrato estampado no maior matutino da capital, encimado com o título chamativo: ESPERANÇA DO BRASIL.

Seu Olívio tomou nota de alguns dados de que precisava para o jornal, pediu pressa na entrega do retrato. Saímos os dois, em busca do primeiro fotógrafo que encontrássemos pelo caminho.

Papai não conseguia esconder seu contentamento, dissimulado com esforço. Comentou rindo: "Já imaginou com que cara o pessoal lá em casa vai ficar?".

Mais uma esperança ia por água abaixo; por alguns poucos momentos eu alimentara a ideia de que receberia uma bolsa de estudo; o jeito era mesmo ter paciência, agora redobrada, com a gozação a me cercar, depois da saída da foto no jornal: "Esperança do Brasil, hein? Não me lo digas!", ou "... então, você vai salvar o Brasil? Muito me contas!". E eu que sentia verdadeiro horror a essas expressões de deboche, muito em voga no momento, tinha que ouvi-las a toda hora: "Não me lo digas!... Muito me contas!...".

CASAMENTO À VISTA

Após cinco anos de noivado, finalmente o casamento de Wanda fora marcado. José Soares conseguira fazer um bom negócio, vendera um palacete no Jardim Europa, ganhara polpuda comissão. Seu salário no banco não lhe permitira casar antes; havia muito que labutava, em horas extras, tentando realizar vendas de imóveis. Já podia comprar a mobília para a casa e ainda lhe sobraria o suficiente para a arrancada inicial. Continuaria a se virar nas horas vagas, na certeza de fazer novos negócios no futuro, principalmente agora, movido pelo entusiasmo da primeira vitória.

A casa entrou novamente em reforma, Wanda comandava as transformações; haveria uma festa com mais de cem convidados, queria tudo nos trinques. A primeira providência tomada foi a do enceramento do assoalho, até então lavado com sapólio e cinza, para ficar bem branquinho, dando um trabalhão danado para conservá-lo limpo. Remo e Tito, vindos da garagem, costumavam entrar com as "patas cheias de graxa" no dizer de Vera, manchando o chão.

Todo mundo deu duro no enceramento, arrastando-se pelo chão a passar cera, camadas sobre camadas, nas tábuas largas que, acostumadas à água, recusavam-se, rebeldes, a brilhar. Um escovão de ferro pesado, pra cima, pra baixo, o dia inteiro. Eu já andava cansada de tanto passar escovão, de me arrastar feito cobra, de entranhar as unhas de cera. Mas Wanda venceu. A casa ficou brilhando de dar gosto. Nós três pintamos as portas todas e os meninos foram proibidos de encostar nelas as mãos sujas. As meninas de guarda, sempre vigiando, pois Tito, espírito de porco, as sujava propositalmente: "Deixa dar um pouco de trabalho a essas mulheres indolentes...".

Agora Wanda enfrentaria a mais difícil de todas as batalhas: a retirada do quadro anarquista da parede. Anunciara que na primeira oportunidade atacaria.

Fiquei assombrada com o atrevimento de minha irmã. Pleitear (ou exigir?) o afastamento do quadro de papai da sala... Ela havia esquecido o incidente no dia em que o padre Frederico almoçara em nossa casa? Ela não se dava conta de que esse quadro, mais do qualquer outra coisa, era o que restara ao pai, de uma longínqua ilusão que sustentara nossos avós havia tantos e tantos anos, na sua longa e dramática travessia, em fétido porão de um navio? A experiência anarquista de nossos antepassados na Colônia Cecília fracassara mas nono Gattai conservara aquele quadro, símbolo do ideal anarquista que os trouxera ao Brasil. Confiara-o ao filho antes de morrer, que desde então o mantinha exposto, em lugar de destaque, na sala de jantar. Wanda não percebia que o quadro não era preso à parede por pregos mas, sim, por raízes? Raízes que vinham de uma Itália distante, as raízes de nossa família?

A oportunidade chegara num dia em que papai sentou-se à mesa para o almoço, de bom humor, fazendo pilhérias. Enquanto esperava que Vera trouxesse as travessas da cozinha, Wanda atacou. Com voz suave, com jeito estudado, foi direta ao assunto:

— Pai, o senhor vai ter paciência, mas eu queria lhe pedir um grande favor. O seu quadro — apontou com a cabeça a alegoria — vai precisar sair de onde está. Pelo menos no dia do meu casamento. José convidou uma porção de colegas do banco, convidou até o chefe dele com a mulher, gente distinta; não fica bem ter esse quadro aí pendurado, com esse padre todo ensanguentado, aquela mulher pelada...

Apanhado de surpresa, seu Ernesto ouvia a filha, perplexo. Por essa não esperava:

— Como? Tirar o quadro da parede? Você está brincando? — exclamou atônito, chocado, ofendido. — Esse quadro é até instrutivo... Esse quadro não agride ninguém... Nem aos distintos e nem aos plebeus, como nós. Tomara muita gente boa, distinta — picara-o a palavra distinta — possuir um quadro desses! Pode ir desistindo, minha filha, meu quadro não sai da parede.

A moça caiu em prantos. Entre soluços, enfrentou o pai, declarando que com aquele "horror" ali pendurado desistia de tudo: renunciaria à festa, sua festa tão esperada, tão sonhada...

Rosto contrafeito, diante do desafio da filha, o pai levantou-se e saiu sem almoçar. Mau sinal. A última palavra havia sido dada, ele estava ofendidíssimo.

À noite, ao jantar, foi aquele velório. Todo mundo calado, Wanda, rosto e olhos inchados de tanto chorar, papai sério, visivelmente incomodado com a situação, mamãe suspirando fundo. Em ocasiões como essas, dona Angelina não intervinha, sabia que se abrisse a boca levaria as sobras. Preferia falar depois, a sós com o marido, na cama.

O impasse estava criado, difícil de solucionar. Wanda fincara o pé na sua obstinação, enquanto papai continuava amarrado a seus princípios.

ÓPERA COM SURPRESA

Havia muito que papai voltara a debruçar-se sobre os motores dos automóveis, embora nunca mais tivesse recuperado sua antiga forma. Precisava trabalhar, não podia manter dois mecânicos com salários altos.

Naquela tarde, ao entregar o carro ao dr. Cincinato Richter, o cliente lhe perguntara se gostava de ópera. Pergunta óbvia. Dr. Cincinato comprara um camarote para aquela noite, no Teatro Municipal, onde cantores de renome, vindos da Itália, interpretariam a ópera *Aída*, de Verdi; um contratempo o impedia de ir. Caso seu Gattai quisesse, lhe ofereceria os ingressos.

Radiante com a boa notícia que levava, papai entrou portas adentro, chamando por mamãe. Talvez a ida ao Municipal viesse quebrar o gelo que durava havia vários dias entre ele e a filha. "Angelina, vamos todos ao teatro hoje! Ganhei um camarote com direito a cinco pessoas."

A conta era certa: papai, mamãe, Wanda (Zé Soares nessa noite tivesse paciência, ficaria sem a noiva), Vera e eu. Entregou o envelope com as entradas à mamãe e voltou para o trabalho. Todo mundo exultante, menos Wanda: "Eu não vou". Mamãe fez o que estava ao seu alcance, mas em vão. A obstinada dissera que não ia, não adiantava insistir. Sobrava um ingresso, convidamos Irma que substituiria a pirracenta.

Tomamos lugar no camarote. O teatro iluminado era uma beleza! Cheguei a perguntar se aquilo tudo era ouro, causando hilaridade. Pela primeira vez eu entrava no Teatro Municipal, nunca imaginara que fosse tão sensacional! O entusiasmo de papai viera por água abaixo, ao saber, já de saída para o teatro, que a filha não iria. Não disse nada, mas conservou-se calado, ocupando uma das cadeiras de trás. Vera não escondia seu entusiasmo, observando os toaletes das mulheres, e eu com Irma nos divertíamos contando o número de carecas da plateia, enquanto não abriam as cortinas do palco dando início ao espetáculo.

Eu conhecia a ópera *Aída* pelos discos de Caruso, mas pela primeira vez a vi representada. Desencantou-me de início o aspecto físico dos artistas. Achei-os fortes demais, a Aída que eu sempre sonhara e imaginara era linda, esguia, a despertar paixão em Radamés; a que ali estava — cantava bem, não havia dúvida — era gorda, peituda, um mulherão!

A ópera em andamento, entra Radamés, sai Radamés dando agudos de estremecer o teatro, aparece Aída com trinados na voz, entram escravos, um bando de escravos (ou eram prisioneiros?) ligados uns aos outros por correntes... "Olhem só quem está no meio dos prisioneiros!", Vera apontava com o dedo. Procurei e encontrei: Tito, meu irmão, ali todo acorrentado, vestido de andrajos... comparsa em meio a outros prisioneiros (ou escravos?), defendendo um cachezinho, assistindo à ópera de graça. A descoberta fez papai rir. Menino mais sonso, esse Tito! Quem diria?

Voltamos para casa cheios de novidades, doidos para abordar Tito. Wanda nem quis ouvir os comentários, não dava o braço a torcer. A batalha prosseguia, papai perdera esse lance, mas eu ainda apostava nele.

GRANDE SURPRESA

A data do casamento se aproximava e o impasse continuava na mesma: a filha emburrada, o pai sério.

Quem trouxe a novidade foi, como não podia deixar de ser, Vera, toda excitada:

— Vi papai tirando do carro uma caixa enorme, parece que é um rádio...

O aparelho, um Zenith, que papai acabara de comprar tinha formato de oratório gótico, seu som era perfeito. Mamãe podia, daí por diante, pôr seu rádio de galena fora de combate, ou então, melhor ainda, presenteá-lo à dona Ana Maria portuguesa, que era louca pelo misterioso aparelho. Todas as vezes que aparecia com seu jacá de galinhas, pedia para ouvir um pouco de música. A primeira vez que mamãe lhe colocou os fones ao ouvido foi uma graça! Apanhada de surpresa — nunca havia visto um rádio antes —, se assustara: "Ai, meu Deus! Não virá por parte do inimigo, não, dona Angelina?". Isso! Dona Ana Maria herdaria o rádio de galena.

A música voltara à nossa casa com o Zenith. César Ladeira, o "Bico de Ouro", voz empostada, cristalina, anunciava os programas, dava conta do que se passava pelo mundo. Entusiasmo geral! Até Wanda sorriu. Quem, na vizinhança, possuía um rádio igual ao nosso? Nem igual, nem nenhum. O nosso era o primeiro. Parava gente no portão de casa para ouvi-lo. Os botões de sintonização do aparelho, virados ao máximo, faziam aumentar o som que era distribuído, generosamente, a quem quisesse ouvi-lo.

Esse rádio tão caro para os bolsos de papai viera levantar o status da família. A situação agora havia mudado. Wanda não precisava mais se preocupar, podiam vir ao seu casamento quantos distintos quisessem. A alegoria já não os ofenderia tanto.

Teria sido esse o raciocínio de minha irmã, ao deixar de lado e esquecido o assunto que tanto a acabrunhara, ou teria ela compreendido as razões do pai e desistira da luta? Nunca tirei a limpo.

Apenas de uma coisa eu tenho certeza: papai ganhara a batalha, com o coração e com sabedoria. Havia lhe custado sacrifício financeiro? Pouco importava. Todos estavam contentes, sua filha voltara a sorrir e isso era o que ele queria.

EXCITAÇÃO E ESPEVITAMENTO

Os preparativos para o casamento de Wanda entraram em ritmo acelerado. Dona Regina, encarregada do vestido da noiva — e de mais três: o de mamãe, o de Vera e o meu —, costurava em casa, direto. As madames ricas que esperassem, ficariam sem a costureira por uma quinzena de dias. O feitio do vestido de noiva, desenhado num papel pela modista, fora copiado, às escondidas da proprietária, uma das Crespi, de um modelo trazido de Paris. Crepe georgette branco, todo de nervuras muito finas, pala e entremeios de rendas de Bruges. Trabalhão danado fazer aquelas preguinhas todas, mas dona Regina não se apertava, conhecia o ofício; conhecia também os macetes das grã-finas, sabia onde encontrar os melhores aviamentos e enfeites para vestidos. Hilda, sua filha, passava as tardes ajudando nos alinhavos e arremates. Clélia viera ficar conosco durante a semana que precedia ao casamento;

algumas fábricas de tecidos do Brás, inclusive aquela onde minhas primas trabalhavam, estavam em greve, sem perspectivas de acordo entre patrões e operários. Tia Margarida aproveitara a ocasião para mandar com a filha seu caçula Mário (Walkiria ainda não havia nascido), tamanho meninão, viciado no peito, mamando-lhe o leite e o sangue. Talvez longe da mãe o bezerrão perdesse o hábito. Minha prima nos dava uma ajudinha nas arrumações e na confecção dos enfeites de mesa e, mais do que isso, animava o ambiente com seu riso alegre. Nos divertíamos o tempo todo, ela sabia histórias de não acabar e cantava tangos argentinos. Fazíamos emulação: "Vamos ver quem sabe mais tangos?".

Maestro do conjunto Os Batuta Godói, que animara anos atrás as matinês dançantes do Palmeiras (havia muito fechado), seu Godói era pai de uma garota com quem me dava. Ele me abastecia de tangos com que fazer frente ao imenso campo de treino que era a fábrica onde minha concorrente enriquecia seu repertório. Seu Godói, um amigão!, tinha amor à sua arte; gostava de ilustrar suas interpretações. Cantava "El pañuelito blanco" segurando com o polegar e o indicador um lenço branco. Com mestre tão bom eu conseguia não fazer feio diante da grande tanguista. Pelo menos uma vantagem obtive — além do divertimento —, com essas emulações: aprendi um pouco de espanhol cantando tangos.

Andava excitadíssima, no auge da euforia com a proximidade do casamento de minha irmã. Usaria, pela primeira vez, sapatos de saltinho, vestido de moça. Repetia, inconsciente, um erro que já cometera anos atrás, ao me entusiasmar com o casamento de Maria Negra. Não me dava conta de que Wanda ia morar em outra casa, que perderia sua companhia diária. Mas, a cada dia que passava minha excitação aumentava; até diria, sem perigo de errar, que andava muito saliente e assanhada, fora de todas as medidas. Mamãe já não me aturava. Eu resolvera atazaná-la com uma brincadeira inventada por acaso: vira numa revista, ilustrando uma reportagem, o retrato colorido do príncipe de Gales (Eduardo VIII), jovem e bonito; daí a bolar a farsa foi um instante: transformei o belo príncipe num apaixonado por mim — e eu por ele —, mamãe contra o romance por puro sectarismo anarquista.

À primeira investida, ao pedir seu consentimento para o noivado, dona Angelina assustou-se, quase achou graça:

— Você está ficando maluca, menina?

Depois, diante de minha insistência: "Reconsidera, mãe, sua obstinação poderá provocar um conflito entre Brasil e Inglaterra!", ela já não esboçou o ar de quem está achando graça:

— Acabe com essas bobagens, me deixe em paz!

Agora, na presença de Clélia, que se divertia enormemente com a brincadeira, eu me animava ainda mais, exagerando, azucrinando mamãe com novas e absurdas invenções, como, por exemplo, que a rainha-mãe estava a caminho do Brasil e desembarcaria em São Paulo a fim de pedir minha mão em casamento para o filho que chorava dia e noite, diante da recusa da futura sogra... Rogava a seu coração empedernido que recebesse a "pobre senhora".

— *Varda vê, gnóca!* Me deixe em paz, sua boboca! — ameaçava-me em seu dialeto vêneto, mau sinal, pois somente o fazia quando zangada de fato.

Mas eu não me assustava com a ameaça, nem pensava desistir da brincadeira, animadíssima com as recentes adesões de minhas irmãs que, também como Clélia, embarcavam na pagodeira, tomando meu partido, rindo pela casa.

Cansada da apoquentação sem fim, dona Angelina resolveu um dia entregar os pontos e acabar de vez com o massacre, ao pressentir nova investida da *gnóca*; fitando-me séria, segurou-me pelo braço e explodiu:

— *Lo vusto? Ciottolo!* Pegue seu príncipe e saia da minha frente!

Minhas irmãs assistiram à cena da capitulação e não se aguentaram de tanto rir. Quanto a mim, não satisfeita com a vitória, ou antes, não me dando por vencida, resolvi no mesmo instante inverter os papéis e continuar a brincadeira:

— Ah! É assim, é? E por onde é que andam os seus ideais anarquistas, hein, dona Angelina? Ai, dona Angelina! Quem diria... Passando-se para a monarquia!...

Não fosse ágil, não saísse correndo, levaria uns bons petelecos.

SEGREDO DESVENDADO

Remo encarregara-se de organizar o baile. Convidaria amigos e conhecidos para animar a festa e não faltariam damas para dançar; a música seria por sua conta; traria, emprestada, uma vitrola elétrica da casa de um amigo. Ao tomar conhecimento do projeto do filho, naquela noite, mamãe não gostou da ideia. Detestava pedir coisas emprestadas:

— Que necessidade há de trazer uma peça tão delicada, arriscando quebrá-la com toda essa gente a bulir nela durante a festa, se temos um rádio possante desses?

O protesto das jovens ali presentes foi geral. Olguinha, Filomena e Milu, minhas amigas que lá estavam ajudando a enrolar balas, riram da ideia absurda de dona Angelina.

— Mas, mãe, pense um pouco — considerou Vera, contendo a voz —, ninguém pode depender de um rádio para dançar! Tem mais anúncios e notícias do que outra coisa...

— E é preciso dançar o tempo todo, sem parar? — retrucou mamãe. — Nos intervalos, conversem...

Revoltada com os argumentos de mamãe a querer estragar o tão esperado baile, movida pelo espevitamento que se apoderara de mim, lancei a provocação. Falando em tom oratório, de pé, comecei:

— ...de repente, César Ladeira anuncia aos senhores ouvintes: "A Orquestra Filarmônica de Pirituba ou do Caxingui interpretará..." — Dirigia-me aos presentes: — Quem adivinha? A música predileta de dona Angelina! E quem não sabe qual é? Ninguém sabe? Tão fácil: A "Serenata" de Schubert, meus senhores! Aí dona Angelina tira seu Ernesto para dançar a serenata...

Cantarolando e fingindo tocar flauta, saí rodopiando, arremedando a maneira deles dançarem, dando uns coicezinhos para trás de vez em quando, ameaçando a canela do desprevenido que passasse ao lado. Gargalhada geral, meu show alcançara o maior sucesso! Procurei o rosto de mamãe, queria sentir sua reação. Logo me dei conta de que havia mexido em casa de marimbondo. Cara amarrada, mamãe voltou-se para mim: "Fosse eu você, menina, nunca mais tocaria nesse assunto, ouviu? E não adianta esse ar de desentendida, porque você sabe muito bem do que estou falando... atrevida!". Parou um momento para tomar fôlego, antes de prosseguir.

Acompanhando o desenrolar dos acontecimentos, enquanto picotava papel de seda para enrolar alfenins e antes que mamãe fosse adiante, Vera pousou tesoura e papel sobre a mesa, respirou fundo e disse:

— Olha, mãe, não foi a Zélia quem quebrou o disco. Não foi ela e nem o Cláudio, fui eu.

Diante da inesperada revelação, tudo que mamãe conseguiu dizer foi:

— Como?

— Fui eu mesma, mãe — reforçou Vera. — Naquele dia eu entrei em casa correndo e quando cheguei no quarto da senhora tive vontade de dar uma descansada na cama. Dei um pulo, caí em cheio em cima do disco. Eu não tinha reparado que ele estava ali. Só reparei quando senti debaixo da minha barriga aquela coisa dura se partindo. Agora estou frita, pensei. No assanhamento que mamãe anda com este disco, vai ficar fula da vida e vai me dar uma surra. Também, nunca vi lugar mais maluco de se guardar disco!

Bestificada diante do que acabara de ouvir, aguardei a reação de dona Angelina. E agora? "A Vera, sim, que é um colosso!"

— E por que só agora você me conta isso? — indagou a mãe, ainda sob o impacto da confissão da filha.

Não houve tempo para resposta, pois Wanda adiantou-se rindo, antegozando o efeito do que ia contar:

— Querem saber de uma coisa? Eu acho que chegou a hora de pôr tudo em pratos limpos: quem quebrou o disco fui eu. Fui eu com toda a certeza. Naquele dia, depois do almoço, entrei no quarto de mamãe para escutar a "Serenata" de Schubert. Peguei o disco e, quando ia colocar no gramofone, bati sem querer na tromba, ele escapuliu da minha mão e se espatifou no chão. Não perdi tempo e, antes que aparecesse alguém, coloquei os cacos no envelope, bem arrumadinhos, deixei em cima da cama. — Voltando-se para a mãe: — Eu sabia, mãe, que a senhora ia ficar furiosa quando descobrisse e, com medo da sua reação, resolvi ficar calada.

Wanda falou ainda de seu remorso ao ver o primo acuado, confessando sob pressão; tivera a mesma reação que as irmãs, ao mesmo tempo, no mesmo quarto, cada qual guardando seu segredo, sofrendo. "Da Zélia" — desculpou-se

Wanda — "nem cheguei a sentir remorsos porque quando ela confessou fui a primeira a acalmar mamãe, defendi ela com unhas e dentes, botei água na fervura..." Aparteando a irmã, Vera também se defendeu: "Como eu, protegi ela o mais que pude...".

Calada por um momento, depois, o olhar vago, a voz sumida, mamãe monologou num suspiro: "...Elas tinham medo de mim! *Mamma mia!* Nunca pensei...".

FIM DE FESTA

Excitação, assanhamento, saliência, espevitamento e euforia sumiram, abandonaram-me com o final da festa de casamento, com a partida de minha irmã de nossa casa, com a volta de minha prima para o Brás.

Agora tudo estava deserto e triste, encargos de não acabar, as obrigações caseiras divididas entre mim e Vera. Devo dizer, a bem da verdade, que Vera tomou a si a responsabilidade maior, arcando com os serviços mais pesados; eu passei à condição de sua assistente. Tarefa dura, estar às ordens de pessoa enérgica como minha irmã, eficiente no trabalho, meticulosa na limpeza, exigindo perfeição em tudo, sobretudo para mim que não nascera para tais incumbências; custava-me enorme esforço executá-las. Principalmente ter que passar cera na casa e lidar com panelas e pratos engordurados. De cozinhar eu gostava, porém quando me apetecia, não por obrigação.

Wanda nos visitava sempre mas já não era a mesma coisa. Em sua presença, sentia saudades dela. Sentia saudades da escola... Mamãe preocupava-se com a súbita transformação da filha caçula, calada agora, sem muita conversa, sem as brincadeiras malucas que inventava; nas horas vagas e muitas vezes pela noite adentro, grudada nos livros, romances de amor que conseguia emprestados. Tão preocupada andava dona Angelina que chegou a aceitar um convite, em meu nome, feito pelos Pescuma, família napolitana de vendedores de frutas nas feiras livres, bons vizinhos.

Era hábito dos italianos da vizinhança — os do sul da Itália — festejar a Pasquélla, a segunda-feira de Páscoa, fazendo piqueniques nas aforas da cidade, com os restos do lauto almoço da véspera, preparado propositalmente em dobro a fim de sobrar para o convescote do dia seguinte: na segunda-feira, logo cedo, saíam as famílias e seus convidados em caminhões enfeitados de bambus e bandeirolas coloridas, levando barris de chope, garrafões de vinho, caixotes e cestas com as comilanças. Em tábuas atravessadas de lado a lado no caminhão, sentavam-se os mais velhos, as crianças viajavam de pé, movimentando-se para cima e para baixo, divertindo-se. Eu sempre tivera vontade de participar de um desses piqueniques, mas mamãe jamais aceitara os convites que me faziam, dando uma desculpa qualquer. A mim ela explicava serem perigosos esses almoços no meio do mato, os homens misturando vinho com cerveja, se embriagando...

Agora, ela chegava em casa, vinda do depósito de frutas dos Pescuma, com a novidade, a boa notícia para mim: dentro de alguns dias eu iria festejar a Pasquélla. Agora, já crescida, sabendo me defender, não havia mais perigo; ela até combinara com dona Anunciata Pescuma...

Muito mais interessada estava eu naquele momento na trama do romance que lia do que em piqueniques; declinei do convite para grande espanto de dona Angelina. *Satanella ou La mano della morta*, de Carolina Invernizzi, o romance em questão, era um volume enorme — devia ter umas mil páginas, suponho —, tão grande e tão pesado que para lê-lo precisava pousá-lo sobre a mesa ou sobre a cama; essa última opção era a minha escolhida, pois gostava de isolar-me e poder me deliciar — sem ser perturbada — com o mórbido enredo da escritora italiana; ajoelhava-me ao chão, o livro aberto sobre a cama. Vera o lera em primeira mão, eu tinha apenas uma semana de prazo para devolvê-lo à Clélia que o trouxera emprestado de uma colega da fábrica. Essa era minha primeira experiência de ler em italiano; atrapalhei-me a princípio, tive que voltar atrás algumas vezes, depois soltei--me, envolvida no drama amoroso. Havia ainda a promessa do empréstimo de outro livro da mesma autora, menor em número de páginas, mas cujo título me deixava com água na boca: *Il bacio della morta*. Misturava autores e estilos, todos me divertiam. Devorei todos os livros de M. Delly, publicados na Coleção das Moças. Pensando que o autor fosse mulher, referia-me a ele como madame Delly. Não perdi também nenhum de Ardei, da mesma coleção; esses autores se pareciam, faziam-me sonhar e assumir o papel da heroína pobre em suas desventuras e nos seus triunfos, enchendo-me de ilusões... A conselho de mamãe li *Cuore*, de Edmundo de Amicis, bom para derreter corações, fazer chorar. Os autores da estante de mamãe, Zola, Victor Hugo, Blasco Ibañez, vim a ler anos mais tarde. *La divina commedia*, de Dante, como já contei, aprendi a amar antes de saber ler. Devorávamos também, Vera e eu, os livros de José de Alencar, de Macedo, e da fase romântica de Machado de Assis.

Mamãe devia andar mesmo muito preocupada comigo, pois tornara-se liberal, soltando-me um pouco as rédeas. Chegou a permitir que eu fosse a matinês na companhia de amiguinhas assistir *Ben-Hur*, com Ramón Novarro, e depois

O Homem-Mosca, filme de Harold Lloyd, ator cômico que eu adorava.

FIM DO CINEMA MUDO

Havia um falatório danado, jornais e rádio comentavam o fim do cinema mudo e o lançamento do cinema falado. Grandes divergências de pontos de vista em torno do assunto: uns, encantados com o progresso, com a nova invenção; outros, amigos nossos, furiosos, falando em infiltração americana impondo a língua inglesa aos brasileiros; uns poucos protestavam contra o desemprego dos músicos que tocavam nos cinemas. Até samba deu:

O cinema falado
é o grande culpado
da transformação...

Alguns cinemas do centro da cidade já haviam inaugurado a novidade; filas enormes formavam-se às suas portas. O América, como sempre atrasado, fechara para reforma e adaptação dos novos aparelhos de som.

Mamãe preocupou-se com Carmela Cica: "A pobrezinha vai pro olho da rua...", mas sua apreensão durou pouco. Carmela apareceu um dia em casa, vinha convidar mamãe para assistir a uma reunião do Círculo Esotérico da Comunhão do Pensamento, onde ela, Carmela, tocava todas as segundas-feiras, depois que deixara o Cinema América ou, melhor dito, depois que fora despedida.

Entusiasmada com o ambiente de paz do novo emprego, Carmela se lembrara de convidar a antiga vizinha; certamente dona Angelina gostaria. Carmela falou sobre a elevação do pensamento, das mensagens de paz e de bondade, que eram a tônica daquelas reuniões espiritualistas. Levada pelo entusiasmo da violinista, dona Angelina aceitou de bom grado o convite, combinou acompanhá-la à rua Conselheiro Furtado — endereço do Círculo Esotérico — na segunda-feira seguinte. Assim fez.

Havia algum tempo que já não frequentávamos as reuniões anarquistas, nas Classes Laboriosas ou na Lega Lombarda; problemas mais concretos, com todas as suas implicações: a luta antifascista, antirracista e anti-imperialista absorvia meus pais, afastando-os, aos poucos, da utopia anarquista.

Chegada a conferências e discursos, mamãe se encantara com as palavras de paz, as invocações ao bem e ao altruísmo, que ouviu no Círculo Esotérico. Não se sentia profana naquele ambiente religioso. Os hinos cantados em coro, acompanhados de música, eram lindos, davam-lhe paz de espírito. Carmela não exagerara.

Apenas num ponto discordava dona Angelina dos espiritualistas do Círculo Esotérico; eles atribuíam a Deus todo o bem, todas as coisas boas do mundo, a Deus rogavam, de Deus esperavam... Materialista convicta, mamãe achava que tanto o bem quanto o mal eram responsabilidade do homem. "O homem" — dizia — "comanda o seu destino. Eu não quero culpar esse Deus todo-poderoso, se é que ele existe, das misérias e das desgraças do mundo. Infelizmente, tem por aí muitos homens maus, irrecuperáveis, péssimos, entravando o caminho da felicidade."

Embora não confessassem abertamente, mamãe e papai não alimentavam mais nenhuma ilusão quanto à possibilidade da implantação e do sucesso de um regímen anarquista.

"Coisa impraticável, impossível em qualquer parte do mundo." Agora, ela apenas sonhava, tinha esse direito.

Mamãe voltou algumas vezes ao Círculo Esotérico da Comunhão do Pensamento, levando-me em sua companhia àquele salão iluminado, onde cantamos hinos e integramos o coro, sem, no entanto, compartilharmos da crença na reencarnação.

NOVAS PERSPECTIVAS

Dia gordo de novidades. Logo pela manhã apareceu Ema, filha de dona Josefina Strambi, riso aberto, ansiosa por dar-me a boa nova: descobrira, por acaso, ótimo colégio onde eu poderia prosseguir meus estudos, gratuitamente. Conhecendo o pensamento de meus pais sobre religião, fez mil rodeios antes de referir-se a um pequeno detalhe, talvez um entrave: tratava-se de uma escola católica. "Uma escola católica, porém liberal", explicava Ema. Ela própria estivera com as freiras no dia anterior, falara em mim, as freiras aceitariam sem reservas ou restrições a aluna pagã. Ali eu aprenderia, além de conhecimentos gerais, a falar francês e bordar.

Papai torceu o nariz ao ouvir as explicações da moça, que exaltava a compreensão e a tolerância das freiras. Cético quanto às suas afirmações sobre o liberalismo e a tolerância das irmãs católicas, papai acabou cedendo, concordando em fazermos uma experiência: "Pelo menos" — ponderou — "o ambiente lá deve ser tranquilo".

A escola não tinha nome, nem currículo. Era um anexo de famoso colégio de meninas ricas de São Paulo, o Des Oiseaux. No mesmo parque onde se elevava o Des Oiseaux — ocupando todo um quarteirão — fora construído um modesto pavilhão onde funcionava a escola que eu frequentaria, a das meninas pobres.

Na companhia de Ema, dirigi-me à rua Caio Prado. Minha primeira surpresa foi constatar que a entrada para a minha escola era pela rua Augusta, nos fundos do grande colégio, e não pelo portão central da Caio Prado, como eu julgara. Em meio a árvores frondosas, um pavilhão, isolado.

Ema apresentou-me às duas freiras responsáveis pela classe: madre Tereza e irmã Calixta. A primeira de nacionalidade belga, a outra italiana. Madre Tereza sorriu depois de me examinar dos pés à cabeça:

— Mas você me disse que ia trazer uma menina e trouxe uma moça...

Confusa, Ema explicou que, apesar de muito desenvolvida, eu ainda não completara catorze anos. Não satisfeita com a explicação que dera, acrescentou ainda que eu era apenas um dia mais velha do que sua irmã Olga.

Não sei qual a razão da observação da madre, pois lá havia meninas de todas as idades e até moças feitas. Certamente, fora um começo de conversa, apenas isso.

Irmã Calixta mostrou-se interessada em meus conhecimentos na arte de bordar. "Sabe bordar?" Não. Eu não sabia bordar. "Pois vai aprender. Tem vontade de aprender?" As alunas, debruçadas, olhos fixos sobre finas cambraias, bordavam para as freiras, que recebiam encomendas, muitas encomendas.

Dessa entrevista ficou combinado que eu voltaria logo após o retiro espiritual que seria iniciado no colégio. A não ser que eu quisesse participar do retiro...

Voltei para casa bastante murcha, mas não disse a ninguém que me sentira pouco à vontade naquele ambiente. Eu não desejava desistir, não ia perder a chance de voltar a estudar.

Em casa, ao regressar, encontrei todo mundo de cara alegre, animação geral. Wanda chegara havia pouco da casa de dona Emília Bulcão, onde fora se consultar, com a novidade, confirmada: grávida de dois meses, mais ou menos. Esse fato alvissareiro fez-me esquecer a má impressão que tivera da escola; radiante, agora só pensava na ventura de ser tia.

Durante um ano, frequentei a escola nos fundos do Des Oiseaux. Depois, me cansei de bordar para as freiras.

NOVOS PARENTES

O aparecimento inesperado de Pierin Zangrando, naquela manhã, causou-me não apenas surpresa, como também satisfação.

Primo de mamãe, havia anos que Pierin não aparecia. Dele, apenas notícias vagas. Mamãe falava sempre no primo, homem alegre, animado.

Agora ele dava conta de sua vida: pai de família numerosa, a filha mais velha, Iracema, já casada (e muito bem); o mais novo, Reinaldo, começando a dar os primeiros passos, ainda um bebê.

Pierin trabalhava em Capela do Ribeirão, numa companhia que empreitara as obras da Adutora Rio Claro, para abastecimento de água na capital. Capela do Ribeirão era um vilarejo quase inexistente, próximo a Mogi das Cruzes. Além do emprego na companhia, Pierin e dona Terezinha, sua mulher, possuíam uma pensão que fornecia refeições aos engenheiros e funcionários da companhia. As filhas mocinhas ajudavam na tarefa assim como os dois meninos mais velhos.

Dessa visita a reacender os laços da amizade foi um pulo. Não tardaram a aparecer, trazidas pelo pai, nossas primas Iracy, Zizica e Juranda; com Iracy e Zizica fiz logo camaradagem, nos tornamos muito amigas, e Juranda, embora bem mais nova, enturmava. As primas eram ótimas, simpáticas, contavam mil novidades de Capela, regurgitante de rapazes, funcionários da empresa. Vera entusiasmou-se e um belo dia conseguiu, depois de muita insistência, o consentimento dos pais e acompanhou Pierin para um fim de semana em Capela do Ribeirão. Ao voltar, trazia novidades: se encantara com um rapaz e ele com ela, paixão fulminante. Paulo Lima, o jovem apaixonado, só falava em casamento.

Se Vera voltara do passeio apaixonada, Zizica conhecera na capital, por nosso intermédio, Hugo Nanni, com quem se casou mais tarde. Juranda viria a ser, anos depois, mulher do escultor Victor Brecheret, primo de seu cunhado Hugo Nanni.

Tudo indicava que o namoro de Vera se transformaria rapidamente em casamento, não se repetindo o exemplo do noivado crônico de Wanda. Com Paulo Lima era zás-trás, tinha pressa, vivia muito sozinho, desejava constituir família, ligar-se o quanto antes à moça que lhe caíra do céu.

Mamãe ficou satisfeitíssima ao conhecer o futuro genro: "Rapaz educado, gosta de leituras, rapaz preparado...". Conversaram sobre literatura: "Gosta de Victor Hugo?", claro que ele gostava, havia lido todos os seus livros. Encantada, dona Angelina aproveitou a oportunidade para declamar-lhe versos de Néry Tanfúcio, humorista satírico de sua admiração. Papai também gostou de Paulo, estranhando apenas a pressa em casar. Preferia noivado longo... para conservar a filha em casa por mais tempo.

ROCCO ANDRETTA NOS VISITA FORA DE HORA

Aquele não era dia de receber o aluguel e, no entanto, Rocco Andretta ali estava, acompanhado do filho mais velho. O assunto que os levava à nossa casa era delicado, por isso o velho estava cheio de dedos, quase a pedir desculpas. Precisava vender a casa. Pai e filho teceram todos os elogios possíveis e imagináveis ao inquilino de tantos e tantos anos. Lamentavam, mas viam-se obrigados a tomar uma decisão imediata. Estavam precisando de dinheiro, pois uma recente operação de vesícula, sofrida pelo velho, custara muito caro, ainda havia dívidas a saldar, contraídas para pagar o hospital e o médico. Tinham excelente proposta de compra da casa, mas... "se seu Ernesto estivesse interessado, lhe dariam prioridade...". Seu Ernesto não possuía dinheiro para comprar a casa. E a compraria, caso o tivesse?

Não havia, pois, alternativa, o jeito era arrumar a trouxa e dar o fora. Tivemos prazo razoável para abandonar a casa.

Cansada de tanto trabalhar, aquele casarão enorme exigia esforços para mantê-lo limpo; zonza com o próximo casamento de Vera e a continuação de meus estudos, até fiquei satisfeita com a perspectiva da mudança para uma nova casa, quem sabe menor, menos trabalhosa.

Quando porém me encontrei diante da realidade: nossa velha casa demolida, as árvores arrancadas, o cavalinho de alvenaria, de quem tanto me orgulhara, descido de seu pedestal na cumeeira, um edifício de apartamentos surgindo daquelas ruínas, senti um aperto na garganta, comecei a chorar. Naquele casarão nascera e crescera, nele vivera, sonhara meus sonhos de criança e de adolescente.

MENINA ATREVIDA

Fico agora pensando o que diria minha mãe, se fosse viva, ao ler estas páginas — ela nos deixou há dez anos e papai há quarenta. Certamente, balançando a cabeça, num suspiro, exclamaria: "*Maria Vergine!* Que menina atrevida! O que é que não vão dizer?".

Bahia, Pedra do Sal, maio de 1979

POSFÁCIO
HISTÓRIAS QUE NUNCA TERMINAM

Lilia Moritz Schwarcz

"Essa foi a história que nono Gênio nos contou, de sua família. Parecida com a da família Gattai, mas completamente diferente." É desta maneira que a menina Zélia relata seu encanto diante dos relatos de seu avô: as narrativas eram sempre *parecidas*, mas também *diferentes*. Sem ter conhecido o livro de nossa autora, o historiador inglês Keith Thomas também fez afirmação semelhante:

> Aqueles que estudam o passado acabam se deparando com duas conclusões contraditórias. A primeira é que o passado era muito diferente do presente. A segunda é que ele era muito parecido.

Semelhança e variação são constatações comuns a todos aqueles que querem rever o passado, recontar uma trajetória. Fazendo um paralelo inesperado com Maria Antonieta, a rainha francesa decapitada pela Revolução de 1789, que uma vez disse que "de perto ninguém é normal", é possível dizer que de longe, também, ninguém é exatamente normal, apesar de ser muito semelhante a tudo aquilo que conhecemos.

E é esse um dos segredos do sucesso duradouro, e justamente merecido, do livro de Zélia Gattai, publicado pela primeira vez em 1979: *Anarquistas, graças a Deus*. Para além do título provocador, e que traz a contradição em sua própria enunciação, a obra, que não perdeu nada de sua atualidade, pode ser definida como fazendo parte do gênero que se consagrou com o título de "memórias"; modelo de muito sucesso na tradição inglesa e francesa, mas de pouca evidência e presença em nossa realidade editorial.

Sabemos que quem conta reconta, e quem lembra também esquece e seleciona. Mas o imenso charme desta obra está justamente no olhar arguto, a um só tempo ingênuo e malandro, de sua autora: a pequena narradora Zélia. Com a malícia da infância, e sua infinita sabedoria ingênua, acompanhamos o mundo da menina e um pouco mais. Em primeiro lugar está a família protetora dos Gattai: os nonos e nonas com suas tradições arraigadas; ou o pai, Ernesto, bastião do grupo, sempre pronto a encontrar um novo negócio, e que se dá bem com o comércio de automóveis numa São Paulo carente deste tipo de invento e símbolo de civilização. Ali está ainda a mãe, Angelina, sempre às voltas com o jardim, os filhos, os bichos, a lua, as estrelas..., mas também de olho nas novidades, sobretudo na área cultural. As irmãs, Wanda (a mais linda) e Vera, são protetoras e críticas, porém valentes e ousadas quando se trata de contestar e introduzir inovações e modernidades: tirar um velho quadro de lugar, remover sacos de mantimentos da sala ou cortar os cabelos e usar maquiagem (mesmo que disfarçada). Já os irmãos, Remo e Tito, parecem representar a continuidade da família; são companheiros do pai, no coração e nos negócios.

O livro é também um bom texto, e pretexto, para adentrarmos, a partir de um ângulo privado, o cotidiano de São Paulo do começo do século xx. Aí está o universo dos imigrantes italianos, que vinham ao Brasil trabalhar nas fazendas de café, mas que partiam para as cidades grandes, que funcionavam como verdadeiros ímãs para essas populações pouco acostumadas à vida no campo. Afinal, logo ao chegar às fazendas de café do oeste paulista, os italianos se deparavam com a dura realidade da imigração: em vez da promessa de autonomia e riqueza fácil, parecia restar-lhes apenas o lugar de ex-escravos; ou melhor, de escravos por dívida. Mas, consciente e politizada, essa população com frequência escapava do campo ou se revoltava. "Fazer a América" era o lema para esses grupos imigrantes, que chegavam aos trópicos com a esperança de tentar a sorte e fazer fortuna nessa terra apresentada como um paraíso da promissão.

Anarquistas, graças a Deus é também um belo relato dessa capital paulistana que aspirava ter ares de modernidade, mas que ainda deixava conviver, em suas ruas, as carroças com os cavalos a motor; os cinemas com as festas de rua; o catolicismo popular com os novos modelos de civilização. São muitos os tempos que coabitam nos relatos de Zélia, às vezes harmoniosamente, em outros momentos trazendo muito ruído e confusão.

A garota percorre as ruas do Centro — e sua conhecida alameda Santos —, e conhece os bairros pitorescos do Brás e do Bexiga, com suas procissões, rituais e culinária, devidamente "traduzidas" para essa nova realidade. Ficamos sabendo, ainda, da importância do movimento anarquista, do fracasso da Colônia Cecília, e mesmo da entrada de um pensamento revolucionário e antifascista no Brasil. No livro ganham lugar, mesmo que a partir de um discurso naïf, o líder anarquista assassinado pela polícia, Cipolla; Sacco e Vanzetti, dois ativistas condenados injustamente; ou Antonio Gramsci, nas palavras da garota, "um prisioneiro do fascismo". Os italianos vinham com suas convicções e não se acomodariam bem aos costumes por demais provincianos desta São Paulo, terra da garoa. A cidade surge como um mundo de oportunidades e também de cerceamentos: os costumes eram atrasados, a moral estrita e os divertimentos muitas vezes escassos, mas prontamente inventados.

Mas a Zélia garota inventa e experimenta: assiste ao amadurecer dos irmãos, sofre com as mortes inesperadas, tenta entender a gravidez da antiga criada Maria Negra, padece com a falta de dinheiro que em alguns momentos assolou a família, lamenta os dissabores da Revolução de 1924 (a despeito de não saber bem do que se trata), torce por suas pequenas utopias e se diverte muito. Como caçula, apronta, e muito: por vezes negocia, mente, denuncia ou faz pequenas travessuras próprias da idade. No entanto, é, acima de tudo, uma boa aluna, uma boa pessoa, preocupada com o que vê, entende e desentende. A partir desse olhar específico, em vez de julgarmos o que vemos, e estranharmos, aprendemos a lidar com a diferença, assim como nos damos, também, o direito de estranhar; tudo junto com a menina para quem o mundo estava ali para ser descoberto.

No universo da jovem há espaço também para os bichinhos de estimação: o cachorro que teimava em fugir e era apanhado pela carrocinha, o gato que "não cheirava nem fedia". Tudo tem sua graça, afeição e profundidade. Pois o olhar da criança não é caracterizado pela "falta"; ao contrário, ela vê em excesso, e a partir de recortes inesperados dados pela pouca altura, pela imensa curiosidade e pela pequena, mas sincera, experiência pessoal.

Escrito na forma intimista de um diário, mas sem se prender a datas ou a uma cronologia rígida, *Anarquistas, graças a Deus* é um exemplo de narrativa a um só tempo privada, mas também exemplar. Feito a posteriori, como lembrança de um momento que se foi, porém redigido no tempo presente, o livro mistura temporalidades como quem alterna realidades. É a Zélia adulta, e casada com Jorge Amado, quem revê sua infância, se enternece e ri dela. Entretanto é a menina que Zélia nunca deixou de ser que comove e faz pensar. Nesse jogo de lembrar e esquecer, quem ganha é o leitor, que, bem acompanhado, visita uma São Paulo de outrora; um momento marcado por utopias de toda sorte.

Como sabemos, o livro termina com a menina já moça e o velho casarão destruído:

> Quando porém me encontrei diante da realidade: nossa velha casa demolida, as árvores arrancadas, o cavalinho de alvenaria, de quem tanto me orgulhara, descido de seu pedestal na cumeeira, um edifício de apartamentos surgindo daquelas ruínas, senti um aperto na garganta, comecei a chorar. Naquele casarão nascera e crescera, nele vivera, sonhara meus sonhos de criança e de adolescente.

Fim da história, mas nem tanto, pois toda narrativa é infinda enquanto continuar a produzir curiosidade e encantamento. A menina atrevida continuou atrevida, e não parou mais de contar histórias. E mais: todas essas narrativas, hoje em dia vistas de longe, parecem tão próximas quanto distantes. Descrevem um mundo que, apesar de perdido no tempo, continua guardado na memória, agora afetiva. Eternas são as histórias que nasceram para não acabar.

Lilia Moritz Schwarcz é professora titular do departamento de antropologia da Universidade de São Paulo.

1ª EDIÇÃO [2009] 10 reimpressões

ESTA OBRA FOI COMPOSTA PELA RITA DA COSTA AGUIAR | ESTÚDIO EM FAIRFIELD E DIN E IMPRESSA PELA LIS GRÁFICA EM OFSETE SOBRE PAPEL PÓLEN DA SUZANO S.A. PARA EDITORA SCHWARCZ EM NOVEMBRO DE 2024

A marca FSC® é a garantia de que a madeira utilizada na fabricação do papel deste livro provém de florestas que foram gerenciadas de maneira ambientalmente correta, socialmente justa e economicamente viável, além de outras fontes de origem controlada.